POUVOIR CHANTER
de Bruno Roy
est le trois cent soixante-seizième ouvrage
publié chez
VLB ÉDITEUR.

POUVOIR CHANTER
ESSAI D'ANALYSE POLITIQUE

du même auteur

PANORAMA DE LA CHANSON AU QUÉBEC, Montréal, Éditions Leméac, 1977, essai.

ET CETTE AMÉRIQUE CHANTE EN QUÉBÉCOIS, Montréal, Éditions Leméac, 1979, essai.

IMAGINER POUR ÉCRIRE, Montréal, VLB Éditeur, coll. Second souffle, 1988 (réédition), essai.

FRAGMENTS DE VILLE, Montréal, *Arcade*, 1984, poèmes.

L'ENVERS DE L'ÉVEIL, Éditions Triptyque, 1988, poèmes.

en collaboration

NOUS REVIENDRONS COMME DES NELLIGAN (anthologie de poèmes étudiants), Daniel Mativat, Bruno Roy et Louis Vachon, Montréal, VLB Éditeur, 1989.

Bruno Roy

Pouvoir chanter

vlb éditeur

VLB ÉDITEUR
1000, rue Amherst
Montréal (Qué.)
H2L 3K5
Tél.: (514) 523.1182
Fax: (514) 282.7530

Maquette de la couverture:
Katherine Sapon

Photographie de la couverture:
Sylvain Majeau

Composition et montage:
Atelier LHR

Distribution en librairies et dans les tabagies:
AGENCE DE DISTRIBUTION POPULAIRE
955, rue Amherst
Montréal (Qué.)
H2L 3K4
Tél. à Montréal: (514) 523.1182
de l'extérieur: 1.800.361.4806

Une division du groupe Ville-Marie Littérature
Dépôt légal — 1er trimestre 1991
Bibliothèque nationale du Québec
ISBN 2-89005-427-6

Introduction

La chanson québécoise, encore aujourd'hui, reste intéressante dans son rapport global au phénomène culturel. Le politicologue Gérard Bergeron nous en convainc:

> *«Poètes et chansonniers ont affirmé fortement, bien qu'avec une marge d'ambiguïté (il est de l'essence de la poésie de rester toujours bellement ambiguë, si j'ose dire), l'espoir d'un Québec indépendant. En tout cas, avant d'autres voix, avant les voix de la politique. Cela vaudrait d'être étudié de près comme important chapitre de notre sociologie culturelle[1].»*

Il faut reconnaître que l'histoire culturelle est un genre plutôt négligé. L'analyse du phénomène culturel que constitue la chanson ne jouit pas d'une longue tradition, comme on le sait; le statut de discipline autonome commence à peine à lui être reconnu. Le plus important ouvrage analytique au Québec concernant la chanson politique date de 1977[2]. Les auteurs ont entrepris de reconstituer et de suivre l'histoire des nôtres par le cheminement de la chanson folklorique. C'est cependant le politicologue Gérard Bergeron, alors sous le pseudonyme d'Alain Sylvain, qui montrera comment la nouvelle chanson au Québec est devenue le lieu d'une

1. Jean Blouin. *De l'autre côté de l'action*. Montréal, Nouvelle Optique, Coll. «Traces et paroles», 1982, p. 148.

2. Maurice Carrier et Monique Vachon. *Chansons politiques du Québec, 1765-1833*. Montréal, Éditions Leméac, 1977, tome 1. (Le tome 2 paraîtra en 1979 et couvrira la période de 1834 à 1838.)

conscience sociale renouvelée[3]. *Avant lui, dans un numéro spécial de la revue* Liberté[4], *Lysiane Gagnon s'était demandé si dans notre société colonisée, la chanson n'avait pas été une valeur de refuge.*

De la chanson folklorique à la chanson moderne, des chansonniers aux groupes québécois, nous serons instruits de la dimension politique de toute affirmation de la parole ou du geste. Jamais, cependant, une étude systématique de la chanson et de ses rapports avec la société[5], *conséquemment avec le et la politique, n'a été faite, et cela, des origines à nos jours. C'est cet objectif que le présent ouvrage voudrait combler.*

Avec cet essai d'analyse politique du phénomène de la chanson, se termine pour moi un cycle respectivement commencé et poursuivi par Panorama de la chanson au Québec *et* Et cette Amérique chante en québécois. *Dans le premier livre, je présentais l'évolution de la chanson québécoise comme l'histoire des lignes de force de notre destin collectif. Il y était donc question de notre fidélité à nous-mêmes et de notre accession à la modernité. Dans le second livre, l'analyse mettait au premier plan la relation féconde de la chanson avec son public. J'y parlais de la place naturelle de notre chanson dans son intégration à la culture nord-américaine. Encore aujourd'hui, la chanson québécoise réorganise et recommence, ailleurs et autrement, la culture française, dont nous sommes ici les tenants. Avec* Pouvoir chanter, *nous verrons comment la chanson a canalisé le potentiel de force, non seulement isolément celui des individus, mais surtout le potentiel de force collective; c'est là que le culturel peut prendre sa dimension politique.*

Histoire. Culture. Politique. Trois axes qui permettent le dévoilement de la chanson selon un ordre de signification indissociable de ses manifestations. Les chansons ont fait naître ce qu'il conviendrait d'appeler une conscience de la nation. La chanson québécoise dévoilera une perception de la conscience collective qui est plus que ce que les catégories nous indiquent.

---

3. Alain Sylvain. «La chanson québécoise, un phénomène politique», *Maclean*, février 1971, p. 19.

4. Liberté, «Pour la chanson», n° 46, juillet-août 1966.

5. Nonobstant la thèse de maîtrise de Pierre Guimond, présentée en 1968, *La Chanson comme phénomène socioculturel*, Université de Montréal.

La configuration idéologique de ces vingt-cinq dernières années nous a fait mettre aux oubliettes la production chansonnière, qui a peu de rapport avec la chanson d'auteur. Pourtant, celle-ci n'a pas seulement commencé avec Félix Leclerc. Le champ de production sera donc saisi dans sa dimension nationale. L'ensemble des chansons citées, dans leur rapport à la société, peuvent se donner comme la totalité ou presque de la production québécoise, des origines aux années 1980, attendu que ce rapport est aussi un rapport à l'imaginaire. Les textes de chansons vont donc constituer une source d'informations sur notre imaginaire collectif.

En fait, la matière qui nous intéresse principalement, c'est l'œuvre écrite. La chanson contestataire, tout en correspondant à un certain type de vie et à un certain type d'aspirations, appartient aussi à un certain type de société. Voilà pourquoi les prolongements qu'elle réalise dans la société d'aujourd'hui sont susceptibles de nous intéresser. Je la retiens comme illustration de l'évolution de notre conscience collective en même temps qu'elle fait la preuve de nos contradictions certes, mais aussi de nos choix. Car la chanson qui signifie a une histoire; celle-ci se rattache aux usages sociaux qui en sont faits. Et quand cette partie de l'Amérique, la nôtre, chante en québécois, la chanson devient, par exemple, le lieu d'un débat sur la langue. Quelle lutte mène la chanson contre l'oppression? La chanson et le pouvoir: collusion ou collision? Une socialisation de la production chansonnière est-elle possible? Le système marchand de la musique est l'outil de quel pouvoir?

L'analyse historique de la chanson ne saurait par ailleurs se réduire à quelques grandes dates ou événements politiques. La chanson, ici comme ailleurs, est également une pratique de la culture. Elle se présente sous des formes variées: folklore, poésie, joual, rock, politique, écologie, contre-culture, féminisme, grève, etc. Une bonne analyse de tel type de chanson exige de connaître le milieu social et humain tel qu'il était ou tel qu'il est. Dans cet ouvrage, il ne s'agira donc pas de s'intéresser aux critères de sélection des chansons, à leur classification ou à leur consécration. Cela relève plutôt de la sociologie[6]*. Il reste que l'amateur de chansons populaires*

---

6. Lire à ce sujet l'article de Jacques Julien: «Essai de typologie de la chanson populaire» dans *Les Aires de la chanson québécoise*, Éditions Triptyque, 1984, p. 104-124.

ne doit pas être confondu avec l'amateur de chansons folkloriques, l'amateur de chansons à texte avec l'amateur de chansons politiques. Si la chanson des années 1960 s'est comportée comme une chanson populaire, c'est que toute une collectivité l'a reconnue et adoptée, ce qui ne l'a pas empêchée, sous l'impulsion des chansonniers et de la demande que ces derniers ont créée, de devenir une chanson à texte. Évidemment, c'est celle, plus sociale, qui a d'abord intéressé les chercheurs puisque cette chanson jouait un rôle de définiteur semblable à celui de la chanson folklorique. En fait, chaque aspect se voit considéré comme une entité autonome: chanson folklorique, chanson électorale, chanson historique, chanson patriotique, chanson populaire, chanson poétique, chanson rock, etc.

Sans donner à notre approche méthodologique une étiquette scientifique, nous voulons privilégier l'aspect sémantique comme source de valeurs sociales d'une époque. Ma réflexion est éclairée par les thèmes de la chanson autant que par le recours à l'histoire, la sociologie, la culture ou la politique. Ce qui permet de dater une chanson, c'est moins le jour de sa composition que sa réception par un milieu et à une époque. Notre étude concernera donc les problèmes d'analyse de signification et d'interprétation. Elle ne vise pas alors l'étude détaillée des formes littéraires ou musicales[7].

En tranches synchroniques de lectures, l'ensemble des six premiers chapitres va constituer l'histoire d'un champ de production: celui de la chanson au Québec, des origines à nos jours. Chacun des chapitres va analyser l'état de la chanson (aspect diachronique) en relation avec son temps et son lieu. En fait, les deux premières parties de ce livre offrent une perspective historique à partir de la matière première: le texte de chanson.

Il y a bien sûr ce dont parle la chanson, mais il y a, tout aussi important, ce qu'on a dit sur elle, ce que l'on continue d'en dire. N'importe quelle chanson est en relation avec un autre champ de production, celui des discours institutionnels contemporains des différentes chansons. La troisième partie fait donc l'analyse des

7. Cette étude reste à faire. En effet, peu d'études sur la chanson ont porté sur le texte lui-même. Pourtant, paroles et musique sont indissociables. Sur le sujet, j'achève une thèse de doctorat: *L'Énonciation (manifestaire) de la chanson québécoise: 1960-1980* (Université de Sherbrooke).

discours tout en restant collée au sens sociopolitique du phénomène culturel que la chanson constitue. Dans cette partie, je débats une question: celle des rapports, efficaces ou pas, entre chanson et politique. Développer les relations multiples qu'entretient la chanson avec les discours qui la concernent (discours de la chanson et discours sur la chanson) va nous permettre de traverser les grandes étapes de la formation d'une chanson désormais appelée québécoise. C'est donc la fonction interprétative qui sera ici privilégiée. S'il faut convenir que l'idéologique est arbitraire et le culturel capricieux, cela ne nous empêche certainement pas de discuter les rôles qu'on assigne à la chanson et à ses artisans — et ceux aussi qu'on assigne au public en général. La chanson, en son temps, s'appuie sur des valeurs idéologiques partagées par un public qui actualise cette relation. Le message et les conditions de transmission de ce message nous font nous demander comment s'est imposée la chanson au Québec. Car, générateurs de discours, ceux de la chanson elle-même, les discours institutionnels (le réseau idéologique) ont suscité une création québécoise à partir d'un champ de production qui a commencé avec la tradition orale: la chanson folklorique. Une constante s'impose: la chanson, au Québec, selon les époques, s'est consommée comme valeurs. Les couplets populaires, même impuissants à briser certains rapports de force, font apparaître, aujourd'hui par exemple, une conscience sociale aux prises avec un contexte urbain où les rapports de classes tentent d'être démasqués. Car le «chanter pour plaire» ne remplace jamais entièrement le «chanter pour dire». La chanson annonce, à la fois, l'ordre et la subversion.

Il peut arriver que j'arrondisse les coins et qu'en parlant d'intellectuels, je parle des chansonniers. L'on ne se méprendra pas. Jacques Michel n'est pas Pierre Vadeboncœur, ni Gilles Vigneault Denis Monière. J'emprunterai cependant aux sociologues américains cette idée d'un «parti culturel», qui est formé non pas des seuls intellectuels, mais de tous ceux qui fabriquent, consomment des idées, les rejettent ou les reprennent. En ce sens, il ne fait aucun doute, pour moi, que les chansonniers appartiennent d'emblée au parti culturel.

De plus, il me plaît de mettre en intertextualité les titres de mes chapitres ou sections avec des titres ou des paroles de chansons. Cette inscription littéraire établit certes une connivence sémantique, mais elle marque en plus le lien organique entre la création et la synthèse, entre la réflexion et l'histoire.

Il me reste à dire que la chanson québécoise n'est plus une cause à défendre. Il reste encore à l'inventorier pour en connaître toute la vigueur et l'influence. Pourquoi chanter? Parce qu'il y a tant à faire. Le sens de la lutte va toujours dans le sens d'un certain avenir politique à la croisée de deux questions: le réveil des particularismes et l'opposition à tout impérialisme. Il reste que la culture d'un groupe sera toujours sa façon personnelle d'accéder à la liberté. Et s'il est vrai que la chanson vit de récréations, il est aussi vrai que tout ce qu'elle a permis de rupture créatrice s'inscrit dans la continuité. Son évolution, sur ce point, a valeur d'exemplarité.

PREMIÈRE PARTIE

Ça prend des racines

Il fallut que Colomb partît avec des fous pour découvrir l'Amérique. Et voyez comme cette folie a pris corps et duré.

ANDRÉ BRETON

Présentation

Il existe peu d'études sur les conditions historiques et idéologiques qui ont amené la diffusion de la chanson folklorique au Québec. Pourtant la chanson folklorique, et ce qui en tient lieu, est une œuvre nationale. L'étiquette «chanson populaire canadienne» qu'on lui accole et l'emploi régulier de qualificatifs tels vieille, populaire, de chez nous, du terroir devraient nous en convaincre.

Il ne fait plus de doute, en effet, que la recherche sur le folklore par l'étude scientifique des traditions ancestrales vise la conservation d'un patrimoine national. Pour Marius Barbeau, celui que Luc Lacoursière considère comme «le premier maître du folklore canadien[1]», la cueillette de nos chansons, donc de nos traditions, a une portée politique. C'est cette portée qui crée un sentiment d'urgence. La cueillette des chansons, en devenant le butin des folkloristes, ne doit pas nous assurer de la survivance française au Canada. Elle repose, selon Barbeau, sur l'ensemble des traditions, y compris la langue et la religion. Le folklore français d'Amérique est donc à la base de l'induction la plus complète de notre culture traditionnelle en Amérique du Nord. La langue devient donc «le dernier rempart de la nationalité[2]».

---

1. Luc Lacoursière. *Les Archives de folklore*, publications de l'Université Laval, Éditions Fides, 1946, nº 1, p. 8.

2. Marius Barbeau. *Les Archives de folklore*, nº 1, p. 72.

Bien qu'à Détroit, à Saint-Louis ou à la Nouvelle-Orléans la survivance française chancelle pendant que les «traditions de l'âme[3]» s'appauvrissent par la dispersion et le mélange des races, au Québec le Canadien français reste distinct et ses traditions sont protégées contre l'oubli.

Bien avant Marius Barbeau, des gens de lettres, voire des chercheurs universitaires, s'étaient intéressés à l'étude des chansons populaires comme miroir évocateur du passé national. Le folklore classique — cette création populaire — était à l'époque rattaché aux recherches anthropologiques et ethnologiques. Conrad Laforte situe vers 1852, ici comme en France, le début des études sur la chanson folklorique. L'intérêt des intellectuels pour la chanson folklorique remonte à l'époque romantique. En perdant son aspect divertissement, la chanson, soudainement, témoignait de la culture d'un peuple. Les écrivains du XIXe siècle aimaient à utiliser des extraits de chansons folkloriques afin de donner à leurs œuvres une couleur locale. De cette même époque date la cueillette des chansons.

> «Je crois qu'il serait plus juste de dire que les écrivains canadiens-français[4] ont été, comme leurs confrères de France et en même temps qu'eux, les premiers à découvrir la chanson du peuple et à la proposer à l'admiration. Il en est résulté une curiosité à l'égard de cette poésie orale et un grand désir de la recueillir avant qu'elle ne se perde. De là nous verrons surgir une seconde vogue où les lettrés se feront collectionneurs[5].»

L'essor de l'imprimerie va donner à la chanson, par l'intermédiaire de la publication en recueils et en études de toutes sortes, les moyens de se propager au-delà d'un cercle d'initiés vers un public beaucoup plus large. Au Québec, on recense dix-sept recueils manuscrits de chansons populaires et une trentaine de chansons imprimées. C'est vers 1855

---

3. F.- A. Savard. *Les Archives de folklore*, no 2, p. 16.

4. Gérin-Lajoie, Chauveau, Lacombe, Choquette, Aubert de Gaspé, O. Crémazie, etc.

5. Conrad Laforte. *La Chanson folklorique et les Écrivains du XIXe siècle*, HMH, Cahiers du Québec, 1973, p. 50.

qu'Octave Crémazie fait publier un recueil de *Chants canadiens* avec accompagnement pour piano. Ce recueil est l'une des plus anciennes publications de chants à caractère purement folklorique que nous possédions. Il a précédé la parution de *Chansons populaires et historiques du Canada* (1863) de F. A. Larue. Ce dernier, encouragé par les écrivains de l'École patriotique, s'intéressait aux chansons populaires et historiques «par pur dévouement national[6]». Mais c'est Ernest Gagnon qui, avec son recueil *Chansons populaires du Canada* (1865), enthousiasma et recueillit l'admiration des écrivains et littérateurs qui voyaient dans son livre le pouvoir évocateur du passé national. Son étude fut considérée comme une œuvre de dimension véritablement nationale.

> «On a tout dit sur son volume *Chansons populaires du Canada* que l'on peut appeler, dans son genre, un monument national, et qui a révélé à la France, plus que bien d'autres manifestations peut-être, le fait merveilleux de la survivance française au Canada[7].»

Dans la seconde moitié du XIXe siècle, la publication des recueils de chansons folkloriques s'agrémentera d'illustrations. L'illustration deviendra le support efficace et complémentaire du texte, elle facilitera la consommation et la propagation de la chanson folklorique dans les milieux plus populaires. La chanson connaît alors une «plus grande diffusion que celle que lui aurait ménagée son milieu naturel», écrit Laurier Lacroix[8]. L'illustration, note-t-il, témoigne comme l'harmonisation du passage de la chanson folklorique dans les milieux folkloristes et d'éditeurs.

La banalisation de l'imprimé aura pour la chanson folklorique deux conséquences majeures: la création d'un certain répertoire consacré par les livres (les chanteurs

6. *Ibid.*, p. 82.

7. *Ibid.*, p. 99.

8. Laurier Lacroix. «Fonctions des illustrations de chansons folkloriques» dans *L'Illustration de la chanson folklorique au Québec: des origines à La Bonne Chanson*, Musée des Beaux-Arts de Montréal, Montréal, 1980, p. 39.

n'interprétant plus que les chansons inventoriées par les folkloristes, notamment Gagnon et Larue) et la standardisation de ce répertoire. Cette standardisation favorisera, d'ailleurs, un certain nivellement de la culture populaire par l'élimination des variantes rythmiques et mélodiques.

> «Cette standardisation des versions, écrivent Charlotte Cormier et Donald Deschênes, est conséquente au nivellement culturel amorcé depuis le début du siècle et qui s'observe à travers le monde entier[9].»

On peut donc dire que le répertoire de la chanson folklorique est issu de deux sources: l'une orale et populaire, l'autre littéraire et savante. La première se transmettait par tradition orale, d'une génération à l'autre; la seconde passait par l'écriture et le livre. C'est l'édition qui toutefois fait la jonction entre les deux sources:

> «L'imprimé a, en effet, permis à des chansons connues d'un petit nombre de personnes, à peine quelques centaines, d'atteindre un public très large. Il a rendu possible une meilleure fréquentation de la musique folklorique et de la musique savante, établissant ainsi les bases d'une musique nationale[10].»

Les lettrés ont surtout recensé le folklore classique, que l'époque opposait à un folklore vulgaire, exerçant ainsi une certaine censure éliminant de la chanson folklorique son aspect carnavalesque. De même, l'éditeur imposait parfois certaines retouches, offrant au public un répertoire par trop souvent épuré[11].

---

9. Collectif. *L'Illustration de la chanson folklorique*, Musée des Beaux-Arts de Montréal, Montréal, 1980, p. 17.

10. *Ibid.*, p. 17.

11. Par opposition à ce phénomène, des «collectionneurs ont voulu exprimer la poésie populaire en les transcrivant en joual plutôt que dans le langage littéraire des *Chansons populaires du Canada* de Ernest Gagnon. Ils rendent gloire à la chanson du terroir, reléguée au second plan à la suite de l'intérêt des intellectuels pour des chansons plus anciennes». (*L'Illustration de la chanson folklorique...*, p. 71)

À ce sujet, il n'est pas inintéressant de noter que la prolifération des publications sur la chanson populaire fit perdre à *À la claire fontaine* une grande partie du nationalisme qu'elle symbolisait au XIXe siècle.

Ce nationalisme s'exprimera le plus souvent à travers un genre plus récent quoique postérieur à la Révolution française: la chanson patriotique.

> «Cet engouement est à replacer dans le cadre de la phase 'nationaliste' de l'art en Europe. Les artistes exploraient des thèmes locaux en puisant souvent dans la tradition populaire plutôt que dans les thèmes généraux issus de la Bible ou d'inspiration classique. Malgré la suprématie politique des Anglais après la conquête, les artistes et les lettrés canadiens-français sont parvenus à maintenir des liens étroits avec la vie intellectuelle française. La pensée nationaliste du XIXe siècle s'est exprimée dans l'art et la littérature du Québec sous des formes proches de celles que l'on trouve en France[12].»

Au Québec la chanson patriotique sera axée essentiellement autour de deux pôles: les sociétés patriotiques (la Saint-Jean-Baptiste) et les écoles (séminaires, universités, conservatoires). Mais c'est dans les milieux populaires qu'elle aura le plus d'impact et éveillera le plus d'échos, le genre patriotique faisant appel à un retour des valeurs traditionnelles, du sens patriotique lié aux images d'un passé national. Sur une période de plus de cent ans se multiplieront les publications de toutes sortes: recueils, chansonniers mêlant à la fois chants patriotiques, cantiques religieux, voire chansons à la mode.

Dès 1850 est publié *Le chansonnier des collèges*, un ouvrage destiné et adapté pour les écoliers, alors qu'en 1870 paraissait *La Lyre canadienne*, un recueil de chansons empreint d'idéologie ruraliste et nationaliste. En inventoriant toutes les publications, on constatera — malgré le temps — une certaine similitude dans les titres: *20 chansons populaires du Canada* (1893), *French Songs Of Old Canada* (1904), *Chansons canadiennes* (1907), *Chants canadiens* (non daté), *Chansons*

12. Janice Seline. *L'Illustration de la chanson folklorique*, p. 23.

d'autrefois (1926), *Nos chansons populaires* (1929), *La Bonne Chanson* (1937), *Chansons du vieux Québec* (1939), etc.

> «Ces recueils et chansonniers permirent une large propagation d'un répertoire canadien-français bien défini où les chansons ainsi présentées jouissaient d'une certaine valeur morale et parfois même éducative. Les plus connus sont *La Bonne Chanson* en plusieurs volumes et *Chante rossignolet* du Comité de la Survivance française[13].»

La publication, en plusieurs volumes, de *La Bonne Chanson* dépassera le milieu cultivé et, par son caractère scolaire, entrera dans la catégorie des chansons contrôlées. *La Bonne Chanson* doit son existence et son développement à un contexte sociologique bien précis qui lui a préparé le terrain. Parallèlement à *La Bonne Chanson*, Charles Marchand et Maurice Morrisset (chanteurs et folkloristes) fondèrent un nouveau magazine, *Le Carillon*, dont les buts étaient de s'opposer par une idéologie conservatrice basée sur une vision morale de la chanson à la nouvelle liberté de la culture populaire des années 1920.

> «*Le Carillon* aura pour mission et pour but de répandre la chanson honnête — celle que l'on peut chanter en famille, au coin du feu, celle qui peut pénétrer sans crainte dans nos pensionnats de jeunes filles et de jeunes gens[14].»

Cet aspect de la mission du *Carillon* rejoint essentiellement celui valorisé par l'instigateur de *La Bonne Chanson*: l'abbé Gadbois.

À l'inverse, *Les Veillées du bon vieux temps*, que publiera la Société historique de Montréal, connaîtront un destin plus populaire et moins honorable au sens moral. Luc Lacoursière, dans son ouvrage, pense que le mouvement a dévié de son but premier.

---

13. Charlotte Cormier et Donald Deschênes. *L'Illustration de la chanson folklorique...*, p. 115.

14. Maurice Morisset. «Notre but» dans *Le Carillon*, vol. 1, n° 1, mai-juin 1926, p. 3.

«Le genre *La débauche* envahit les tréteaux; il triomphe encore aujourd'hui (1948) dans certains programmes radiophoniques[15].»

Pourtant les deux premières veillées publiques du folklore qui eurent lieu à la Bibliothèque Saint-Sulpice, vers 1929, paraissaient être des tentatives, audacieuses mais authentiques, de réunir des chanteurs du terroir (Alphonse Tison, Philéas Bédard, Louis Cantin) et non des professionnels.

Il n'en demeure pas moins que ces veillées jouèrent un rôle prépondérant de revalorisation de la culture populaire. Elles permirent la fréquentation simultanée de deux folklores: l'un venant du tronc classique, l'autre du tronc des variétés. C'est dans cette perspective et autour du Mouvement national que se regroupent les principaux folkloristes intégrés aux variétés: Conrad Gauthier, Ovila Légaré et Charles Marchand. La Bolduc elle-même était souvent présentée comme folkloriste.

«La référence au bon vieux temps et aux racines terriennes sert de caution aux nouveautés imitatives et à la manipulation du répertoire ancien. L'appellation 'folklore', ici, ne renvoie pas à la transmission d'un corpus mais à une idéologie[16].»

Ces premiers chanteurs professionnels projetèrent au public un archétype du Québécois dont l'image traditionnelle est celle de l'habitant vivant à la campagne, sans souci mais courageux. Naturellement ils adoptèrent l'habit traditionnel: chemises à carreaux, ceintures fléchées et bas épais. De plus, nombre d'entre eux s'attachèrent plus particulièrement à certaines chansons folkloriques qu'ils firent revivre dans la ferveur populaire. À cette époque, il faut le souligner, le «chanteur- acteur folklorique» des années 1920/1930 dont le

15. Luc Lacoursière. *Archives de folklore*, n° 3, p. 11.

16. Jacques Julien. «Essai de typologie de la chanson populaire» dans *Les Aires de la chanson québécoise*, Montréal, Éditions Triptyque, 1984, p. 111.

prototype serait Charles Marchand avait un respect tout intellectuel pour son répertoire[17].

Premier chanteur folklorique professionnel, Marchand, avec d'autres, a contribué, soit à la radio, soit dans les festivals folkloriques, à la vulgarisation de la musique, c'est-à-dire, pour reprendre l'expression du chanteur du terroir Rodolphe Bordeleau, de «la chanson ancestrale[18]».

Avec l'invention du gramophone (1887), qui permet l'enregistrement de disques en nombre illimité, la chanson populaire se donnait deux supports: le disque et la radio, la radio qui, on le devine, ne resta jamais à l'écart de ces manifestations culturelles. C'est dans le cadre d'éditions ethniques que les maisons de disques proposent au public les premiers enregistrements spécifiquement canadiens. Vers la fin du XIXe siècle, l'on dénombre à peine huit enregistrements portant l'étiquette «*French Canadians*» sur un catalogue de cinq mille titres produits aux États- Unis. En 1903, Emile Berliner, l'inventeur de la «machine parlante», inaugure la première série québécoise, sur laquelle on trouve entre autres: *Ô Canada, mon pays mes amours* et *Le drapeau de Carillon*.

> «Au total, plus de trois cents enregistrements québécois sont commercialisés pendant ces dix ans, par quatre compagnies importantes dont deux (Victor U.S. et Berliner) sont affiliées, et une compagnie éphémère. La concurrence est grande: Columbia fait enregistrer les mêmes titres par les mêmes artistes que Berliner. Deux genres d'artistes sont utilisés, des chanteurs de formation, comme Saucier, Archambault et LeBel, et des comédiens populaires, comme Cartal, Harmant et Fertinel. Le répertoire est bien tranché aussi, d'un côté les chansons patriotiques, religieuses et folkloriques, de l'autre, des chansons de café-concert et des grivoiseries[19].»

17. Ce respect est à rapprocher avec l'estime de leur répertoire qu'avaient les raccordeurs de chansons.

18. Rodolphe Bordeleau. Émission «Contour» (1982), CBOFT, Radio-Canada, 17 août 1984.

19. Jean-Jacques Schira. «Les éditions sonores au Québec (1898-1960)» dans *Les Aires de la chanson québécoise*, Montréal, Éditions Triptyque, 1984, p. 85.

De 1908 à 1916, on constate un net ralentissement dans l'enregistrement des séries québécoises. Échec commercial ou censure[20]? Puis une série canadienne, mélangeant disques anglais et français, relancera l'enregistrement de monologues, dialogues, tout autant que de danses et musiques traditionnelles. La compagnie Compo deviendra la locomotive de l'édition québécoise. En somme, c'est le bon vieux temps gravé sur disques.

Avec l'apparition, dès 1925, de l'enregistrement électronique, tous les catalogues tomberont en désuétude. Une nouvelle compagnie, la Brünswick, se consacrera à l'enregistrement d'une importante série québécoise. L'édition discographique est à son apogée lorsque éclate la crise du disque, précédant en cela la Grande Dépression. Quelques grands noms, malgré tout, s'imposent: Madame Bolduc, Ovila Légaré, Marchand, Soucy et Lavoie. Alors que les soupes populaires se multiplient, s'ébauche une histoire d'amour entre les Québécois et la radio.

La Seconde Guerre mondiale relancera le marché du disque. Vont renaître les séries québécoises, avec bien sûr de nouveaux noms: A. Robi, L. Dumont, J. Normand, R. Lebrun, W. Lamothe et P. Brunelle. On assistera, dans les années 1950, à l'apogée, à l'explosion de la chanson que couronnera le premier concours de la chanson canadienne, où plus de mille chansons seront reçues.

Le Québec se met à chanter, c'est-à-dire aussi à parler.

20. *Ibid.*, p. 86.

CHAPITRE 1

La mémoire à vif

Ce que j'en dis c'est pour conter l'histoire de leur servitude.

GEORGES DOR

Même si l'ancien mode de vie paysan a disparu et avec lui les chants de labour, parce qu'ils n'avaient plus de fonctions, ni de raisons d'être, il n'est pas sans intérêt de renouer avec ce que le peuple a chanté. Ces chansons appartiennent au passé, mais elles peuvent nous apprendre beaucoup sur nous-mêmes. Qu'elles soient nées spontanément, dans l'anonymat ou sous la plume d'un auteur célèbre, elles restent populaires dès lors que ce qu'elles expriment est le reflet des aspirations du peuple, d'un peuple. De telles chansons sont (et seront) la preuve vivante d'un art communautaire authentique.

Précieux héritage de la mère-patrie, ces chansons forgèrent l'âme et la personnalité des anciens Canadiens, nous dit Marius Barbeau, qui par ailleurs voit à notre répertoire folklorique trois sources essentielles:

1) Les chansons populaires de l'ancienne France;
2) Les chansons apportées par les colons de toutes les

provinces de France et qui furent introduites oralement ou par écrit depuis le XVIIe siècle;

3) Les chansons du terroir canadien.

C'est à cette dernière souche que nous nous attacherons plus particulièrement ici. Chansons composées au Canada français et dont l'exploitation d'un thème typiquement canadien signifie l'exploitation d'une réalité totalement inexistante en France. Si la chanson traditionnelle vient de l'étranger, la chanson populaire, elle, sera canadienne. Pour nous, elle est évidemment plus lourde de sens, plus signifiante.

Elles sont une mine de renseignements, étant tout à la fois chronique sociale ou villageoise, carnet de voyages. Elles nous ont été léguées par les voyageurs, les coureurs des bois, les travailleurs forestiers, les marins, les agriculteurs. Elles ont été autant inspirées par le travail de ces hommes (chansons de métier) que par leurs conditions de vie[1]. Certains évoquent les rigueurs de la mer, d'autres celles de l'hiver; d'autres encore nous parlent de naufrages ou de sinistres; marins et bûcherons ont été les plus prolixes et nous ont laissé, au cours de ces années, de fort nombreuses chansons décrivant l'âpreté du travail, l'austérité de leur vie, et la sévérité des patrons. Cependant, rares sont les chansons qui peuvent être identifiées à ce qui, particulièrement au Canada, porte le nom de chansons ouvrières. Au Québec, comme dans le reste du Canada, même si elles sont peu nombreuses, ce sont les grèves qui seront la principale source de ces chants d'unions ouvrières. Pour ces chansons folkloriques des études systématiques restent à faire car, à l'instar de la chanson folklorique, il n'existe pas de textes pour témoigner de leur naissance et de leur évolution.

Qu'elle soit politique ou ouvrière, on l'interprète généralement «sur timbre», c'est-à-dire qu'on la chante sur l'air de... Ainsi, les chansons historiques ou locales, politiques ou électorales, se chantaient sur des airs populaires. Sur ces airs connus, les auteurs, le plus souvent anonymes, se permet-

1. Ce qu'a fait Madeleine Béland dans *Chansons de voyageurs, coureurs de bois et forestiers*, P.U.L., 1982. (Coll. «Ethnologie de l'Amérique française».)

taient autant la louange du pouvoir que sa critique et transposaient tout aussi bien leurs aspirations que leurs regrets.

> «Dans ce conglomérat donnent, éparses, des chansons politiques qui, en quelques strophes, racontent un événement, cristallisant un sentiment, caricaturant un personnage. Chacune d'entre elles dit un moment de l'histoire à défaut d'un moment historique. (...) Il en va d'elles comme des caricatures, elles ne sont que des instantanés et, pour être intelligibles, ont besoin d'être réinsérées dans le contexte de leur parution et d'être éclairées par le rappel des circonstances qui motivèrent leur naissance[2].»

Dans son ouvrage *Les Chansons populaires et historiques*, le Dr Larue soulignait l'importance de la chanson folklorique en tant qu'expression culturelle nationale. C'est à travers l'étude systématique des chansons historiques (comment ne pouvaient- elles pas être politiques?) qu'il en dégagera une idéologie historique et nationaliste qui a marqué son époque, autant par la cueillette des chansons que par la composition de chansons canadiennes. Nationalisme et défense du patrimoine sont les thèmes essentiels de la chanson populaire de cette époque. Elles sont l'œuvre de journalistes le plus souvent anonymes ou de correspondants plus connus tels François-Xavier Garneau, Augustin-Norbert Morin, Georges-Étienne Cartier.

> «Les chansons politiques sont le fait d'intellectuels, du moins d'hommes suffisamment instruits pour s'exprimer par écrit. Ces auteurs expriment, croyons-nous, ce que ressent, sinon le peuple entier, du moins la partie qui s'abonne à un journal et lui voue une foi inconditionnelle. Il faut avoir entendu des personnes âgées s'exclamer 'puisque c'est écrit sur le papier ce doit être vrai...' pour s'imaginer que dans le passé, la chanson, tout autant que la dernière ligne du journal lu, en devait faire aussi l'objet[3].»

---

2. Maurice Carrier et Monique Vachon. «Naissance d'une chanson politique: le chant des Voltigeurs», dans *Revue d'ethnologie du Québec/3*, Centre documentaire en civilisation, UQTR, Éditions Leméac, 1976, vol. 2, nº 1, p. 107.

3. Maurice Carrier et Monique Vachon. *Chansons politiques du Québec 1765-1833*, Montréal, Éditions Leméac, 1977, tome I, p. 18.

Car la chanson politique se doit d'informer, mais aussi de politiser un peuple maintenu, après 1760, dans l'ignorance et pour beaucoup dans l'incapacité d'apprendre à lire. Néanmoins, elle ne se prive pas de présenter la politique d'une manière bouffonne comme un divertissement:

C'est de la conversation
L'inépuisable thème
Chacun a la prétention
Du plus parfait système
Il plaît aux badauds
De tous les journaux
Nourrit la polémique
Soit chez les préfets
Soit dans les cafés
On parle de politique

Le Canadien,
23 août 1862[4]

Chansons d'élections (électorales)

Les chansons à caractère électoral sont circonstancielles et locales. Elles relatent les petits faits et grands événements de chaque campagne, reflétant les polémiques et les luttes partisanes de chaque époque. Elles avaient valeur de médias (et doivent être considérées comme telles), tenant lieu tout à la fois de journal, de tracts, de radio... pour une population bien souvent, rappelons-le, illettrée, analphabète. Ces chansons ont malheureusement été, pour la plupart, égarées. Si les journaux les mentionnaient à l'attention du public, ils en donnaient rarement les textes. Elles étaient pourtant pour l'auditeur, bien souvent, l'unique source d'information.

4. Maurice Carrier et Monique Vachon. *Revue d'ethnologie du Québec/4*, p. 90.

En regard du cheminement politique des Canadiens français, les chansons électorales s'entendaient sur des airs à la mode, donnaient un sens particulier à chaque événement, à chaque situation dont l'écho se répercutait dans la population. À l'instar des chansons historiques et politiques, les chansons d'élections sont le plus souvent satiriques, voire diffamatoires. Elles caricaturent l'événement électoral, l'homme politique.

Le couplet satirique, on le sait, est une tradition de la chanson sociale qui consiste à railler les faits et les personnages publics[5] d'une manière souvent très contestataire. En France, la satire est très populaire. Ainsi, Béranger, chansonnier français (1750-1857) n'avait pas son pareil pour composer ce genre de refrains. De même, les chansonniers de Montmartre commentaient sans cesse l'actualité dont les têtes de Turc étaient choisies dans le monde des politiciens.

Pour Carmen Roy, les chansons satiriques étaient aussi répandues que les complaintes. Chaque village, il n'y a pas si longtemps, possédait son chanteur de «chansons circonstancielles» pouvant, selon la demande, «composer» une chanson sur tel événement, telle famille, tel personnage, tel candidat aux élections. «La chanson d'élection, en particulier, écrira-t-elle, est un genre répandu et fait partie de la campagne — ou plutôt de la contre-campagne électorale[6].»

Jamais gratuite, la chanson électorale est partisane. Elle fait état d'une allégeance politique claire, comme nous le montre cette chanson, composée en mars 1810, et nous présentant les candidats briguant les suffrages:

> Quand oserez-vous donc chasser
> Peuple, cette canaille
> Que le Gouvernement veut payer
> À même notre taille

---

5. Certaines chansons de Gilles Vigneault ou certains monologues de Yvon Deschamps usent avec autant d'efficacité du même procédé.

6. Carmen Roy. *La Littérature orale en Gaspésie*, Ottawa, ministère du Nord canadien et des Ressources nationales, 1955, p. 245.

Renommez les représentants
Que les nobles méprisent
Et conduisez les triomphants
Pour que tous les élisent.

Chanson à l'imitation
de celle qui a été distribuée
par le parti adverse (1810)[7]

L'on n'hésite pas à ridiculiser, à se moquer des têtes d'affiche du parti adversaire. Les politiciens sont la cible privilégiée de la chanson électorale. On y dépeint leurs travers avec emphase et ironie.

Viger, Viger, beau vieux! nom magique
Qui ramena plus d'un Judas,
Qui bouleversa la Belgique
Et fit dormir les Canadas.

Les cheveux blancs (1847)[8]

Si elles ne durent souvent que le temps d'une élection, leur contenu se rattache parfois à des événements historiques majeurs. Ainsi, l'instauration du régime parlementaire au Canada inspirera cette chanson sur les élections de 1792 dont l'enjeu est fondamental.

À nos dépens
On veut acquitter quelques dettes
À nos dépens,
Ou faire la cour aux marchands;
Et c'est sous ce prétexte honnête,
Qu'on cherche à vous tourner la tête
À nos dépens.

---

7. Carrier/Vachon. *Chansons politiques du Québec*, tome I, p. 152.
8. *Ibid.*, tome I, p. 283.

Aux Canadiens
Un avis prévoyant et sage
Aux Canadiens,
Annonce les meilleurs desseins;
L'honneur doit guider leur suffrage,
Ce sera le meilleur présage,
Aux Canadiens.

Chanson sur les élections (1792)[9]

La chanson d'élections, en débordant le «sujet, cadre électoral» pour embrasser un pan de l'histoire, devient journalisme de combat, soutenant et portant les aspirations profondes de tout un peuple, devenant porte-parole.

En 1837, si la nouvelle du projet d'union des deux Canadas soulève une tempête de protestations (une pétition antiunioniste recueillera soixante mille noms), l'assemblée résistante symbolisait aux yeux des habitants la résistance nationale contre l'oppression nationale.

Tous les maux nous sont venus
De tous ces gueux revêtus
Qui s'emparent des affaires
Intérieures, étrangères
Si tout s'en va-t-à l'eau...
C'est la faute à Papineau.

Si les Français sulpiciens
Trahissent les Canadiens
S'ils vendent à l'Angleterre
Tous les biens du séminaire
S'ils emportent le magot
C'est la faute à Papineau.

C'est la faute à Papineau (1834)[10]

9. *Ibid.*, tome I, p. 48-49.

10. *Nos racines*, n° 62, p. 1224.

La chanson électorale est aussi chanson d'opposition, de contestation. Ainsi, dans *La Dawsonnière*, 1858, on se scandalise de ce qu'un anglophone, William Dawson, soit parachuté et élu dans un comté à majorité francophone, celui de Trois-Rivières, à la suite de la démission de Pascal-Étienne Taché.

Jadis donc, on chantait en campagne électorale[11] et les hommes politiques, les événements électoraux, étaient le centre d'intérêt, la source d'inspiration des chansonniers et de leurs refrains.

L'on peut, sans nul doute, invoquer ici une création collective dont la valeur documentaire nous renvoie indubitablement une image de notre passé.

Chansons historiques

Compagnes obligées dans nos collèges, les chansons historiques étaient aussi familières aux habitants de nos villes qu'à ceux de nos campagnes. C'est dire leur popularité.

Nos premiers chants historiques ne possédaient évidemment pas de dimension locale, venant directement de l'ancienne France. Monsieur Barbeau en a recueilli cinq dont les

---

11. L'on trouve encore des traces plus ou moins récentes de la chanson électorale. Ainsi, ce couplet se chantant sur l'air de *Cadet Roussel* a animé, il y a près de cinquante ans, une élection municipale à Sainte-Geneviève de Pierrefonds, en banlieue de Montréal:

> Depuis deux ans dans le conseil (bis)
> Il est question d'une merveille (bis)
> D'une pompe à incendie
> J'vous dis qui n'ont une grosse envie
> Gauche, droite, pas d'aqueduc
> Ils sont obligés de continuer la lutte.

(L'Hebdo *Cités Nouvelles*
(Pierrefonds),
3 nov. 1977, p. 1)

sujets remontent au XVe siècle: *Le mariage anglais, Le prince d'Orange,* et *Le roi Eugène, Les trois roses emprisonnées, Quand Biron est entré*[12].

Pour F.-A. Larue, à qui l'on doit, rappelons-le, les premières études sur le sujet, les chansons historiques les plus importantes ont paru entre 1809 et 1848 et ont été reproduites dans le Répertoire national. Elles retraçaient, pour la plupart, quelques grands traits de notre histoire.

> «Nos pères n'avaient pas encore d'ancêtres... Vivant à des époques héroïques, ils n'avaient rien de mieux à faire, semble-t-il, qu'à se chanter eux-mêmes, eux et leurs exploits, et c'est ce qu'ils ont fait.
>
> S'ils chantaient la patrie, ce n'était pas pour en rappeler les douceurs: ces douceurs, ils ne les ont guère goûtées; mais c'était pour s'animer à la bien défendre, c'était pour railler leurs nombreux et puissants ennemis sur les défaites qu'ils leur avaient fait subir, et sur celles qu'ils leur ménageaient. Aussi, fidèles à leur esprit tout français, ces preux chantaient-ils toujours: dans la bonne comme dans la mauvaise fortune, avant la bataille comme après, à la suite d'une défaite encore plus peut-être qu'après la victoire[13].»

---

12. Barbeau fait remonter *Le mariage anglais* au XVe siècle. Une strophe fut ajoutée après son atterrissement en Nouvelle-France: «Quand ils furent rendus à Québec». Par ailleurs, on connaît six versions du *Prince d'Orange,* chanson politique qui satirise le trait historique que Barbeau fait remonter à environ 1507. Quant au *Roi Eugène,* elle renvoie à un épisode historique remontant à la jeunesse de François 1er, après sa capture par Charles V à Pavie, en 1526. La complainte *Les trois roses emprisonnées,* portant sur le thème caché des amours royales, daterait de 1599 et au Québec quinze versions de cette chanson furent recueillies de 1916 à 1922. Tout comme *Le Roi Eugène* et *Biron,* cette complainte tomba sous le coup de l'édit de 1395 prohibant la chanson satirique sur les grands du royaume. «Au temps où elle fut composée, écrit Barbeau, on ne pouvait pas la chanter impunément, ce qui dut empêcher sa diffusion orale. Mais elle franchit l'océan, au XVIIe siècle, avec les colons de la Nouvelle-France, et trouva un havre de grâce, à l'abri de la loi.» La chanson historique sur Biron (dit aussi Buron) rappelle que le fils du fameux maréchal du même nom, accusé d'avoir conspiré contre la France, eut la tête tranchée en 1602. (Marius Barbeau. «Chants historiques» dans *Le Rossignol y chante,* Musées nationaux du Canada, Ottawa, 1979, p. 329-355.)

13. F.- A. Hubert Larue. «Les chansons historiques du Canada», dans *Le Foyer canadien,* Québec, 1865, p. 6-8.

Malheureusement, note Larue, elles sont souvent perdues ou oubliées. C'est avec beaucoup de difficultés qu'il a pu en retrouver quelques-unes dont la plus célèbre: *Le carillon de la Nouvelle-France* chante avec éclat la victoire de Carillon, rappelant ainsi la retraite forcée de quinze mille soldats anglais devant à peine trois mille six cents soldats français.

Messieurs, quand nous avons appris
Vos pompeuses approches
Il est vrai, nous n'avons pas pris
De flambeaux ni de torches;
Mais pour bien mieux vous honorer
D'abord nous avons fait sonner
Le carillon (bis) de la Nouvelle-France.

On dit que le cérémonial
Vous parut incommode
C'est Vaudreuil, notre général
Qui l'a mis à la mode;
Car dès qu'on voit de vos soldats
Il veut qu'on sonne à tour de bras
Le carillon (bis) de la Nouvelle-France.

Le carillon de la Nouvelle-France
(1758)[14]

F.-A. Larue aurait cependant complètement ignoré, c'est Hugolin Lemay (o.f.m.) qui le signale, tous les chants de 1711[15], chants et cantates qui portaient sur le naufrage de Walker et sur nos victoires de la guerre de Sept Ans. En fait, c'est Marius Barbeau qui, en 1948, recueillit la plus ancienne poésie populaire de Nouvelle-France. Sans titre, elle daterait de 1690.

Mais retraçons brièvement l'historique de cette période.

14. *Ibid.*, p. 15.

15. Hugolin Lemay, o.f.m. *Vieux papiers, vieilles chansons*, Montréal, Imprimerie des franciscains, 1936, p. 8.

Sous le Régime français, l'Anglais, principal ennemi du colon français, s'intéresse au commerce des fourrures, l'activité économique la plus lucrative. Plusieurs chansons relatent la résistance des colons français aux troupes qui tentèrent, à plusieurs reprises, d'arracher à la France ses possessions d'Amérique. En juin 1690, la rumeur circule de l'arrivée prochaine d'une armée d'invasion. On avait eu raison de craindre, mais le 21 octobre, les Anglais, n'ayant pu s'emparer de Québec, subissent la défaite à Beauport:

C'est le général de vill' qu'appelle mon franc canon:
'Va-t-en dire à l'ambassad': Recul'-toi, mon général!
Va lui dir' que ma répons', elle est au bout de mes canons!'
Avant qu'il soit un quart d'heur', nous dans'rons le rigaudon!
C'est le général Flip[16] qui mit tout son monde à Beauport;
Trois canons les accompagn' pour leur donner du renfort.
'Car ça m'a l'air qu'il m'accable et que m'a toujours durer.
Les Français pleins de courag' m'en ont détruit la moitié.'
C'est le général Flip, s'en est retourné dans Boston.

(Anonyme, après 1690)[17]

Ici le texte est tout entier voué à la célébration de la victoire. Plusieurs chansons commémoreront ces victoires, toujours avec ironie et allusion.

Ainsi, en avril 1711, Walker a pour mission de s'emparer du Canada, mais à la suite du naufrage d'une partie de ses troupes, il met le cap sur Boston. De nombreux refrains s'inspirèrent de cet épisode:

Ah! quel bonheur pour la Nouvelle-France
On n'y craint plus les armes des Anglais

16. FLIP: déformation phonétique de Phips.

17. Michel Le Bel et Jean-Marcel Paquette. *Le Québec par ses textes littéraires, 1534-1976*, Montréal, France-Québec, Fernand Nathan, 1979, p. 31. (Lire aussi l'article de Luc Lacoursière, «Le Général de Flipe (Phips)» dans *Les Cahiers des dix*, nº 39, Québec, 1974, p. 243-278.)

Le ciel s'offense
De leurs projets
Et pour ne point exposer les Français
Il prend seul le soin de leur défense

Ah! quel bonheur! (1712)[18]

Sur le même thème, une chanson de Paul-Augustin Juchereau de Maur aurait aussi connu son heure de gloire.

Ouacre, Vêche et Negleson
(Walker, Vetch et Nicholson)
Par une matinée,
Prirent résolution
De lever deux armées [...]

L'une partit de Boston,
Sur cent vaisseaux portée;
Les plus beaux ont fait le plongeon
Devant la mer salée.

Paul-Augustin
Juchereau de Maur[19]

Comme dans *Ah! quel bonheur!* c'est à l'intervention de la divine Providence («le ciel») que l'on attribue la victoire du 15 août 1756, jour de l'Assomption, qui a permis d'enlever aux Anglais le fort de Chowagen. Sur l'air de *Adorons tous,* l'on chantait pieusement:

Auguste reine, au jour de votre fête,
De Chowagen nous faisons la conquête;
Ce jour trois fois heureux de votre Assomption

18. En collaboration, *Nos racines,* vol. 19, p. 379.

19. Chanson découverte à la fin du XIXe siècle — Hugolin Lemay, o.f.m. *Vieux papiers, vieilles chansons,* p. 8. Cette chanson fait partie d'un groupe de cinq chansons datées de 1711. Les chansons furent transcrites dans un recueil en 1711 au moment même de leur création.

Assure à ce pays votre protection. (bis)
[...] Montcalm, Rigaud et toute leur armée
Inviteront la prompte renommée
À publier partout que c'est à votre doigt
Qu'ils doivent le succès de ce brillant exploit.

(1756)[20]

Mais la victoire ne va pas sans ombre, sans pertes. La mort rôde souvent, vite récupérée comme symbole triomphant d'un nationalisme naissant qui impose déjà le culte du héros. Ainsi, en parlant du général Beaujeu qui, à la troisième décharge, fut tué:

Stuila qu'a battu les Anglais (bis)
Est un vrai officier français (bis)
Morbleu. C'est un bon vivant, puisque
Pour vaincre il s'est fichu du risque
[...]
Il est mort, mais il est vivant (bis)
Dans le cœur de nos braves gens. (bis)
Oui, d'sa valeur et d'son courage
Toujours nous rendrons témoignage.

(1755)[21]

Les Canadiens, note encore Larue, comptent leurs victoires par le nombre de leurs combats. L'excitation guerrière a fait naître un nombre considérable de chansons: *Yankee Doodlee tiens- toi ben* (1775, chanson proroyaliste), *Le club anniversaire* (1800), chanson rapportant les faits d'armes dont les marins anglais se glorifiaient depuis 1793, etc.

Larue remarque que parfois les refrains «ne manquent pas d'une certaine poivrade et annoncent une teinte littéraire prononcée». Ils sont dus probablement à la plume de quelques officiers, joyeux lurons qui avaient eu l'avantage de

20. *Nos racines*, vol. 5, p. 485.

21. *Ibid.*, vol. 4, p. 478.

courtiser un tant soit peu les muses dans leur jeunesse et qui chassaient les ennuis du bivouac par ces refrains improvisés entre deux combats. Ainsi ce couplet évoquant la bataille de Carillon traite avec désinvolture et arrogance, voire avec dérision, de cette victoire fameuse.

Envoyez-leur des noisettes
Pour les amuser
Ils prendront de ces pommettes
S'ils veulent dîner
Et de la poudre d'escampette
À leur volonté.

Envoyez-leur
des noisettes (1756)[22]

La conquête marqua le début d'une longue apathie culturelle. Sous le régime anglais, les chansons changèrent de ton, et cela malgré quelques exhortations au combat. Ainsi, *Une défaite en chanson* fut composée par un soldat des troupes françaises:

Courage mes frères canadiens
Prenons notre sort en chrétiens
Et soutenons notre couronne
Braves soldats et miliciens
Soutenons-la jusqu'à la fin

Invoquons les anges et les saints
Qu'ils nous tendent aujourd'hui la main
Et implorons la Vierge sainte
Qu'elle daigne par sa bonté,
Nous conserver la liberté

Une défaite en chanson (1760)[23]

22. *Nos racines, vol. 5, p. 490.*

23. *Ibid.*, vol. 5, p. 540.

L'omniprésence de l'Anglais sera déterminante dans l'attitude sociale et politique du Canadien, dans sa lutte pour son existence. La cohabitation des sujets français et anglais sera difficile et les Canadiens, dont on veut faire des Britanniques, résisteront farouchement.

Carleton veut obtenir la soumission du Canada à l'Angleterre; en éliminant la concurrence française, il visait un objectif économique précis: l'exploitation commerciale de la vallée du Saint-Laurent, des Grands Lacs et du Mississippi. Il voulait que les rassemblements populaires soient évités, car ils étaient des «foyers de résistance au gouvernement impérial». Le peuple, devenant insoumis, minait par son insolence l'autorité du roi. En 1789, à la Révolution française, l'occupant anglais tente d'inculquer aux Canadiens la haine, sinon la crainte, de l'ancienne mère patrie, mais la chanson militante témoigne de l'attachement pour la France; cette «colonie française du nord[24]» restera-t-elle docile?

À l'exemple de la France et de l'Amérique, le peuple est invité à la rébellion. «Rompez donc avec un gouvernement qui dégénère de jour en jour», lance l'ambassadeur français à Washington, Edmond Charles Eugène, «et qui est devenu le plus cruel ennemi de la liberté des peuples[25].» Les chants de l'indépendance clament la liberté et l'avenir du pays et sont composés sous forme de chroniques. Leurs auteurs se veulent les porte-parole de la cause nationale américaine. Durant la guerre de 1812 contre l'Angleterre, note Marie-Hélène Fraïssé, ils composent de véritables tracts à chanter qui résument les raisons du conflit:

> Accorde-nous la liberté du commerce,
> N'enrôle pas nos hommes de force
> Renonce au Canada: alors nous ferons la paix.
> Alors, Angleterre, nous te respecterons
> Et te traiterons en amie[26]

24. L'expression est du juge en chef de la province, un dénommé Smith, cité par Carrier/Vachon dans *Chansons politiques du Québec*, tome I, p. 50.

25. Carrier/Vachon. *Chansons politiques du Québec*, tome I, p. 52.

26. Marie-Hélène Fraïssé. *Protest Song*, Paris, Seghers, 1973, p. 15.

La révolution américaine favorisera l'introduction des idées démocratiques au Canada. Elle aura été le prélude à la révolution canadienne en lui fournissant certains arguments idéologiques. Si l'invasion américaine elle-même a été une occasion supplémentaire pour les Canadiens de manifester leur insoumission au nouveau pouvoir colonial et à l'élite cléricale, la Révolution française, elle, allait remuer profondément les classes populaires. Denis Monière a bien circonscrit l'attitude des Canadiens dont certains mouvements trahissaient l'enthousiasme envers cette révolution «victorieuse».

> «Il est enfin intéressant de constater qu'un bon nombre de Canadiens ne semblent pas dépaysés ou effrayés par les nouvelles perspectives idéologiques véhiculées par la propagande américaine. Ils seront plutôt sensibles et réceptifs à l'égard des revendications démocratiques des révolutionnaires américains et français, ce qui laisse supposer qu'ils n'étaient pas mystifiés et subjugués par l'idéologie de collaboration de l'élite cléricale[27].»

Mais la conquête anglaise obligera les coloniaux français à se replier dans la vallée du Saint-Laurent — terre natale, fleuve onirique d'où ils puiseront les énergies nécessaires à leur survie. Une paix relative, donc, s'installe. La couronne britannique, par sa puissance et ses institutions, préserve le Bas-Canada des horreurs des révolutions qui, selon l'expression, «ont ensanglanté les États d'Europe». Les Canadiens, à la seule pensée d'être reconquis par la France, adoptent une attitude de repli et de méfiance.

Comme ceux du Mississippi
J'ai dessein de les vendre
Le Congrès m'en paiera le prix,
Que j'ai droit d'en attendre;
Cependant à discrétion,
La faridonden, la farodondon,

27. Denis Monière. *Le Développement des idéologies au Québec*, Montréal, Québec-Amérique, 1977, p. 111.

Le pillage vous est permis, biribi,
À la façon de Barbari, mon ami.

Chanson pour le club anniversaire 1804 (1804)[28]

Quelles réelles dispositions du peuple cachent les chansons? Quel refus, quelle fidélité expriment-elles? Quelle soumission révèlent-elles?

Ce pourrait bien être la conviction de plus en plus évidente pour les Canadiens français du Bas-Canada de prendre en main leurs propres affaires. Cette nouvelle conviction cependant n'a pas encore ébranlé l'indéfectible fidélité à la couronne britannique. C'est le projet d'union du Haut et du Bas-Canada qui va compromettre cette bien maigre fidélité:

Quand d'Albion le parlement
Veut savoir, par enquêtes,
Nos vœux et notre sentiment,
Signons tous des requêtes:
Faisons voir notre objection,
Lafaridondaine, lafaridondon,
À devenir peuple interdit,
Biridi, etc.

La scotomanie (1822)[29]

Ainsi, une chanson dialoguée (mettant en présence un Français et un Anglais) permet de mesurer l'échec, pour l'Angleterre, de l'assimilation des Canadiens français à la minorité anglophone:

— L'Anglais

Il est vrai qu'en Angleterre
Nous avions toujours compté

28. Carrier/Vachon. *Chansons politiques du Québec*, tome I, p. 108.

29. *Ibid.*, tome I, p. 207.

De vous renverser par terre,
Mais nous nous sommes trompés;
Car vous avez tant d'adresse,
Et vos coups portent si bien!...
Les uns tuent, les autres blessent,
Et les nôtres... ne font rien.

Dialogue entre un Français
et un Anglais
sur la prise d'Oswego, 1756
(1826)[30]

On ne peut plus ignorer les Canadiens français du Bas-Canada. Ces derniers compromettent leur rassurante fidélité à la couronne au profit d'une admiration naissante des institutions politiques des États-Unis, dont Franklin sera le plus populaire héros.

Ce n'est point mon sentiment
Qu'on fasse un débarquement:
Que faire de l'Angleterre?
On n'y boit que de la bière.
Le verre en main,
Chantons notre Benjamin.

Chanson faite pour
un dîner donné
pour Benjamin Franklin
à Paris (1828)[31]

«Ah, dit le chansonnier, crains l'histoire.» Le rôle de celui-ci est justement de maintenir la conscience collective à vif:

Depuis ce temps languissant de victoire,
À mes enfants, j'apprends la liberté,

30. *Ibid.*, tome I, p. 221.

31. *Ibid.*, tome I, p. 235.

D'un voltigeur, c'est là la seule histoire
Qu'à ses neveux, il donne avec fierté.

Le voltigeur de retour (1831)[32]

La chanson politique, par sa forme lapidaire, ne présente souvent qu'une vision fragmentaire des événements en présumant bien des problèmes qui se révèlent sous l'impact de l'opinion publique. Dans ce contexte, la difficile intégration du Bas-Canada dans l'ensemble anglophone montre à quel point les problèmes restent stagnants, sous-jacents:

> «Ce constat d'impuissance chronique se manifeste dans plusieurs des chansons présentées. Sa contrepartie, c'est-à-dire la volonté d'être ce que l'on est comme collectivité, soit une entité francophone, devient, de génération en génération, pour la période ici concernée, l'OBJECTIF à atteindre[33].»

Partout on dit, l'œil fixé sur les flots,
L'esquif brisé s'abîme sous l'orage
Ô Canada! ton nom n'a plus d'échos
Et tes enfants chéris ont fait naufrage.
Mais non, ils ne périront pas
Une voix tout à coup s'écrie
Le soleil dore au bout des mâts
Le vieux drapeau de la patrie.

Chanson (1834)[34]

Le chant des patriotes

La chanson de cette période allant de 1834 à 1837 est le produit d'hommes engagés dans l'action: Augustin-Norbert

32. Carrier/Vachon. *Chansons politiques du Québec*, tome I, p. 262.

33. *Ibid.*, tome I, p. 330.

34. *Ibid.*, tome 2, p. 47.

Morin, Étienne Parent, Joseph-Edmond Turcotte, Adolphe Marsais, Georges-Étienne Cartier...

> «Les chansons (suivantes) manifestent la prétention que certains nourrissent de voir les Québécois prendre en main leurs affaires. Si tous ne vont pas du même pas, comme dit la chanson, il y en a, semble-t-il, bon nombre qui l'emboîtent[35]...»

Le pays est alors en proie à une double crise économique et politique. La population, bien souvent, hésite entre la foi en la démocratie du système parlementaire britannique et sa prise de conscience très nette des effets de la domination coloniale. Ainsi, dans un vif mouvement de sympathie à l'égard de la cause nationale, bon nombre d'habitants vont soutenir la révolte et sympathiser avec les patriotes.

L'affrontement politique se précise et la colère gronde:

> Ô fiers loyaux! nous qu'une ardeur guerrière
> A transformés tout à coup en héros,
> Rallions-nous près de notre bannière,
> Ne soyons plus comme autrefois zéros.
> Allons! du cœur! Armons-nous pour combattre,
> Ceignons nos fronts du chardon écossais
> Plus de frayeur... Faisons le diable à quatre,
> Foulons aux pieds les lois. (bis)
>
> *Chanson constitutionnelle pour donner du cœur aux loyaux et faire peur à ces mauvaises têtes de patriotes* (1836)[36]

À l'Assemblée nationale, un document révélant que toute tentative des réformistes d'élire le Conseil législatif doit être tenue en échec, soulèvera un très vif débat qui provoquera même l'éclatement du Parti patriote. En effet, en 1834, ce parti, à la suite des quatre-vingt-douze résolutions, avait demandé l'éligibilité du Conseil législatif. De cette division

35. *Ibid.*, tome 2, p. 16.

36. *Ibid.*, tome 2, p. 93.

interne va naître un appel à l'unité. «*La force naît de la concorde.*»

Méprisons les vaines menaces
Nous sommes tous fils de héros;
Forts de nos droits, suivons leurs traces,
Gardons la clé de leurs tombeaux.
Et si les ligues étrangères
Jamais voulaient nous asservir,
Unissons-nous comme des frères
Et nous saurons vaincre ou mourir.

Chanson pour
la Saint-Jean-Baptiste
(*La Minerve*, 1836)[37]

Mais, «le temps des discours est passé, proclame la chanson, c'est du plomb qu'il faut envoyer aux ennemis». Le Bas-Canada est en proie à la dissension. Le souvenir des Acadiens hante: l'histoire doit nous instruire.

Quand l'Anglais, après tant de guerres,
Nous offrit la paix autrefois,
Nous devions garder de nos pères
La foi, le langage et les lois.
Depuis longtemps pour les détruire
On use de tous les moyens,
Un exemple doit nous instruire;
N'oubliez pas les Acadiens.

Notre avenir (*La Minerve*, 1837)[38]

Les idées d'indépendance qui animent le peuple sont-elles chimériques? Le désordre politique amorce une tension sociale que n'arriveront pas à canaliser les responsables du peuple. Au centre des débats domine l'idée d'une existence

37. *Ibid.*, tome 2, p. 101.

38. *Ibid.*, tome 2, p. 109.

politique. Il s'agit moins de détruire l'ordre établi que de réduire son action dévorante.

> Pour balayer cette horde vorace,
> N'écoutons pas notre juste courroux;
> Sans les frapper punissons leur audace,
> Ils sont trop vils pour tomber sous nos coups.
> Épargnons-les, sachons les réduire
> À s'abreuver de leur venin mortel,
> Désespérés, s'il faut cesser de nuire
> Ils périront, suffoqués dans leur fiel.
>
> *On les connaît* (*La Minerve*, 1837)[39]

Les patriotes, on le sait, s'étaient opposés au capitalisme marchand. Débordé par son aile gauche, Papineau, qui aurait préféré le boycottage des produits anglais, ne recommande pas le recours aux armes. Mais la révolte éclate et l'échec de la rébellion laisse le souvenir cuisant d'une répression totale et brutale.

Adjutar Rivard décrivait ainsi ces événements, dans le *Bulletin du parler français au Canada*:

> «Lors des événements de 1837-1838, les chansonniers populaires firent preuve, paraît-il, d'une fécondité remarquable... Les révolutions font éclore tous les talents! De tous les chants qui virent alors le jour, la plupart sont oubliés aujourd'hui. J'ai pu cependant en recueillir deux, qui, je pense, n'ont jamais été publiés. Mon père me les a chantés. Le premier est une complainte composée à l'occasion du départ des exilés de 1837-1838; l'autre, une chanson sur l'évasion d'un prisonnier patriote[40].»

Les troubles de 1837 restent au centre des préoccupations de l'opinion publique. Les résolutions de Russell, la coercition militaire de Colborne, le rapport Durham, la mise en place de l'Union, tout cela compromet radicalement

39. *Ibid.*, tome 2, p. 132.

40. Cité par Carrier/Vachon. *Chansons politiques du Québec*, tome 2, p. 422.

l'espoir des Canadiens français de former un peuple distinct. Par quelle politique impériale allait-on atteindre le peuple lui-même et enchaîner ses représentants?

Esclave, il est temps de t'apprendre
Que ton corps, tes fils, tous tes biens
Sont à nous; ne peux-tu comprendre
Que c'est le droit des rois chrétiens?
Le sang que t'a transmis ton père,
Libre à nous de le dépenser;
C'est un cadeau qu'on croit vous faire
Si on veut bien vous le laisser.

Cadeaux des rois (*La Minerve*, 1837)[41]

L'échec de la rébellion est consacré par l'Acte d'Union. Colborne, par son autocratie, ramène la province à l'ordre. Le peuple y voit un bienfait, et c'est à Lord Durham qu'il exprimera sa reconnaissance par une chanson dont on dit qu'elle fut écrite pour la circonstance:

Déjà du sein de nos malheurs
Nous traçant ton image,
Ton autel, au fond de nos cœurs,
Recevait notre hommage;
Tu règnes sur nos régions,
Fixes-y l'harmonie;
Nous et nos fils t'appellerons
Sauveur de la patrie.

Arrivée du comte Durham
au Canada
(*L'Ami du peuple*, 1838)[42]

La présence de Durham donne une pulsion nouvelle à la liberté d'expression chez les Canadiens français. À travers

41. Carrier/Vachon. *Chansons politiques du Québec*, tome 2, p. 126.

42. *Ibid.*, tome 2, p. 173.

une pensée libérale se définit un nouveau nationalisme progressiste. C'est de cette existence idéologique que témoignent certaines chansons politiques de cette époque. La vengeance a pour compagne l'inquiétude:

> Si, dans vos champs, la victoire moins prompte,
> Cédant au nombre, trompait la valeur,
> L'on ne pourrait vous accabler sans honte,
> Vous ne succomberez pas sans honneur!
> Vous gémissez... vos plaintes furent vaines.
> Du rang des peuples, vous êtes exclus...
> Ce noble sang qui coule dans vos veines
> Ô Canadiens, ne le sentez-vous plus?
>
> *Les Français aux Canadiens*
> (*Le Patriote canadien*, 1839)[43]

Des sursauts de volonté d'hégémonie politique et nationale surgissent. Le rapport Durham, bien que catastrophique pour les Canadiens français, parce qu'il signe leur arrêt de mort, n'a pas éteint toute volonté, tout désir du peuple. Car, entre la mort et la victoire, rien n'est encore arrêté.

> Ô Canada, terre chérie
> Nous te vengeons avec fierté,
> Nous les pères de la patrie,
> Nous les fils de la liberté
> Les tyrans souillent notre histoire;
> Pour eux l'opprobe, à nous la gloire!
> En avant soldats, marchons au combat!
> Compagnons, bravons la bombe et ses éclats,
> La mort ou la victoire,
> La mort ou la victoire.
>
> *La Canadienne*
> (*Le Populaire*, 1838)[44]

43. *Ibid.*, tome 2, p. 213.

44. *Ibid.*, tome 2, p. 167.

Cependant, l'échec de ces événements historiques laissa des traces dans la conscience populaire. Trahis, déçus, désespérés, les Canadiens français se sont repliés sur eux-mêmes, résignés à demeurer minoritaires, c'est-à-dire résignés à leur sort de colonisés. Hommes diminués, soumis, ils exprimeront, imprimeront cet état d'esprit dans l'expression de l'âme populaire à travers la chanson. Nombre de chansons témoignent d'une sympathie presque collective à l'endroit des patriotes exilés.

> Pauvres proscrits! que leur sort est funeste!
> Leur bras vengeur, de chaînes tout chargé,
> L'exil, l'exil, voilà ce qui leur reste
> De leurs efforts pour notre liberté!
> Ô Roi des rois, adoucis leurs misères;
> Ils étaient purs, veille sur leur destin,
> Prends pitié d'eux, ils sont toujours nos frères.
> Adieu! Adieu! qu'ils reviennent demain.
>
> *Le départ* (*La Quotidienne*, 1838)[45]

Pour les exilés, ces chansons leur rappelleront la «patrie absente[46]». La chanson fleurit avec les événements et les hommes, dit-on. *Un Canadien errant* est un bel exemple de cette âme populaire qui naît de la collusion forcée des événements et des hommes. Son auteur, Antoine Gérin-Lajoie, réussit à exprimer toute la tristesse de l'exilé en évoquant douloureusement la répression des événements de 1837-1838 et leurs répercussions.

---

45. *Ibid.*, tome 2, p. 187.

46. Victor Morin note:

> «Un missionnaire d'Afrique prétend l'avoir entendu chanter un soir en plein Sahara, et s'étant approché, il aurait reconnu, sous le burnous du chamelier arabe, un Canadien français de sa paroisse natale!» (*La Chanson canadienne*, Toronto, The University of Toronto Press, 1928, p. 36.)

Un Canadien errant
Banni de ses foyers
Parcourait en pleurant
Des pays étrangers
[...]
Ô jours si pleins d'appâts
Vous êtes disparus
Et ma patrie, hélas,
Je ne la verrai plus

Un Canadien errant (1842)[47]

C'est en apercevant sur le fleuve un bateau de déportés que lui vinrent les premières paroles de sa chanson. L'air fut inspiré d'une musique folklorique déjà existante, celle de la cantilène *Si tu te mets aiguille,* connue aussi sous le titre *Par derrière chez ma tante.* Désormais inscrite dans notre mémoire collective, cette chanson deviendra l'expression d'un pays en exil. Elle fut, d'ailleurs, notre premier succès international.

Ainsi, le recueil *La lyre canadienne* (1870) rassemble plusieurs chansons évoquant la rébellion des patriotes: *L'hymne aux martyrs de 1837-1838, À l'Honorable Louis-Joseph Papineau.* D'autres, encore tout aussi patriotiques que les précédentes, étaient dédiées aux émigrés, aux exilés de la rébellion: *Sol canadien, terre chérie, Chants patriotiques des Canadiens aux États-Unis,* etc... La mélancolie trouvait dans les ballades une forme convenue de lyrisme que modulaient certains chants que l'on commençait d'appeler patriotiques: *Le départ, Un souvenir de 1837, Les exilés, Le désespoir, Chant patriotique du Canada*:

Rougi du sang de tant de braves,
Ce sol, jadis peuplé de preux,
Serait-il fait pour des esclaves,
Des lâches ou des malheureux?
Nos pères, vaincus avec gloire,
N'ont point cédé leur liberté;

47. Ernest Gagnon. *Chansons populaires du Canada,* Montréal, Librairie Beauchemin, 5e édition (conforme à l'édition de 1880), p. 81.

Montcalm a vendu la victoire;
Son ombre dicta le traité
Ô terre, etc.

Chant patriotique
du Canada (1839)[48]

L'exil des patriotes, on le voit mieux, provoqua un courant de sympathie populaire que les chansons ont soutenu. Mais la répression militaire et judiciaire, l'exil et l'exécution de certains patriotes amènent une attitude de repli qui témoigne des déchirements profonds de ce peuple meurtri.

Mais j'crois qu'enfin si t'es bien sage,
Nos bons amis en feront tant
Qu'on t'accord'ra l'gran-t-avantage
D'en être quitte à cent par cent;
Chez ces messieurs c'n'est qu'une obole;
Tu n'connais pas toi leur secret,
On n'donne rien sur c'que l'on vole,
Et v'là comment on se refait.

Mon opinion sur l'Union,
sur les taxes
(*Le Fantasque*, 1840)[49]

L'Acte d'Union du Haut et Bas-Canada aura eu l'impact d'une seconde conquête. Après 1840, constate-t-on, le ton change. On revendique moins ses droits et son indépendance. On cherche plutôt à coexister, à «vivre ensemble» comme l'a tant souhaité Papineau dans une situation dont on a cependant perdu totalement le contrôle. C'est l'époque du mythique et du messianisme dont se libéreront, cent ans plus tard, les Québécois, au profit d'une certaine libération tranquille...

Gouvernés par de nouveaux maîtres,
Les Canadiens ont conservé

48. Carrier/Vachon. *Chansons politiques du Québec*, tome 2, p. 222.

49. *Ibid.*, tome 2, p. 244.

Le langage de leurs ancêtres
Et le culte en leurs cœurs gravé;
Leurs lois, leurs mœurs, leur caractère
Y sont restés comme leurs traits,
Car cette nation est fière
D'avoir, pour aïeux, les Français

Le drapeau blanc
et le drapeau tricolore
du Canada
(*La Minerve*, 1855)[50]

Plusieurs chansons décrivent les retrouvailles euphoriques de la France et de son ancienne colonie. L'événement qui marque cette période reste l'arrivée de la corvette *La Capricieuse*, le 15 juillet 1855, dans le port de Québec. Par cette arrivée, tout en cimentant l'alliance de l'Angleterre et de la France, on salue le glorieux drapeau de la France dont l'affection d'un peuple tout entier explosera dans plusieurs chansons: *La Corvette La Capricieuse, Le drapeau blanc et le drapeau tricolore, Adieux des Canadiens aux marins de La Capricieuse, Visite de La Capricieuse à Trois-Rivières et à Shawinigan*, etc.

Partout la foule est radieuse;
Le soleil brille aux cieux sereins;
Le chef de *La Capricieuse*
Marche escorté de ses marins (bis)
Des bourgeois et des militaires
Flottent les pompeuses bannières.
Entendez là-bas nos bravos!
Vos ombres doivent être fières,
Vous qui tombâtes en héros
Au champ de l'éternel repos!

Aux braves morts
sur les plaines d'Abraham
(1855)[51]

50. *Ibid.*, tome 2, p. 321.

51. *Ibid.*, tome 2, p. 317.

Tu l'as dit, ô vieillard! la France est revenue
Aux sommets de nos murs voyez-vous dans la nue
Son noble pavillon dérouler sa splendeur?
Ah! ce jour glorieux où les Français nos frères,
Sont venus, pour voir, au pays de nos pères,
Sera le plus aimé de nos jours de bonheur.

Chant du vieux soldat canadien (1855)[52]

L'abolition, en novembre 1854, de la tenure seigneuriale, l'illusoire indemnisation des victimes des troubles de 1837-1838, les retrouvailles avec la France leur ancienne mère patrie, la course à l'intempérance, sont les thèmes qui alimentent nombre de chansons politiques. De la résignation à la joie, le fil est souvent bien mince. Lorsque, en 1849, Québec, en alternance avec Toronto, devient la capitale du Canada-Uni, l'opinion publique sent bien la fraude. Par la réalisation d'un réseau ferroviaire canadien, l'unité nationale ne manquera pas de consolider l'illusion d'un Canada réel:

Du Canada tour à tour capitales
Des trains roulants ont entendu l'écho,
Trait d'union entre ces belles villes
Comme une sœur, Montréal les fêta.
Plus de combats, de discordes civiles!
On se sent fier d'être du Canada.

La fête du Grand Tronc
(*La Minerve*, 1856)[53]

En attendant une future fédération canadienne, la reine Victoria privilégia, finalement, Ottawa comme siège permanent de la législature. Pour l'opinion publique, cette décision devint prétexte à division: le Haut-Canada (Canada-Ouest) dame le pion au Bas-Canada (Canada-Est).

52. *Ibid.*, tome 2, p. 333.

53. *Ibid.*, tome 2, p. 356.

Ici, je retrouve la France,
Objet de respect et d'amour;
Et j'y regrette moins l'absence
De ses bords où j'ai vu le jour.
Là-Haut il n'en est pas de même,
On ne nous y tend point les bras.
Aussi rien d'étonnant que j'aime
Le Haut moins que le Bas.

Le Haut et le Bas-Canada
(*La Gazette*, 1858)[54]

En octobre 1858, le projet d'une fédération des colonies britanniques de l'Amérique du Nord relance de vieilles disputes dont font toujours écho les chansons:

Mais, croyez-moi, ne rivez pas vos chaînes,
Peuples du Haut et du Bas-Canada!
Vous nourririez des espérances vaines,
Illusions qu'un triste essai prouva.
Toute Union serait un replâtrage;
Le mal empire à chaque session.

La Confédération
des provinces britanniques
de l'Amérique
(*Le Canadien*, 1858)[55]

L'union du Haut et du Bas-Canada, en 1841, n'empêchera en rien la contestation d'un système politique qui confirme le statut minoritaire du Canadien français. La Constitution de 1841 voue ce peuple à la disparition. C'est là une intention directement politique que rappelle la chanson:

L'honneur inscrit sur leur bannière,
Sur leurs drapeaux la loyauté,

54. *Ibid.*, tome 2, p. 374.

55. *Ibid.*, tome 2, p. 406.

Leur firent défendre la frontière
Avec les droits de royauté.
À Châteauguay le sang des braves
A-t-il été prostitué?
Voudrait-on faire des esclaves
Des martyrs de fidélité?

Chanson nationale
(*Le Canadien*, 1842)[56]

De nombreuses chansons populaires ont évoqué le mythe de la terre comme dernière chance de la nation. Georges-Étienne Cartier avait déjà proclamé que «vendre ses terres mène à la perte de sa nationalité[57]». L'émigration des Canadiens français vers les États-Unis sera la grande préoccupation en cette seconde moitié du XIXe siècle. Et si, dans les chansons, on pleure la perte de sa bien-aimée, on y déplore aussi la perte de son pays.

Disséminés et trop loin de l'autre
Pour vous porter un secours mutuel,
N'acceptez pas du Yankee bon apôtre
La sympathie et l'appui fraternel.
Pour s'arrondir, la grande République
De ses voisins rêve l'annexion.
Contre ses plans le bon sens vous indique
La fédération.

La Confédération
des provinces britanniques
de l'Amérique (1858)[58]

Or, le projet de confédération (adopté en 1865) constitua un désaveu des lois provinciales. Ce projet avait divisé le

56. *Ibid.*, tome 2, p. 258.

57. Rapporté par Denis Monière, dans *Le Développement des idéologies au Québec*, p. 185.

58. Carrier/Vachon. *Chansons politiques du Québec*, tome 2, p. 405.

Canada français: sur quarante-huit députés, vingt-six l'approuvèrent et vingt-deux le rejetèrent. Quant à la bourgeoisie canadienne-française, elle appuyait le projet de confédération parce qu'elle craignait l'annexion aux États-Unis. Les chemins de fer («les rails», comme dit la chanson) devinrent donc la colonne vertébrale de l'économie canadienne.

Votre industrie est la rivale active
De vos voisins dont elle suit l'élan,
Sur vos *railroads* court la locomotive
Du lac Saint-Clair aux bords de l'océan;
Vos champs bordés par le fil électrique
Ont des moissons que le ciel féconda
Vos grands *steamers* volent sur l'Atlantique.

La fête du Grand Tronc (1856)[59]

L'opinion publique sévit contre ceux qui pactisent avec les bureaucrates. Des couplets ronde-pot-pourri peignent sous des traits peu reluisants une galerie de personnalités politiques. L'un d'eux, Joseph-Charles Taché, ayant épousé la cause du fédéralisme, devient la cible d'accusations multiples.

C'est encore ma cuve un trois quilles,
Qui dota Rimouski d'un quai.
Il est vrai qu'un plat de lentilles
Me fit vendre, un jour, ce comté.
Ma conduite parlementaire
A mis au jour mon seul talent:
Je votais pour le ministère,
Chaque fois s'il payait comptant.

Portrait d'un chevalier (1858)[60]

Bref, la chanson politique dans son rapport à l'histoire reste souvent anecdotique, mais elle restitue à merveille le caractère vivant des événements.

59. *Ibid.*, tome 2, p. 357.

60. *Ibid.*, tome 2, p. 370.

Réforme et liberté

Sans être stratégiquement idéologique, la chanson politique 1760-1860 (cent ans environ) a conservé ce goût pour l'insoumission des Canadiens français. Libertine et contestataire par nécessité, cette chanson va opposer un discours patriotique à un discours de soumission. Elle servira d'appui à l'identification nationale. Nos danses, nos musiques et nos chansons, à juste titre, sont les symboles de notre résistance culturelle.

En vain voulut l'altière tyrannie
Leur imposer un joug avilissant
Sous Haldimand, sous Craig, sous Dalhousie,
Leur motto fut: «Résistons au tyran!»
Avant tout...

Ma patrie (1832)[61]

Willy Amtmann, dans *La Musique au Québec, 1600-1875*[62], avait noté l'attitude des Canadiens français qui, après la conquête en 1759, refusaient de se soumettre à l'envahisseur britannique. Leurs chansons incarnèrent ce refus et ce repli sur eux- mêmes. Expression vivante de la tradition musicale française, la chanson de folklore, précise Amtmann, resta le symbole d'une conscience nationale.

Selon Sigmund Diamond, «la France a créé au Canada une base sociale pour la désobéissance». D'autres analystes y voyaient l'émergence d'une conscience nationale à travers les conflits avec le clergé. Souvent les habitants refusaient de payer leur dîme. Leur désobéissance farouche était liée à un mépris manifeste pour l'Église. On dit même que les habitants avaient un penchant pour le libertinage. Trouverait-on là l'origine des chansons folkloriques à connotation grivoise?

61. *Ibid.*, tome I, p. 285.

62. Willy Amtmann. *La Musique au Québec, 1600-1875.* Montréal, Éditions de l'Homme, 1976, p. 200.

Le cadre social existant aurait favorisé les irrégularités qui étaient souvent l'unique moyen de survivre ou de faire quelque profit. Nombre de chansons nous présentent l'habitant de cette époque comme un insoumis et un contestataire que n'arrive pas à dominer la structure sociale de type féodal. Donc, écrit Denis Monière dans *Le Développement des idéologies au Québec*:

> «Règle générale, les habitants ne s'écrasent pas devant l'autorité royale, mais ont plutôt tendance à être indociles et indisciplinés. À plusieurs reprises, le peuple imposera sa volonté et obligera l'administration à reculer. Il semble bien que l'individualisme et l'esprit d'indépendance constituent deux éléments dominants de la pensée des Canadiens sous le Régime français[63].»

Les chansons des Canadiens français, qui sont autant de miroirs de la pensée sociale et du climat politique de l'époque, véhiculent des idées contestataires précises. À cette enseigne, la chanson traditionnelle de contestation sera railleuse et sous-tendra une conscience nationale plus ou moins diffuse. La raillerie et la satire auront été des moyens de résister à l'ennemi.

> «À l'instar de la chanson folklorique, cette chanson politique véhicule un message, une intention. L'autorité en place pourra s'agiter, s'énerver ou se dégrader à sa guise, rien n'empêchera le chansonnier d'exprimer le mépris et les aspirations populaires[64].»

L'idéologie de collaboration, ainsi l'appellera-t-on, sera essentiellement défensive et se fondera sur les droits, la langue et la religion. Le clergé prêche la soumission et la fidélité à la monarchie britannique, mais son discours, à la fin du XVIIIe siècle, a peu de crédibilité auprès des classes populaires dont l'esprit d'indépendance demeure toujours vivace. La pratique religieuse et le clergé sont souvent tournés en ridicule par la chanson.

---

63. Denis Monière. *Le Développement des idéologies au Québec*, p. 72.

64. Carrier/Vachon. *Chansons politiques du Québec*, tome I, p. 10.

Pour arriver à la grandeur
Par le chemin de la bassesse
Je dus d'un certain directeur
Épouser la vieille maîtresse
Pour ce péché, tant qu'on voudra
Je dirai mon *mea culpa*.

Confession de Bonaparte (1807)[65]

Voici que Mercury déclare: «Il est temps que la province de Québec devienne anglaise[66].» Les intentions d'assimiler la majorité francophone à la minorité anglophone n'ont donc pas disparu. On veut profiter de cette fidélité à la couronne pour faire disparaître à jamais les différences culturelles dont s'enorgueillissent toujours les Canadiens français.

Je veux vous complimenter
Mais comment donc faire
S'il faut me défranciser
Pour pouvoir vous plaire.

Étrennes du Canadien (1807)[67]

Mais l'ambiguïté identitaire demeure et les Canadiens français ne sont pas encore révélés à eux-mêmes. Ils défendent, à leurs dépens, les intérêts de la couronne britannique. Au moins six chansons célébreront l'enthousiasme des Canadiens français à se porter au secours de l'Angleterre menacée: *Rule Britania* (1807), *Chanson du Canadien patriote milicien volontaire* (1807), *Chanson du 1er bataillon de la milice* (1807), *On dit que l'Américain* (1807), *Animés par les bienfaits* (1807), *Étrennes du garçon qui porte la Gazette de Québec à ses pratiques* (1808).

65. *Nos racines*, vol. 49, p. 970.

66. Thomas Chapais cité par Carrier/Vachon, dans *Chansons politiques du Québec*, tome I, p. 112.

67. Carrier/Vachon. *Chansons politiques du Québec*, p. 116.

Oui, fiers Anglais, n'en doutez pas,
Pour vaincre vous aurez nos bras,
Pour vous, pour nous, on se battra,
En toute justice, sous bon auspice;
Vaincre ou mourir, chargés d'honneur,
Voilà le désir de nos cœurs.

Chanson du Canadien patriote
milicien volontaire (1807)[68]

L'on notera une constante dans l'évolution de la mentalité des Canadiens français qui tient à deux facteurs convergents: l'acceptation de leur condition de sujets britanniques et l'idéalisation qu'ils se font des institutions britanniques aptes à favoriser leur développement collectif.

Avant 1840, le sort des Canadiens français n'est pas considéré comme tragique. La défaite de 1760, qui entraîna le changement de régime colonial, pouvait encore être analysée comme un accident de parcours. Il s'agissait donc de s'adapter. Mais déjà un nationalisme en gestation allait s'opposer à l'élite cléricale qui détenait le monopole de la parole. On n'avait pas oublié le premier droit revendiqué: celui de participer à son propre gouvernement en élisant ses représentants. Sur les changements constitutionnels, les Canadiens avaient été partagés. Certains, appartenant à la classe seigneuriale, avaient appuyé le projet de Carleton qui avait proposé un conseil législatif où ils avaient été admis à siéger. D'autres, les Canadiens vrais patriotes (ainsi se nommaient-ils) avaient favorisé le système représentatif donnant le droit de vote au peuple qui aurait acquis alors la liberté politique. L'entêtement des Bas-Canadiens est irréductible. Aussi français qu'en 1760, c'est-à-dire non assimilés, leur lutte continue, soutenue par cette conviction: ils sont un peuple, une nation.

Rappelez-vous votre source première
Rappelez-vous de qui vous êtes nés;
Fils des Français, voyez l'Europe entière

68. *Ibid.*, tome I, p. 124-125.

Suivre l'exemple offert par vos aînés.
Lorsque la voix du pays vous réclame,
De vains ébats doivent être finis!

À mes compatriotes (1831)[69]

Des écrivains, devenus chansonniers par nécessité, tel F.-X. Garneau, s'attelleront à exorciser ce complexe d'être un peuple conquis.

Des fils du sol ils combattent la cause
Sans toutefois vous procurer le tort.
Peuple conquis! voilà, dit-on, la clause
Qui désormais empire votre sort:
Malgré l'horreur qu'un tel destin inspire,
Veillez, mes fils, veillez jusqu'au trépas,
De leurs efforts osez toujours vous rire,
Vous le savez, ça va du même pas.

Chant du vieillard
sur l'étranger (1831)[70]

Une conjoncture économique désastreuse entraîne un vif mécontentement des paysans, alors que la petite-bourgeoisie professionnelle s'oppose au régime en place autant qu'à l'élite cléricale et à la bourgeoisie marchande anglaise. C'est de cette opposition grandissante que naîtra le nationalisme canadien. Ce nationalisme en gestation luttant pour la reconquête d'une identité propre et de ses droits développera un journalisme de combat qui ne dissociera pas la question nationale de la lutte sociale.

De plus en plus, dans leurs chansons, les Canadiens français expriment un désir collectif: prendre leurs affaires en main. Tout en remplissant leurs devoirs de citoyens, ils n'en sont pas moins déterminés à défendre leurs droits. L'attitude est lucide mais paradoxale:

69. *Ibid.*, tome I, p. 248.

70. *Ibid.*, tome I, p. 264.

Pourquoi ces haines, ce courroux,
À propos de notre origine?
Eh! quoi! ne sommes-nous pas tous
Exploités de la même mine?
Moi, j'aime les *puddings* anglais,
Des Français les chansons bachiques;
À ce mélange je me plais;
Mais point de sauces politiques.

Mes goûts (1835)[71]

La Société Saint-Jean-Baptiste, fondée en 1834, souhaite et invite (en 1835) la province entière à célébrer sa fête nationale. «Fidélité à la couronne et désir d'affranchissement», réjouissances et préoccupations, tels sont les aspirations et les sentiments qui s'entremêlent, nourrissant la collectivité canadienne- française d'une espérance bien fragile:

Peut-être un jour, notre habitant paisible
Se lassera du pesant joug d'un roi.
Il s'écriera, mais de sa voix terrible:
«Sortez d'ici!... cette terre est à moi!
Du Canada, je puis être un martyr,
Je n'obéis qu'aux lois que j'ai dictées!»
Pour son pays un Canadien désire
La paix! la liberté!...

La Saint-Jean-Baptiste
(*La Minerve*, 1835)[72]

Dans leurs chansons comme dans leurs aspirations, les Canadiens français se nourrissent de nationalisme plutôt que de violence.

Oh! mon pays, de la nature
Vraiment tu fus l'enfant chéri,

71. *Ibid.*, tome 2, p. 60.

72. *Ibid.*, tome 2, p. 79-80.

Mais l'étranger, souvent parjure,
En ton sein, le trouble a nourri;
Puissent enfin tous tes enfants te rejoindre,
Et valeureux, voler à ton secours!
Car le beau jour déjà commence à poindre...
Ô Canada, mon pays, mes amours

Ô Canada, mon pays, mes amours
(1835)[73]

S'ils croient en la liberté, ils n'ont pas de goût pour la violence. Dans l'ensemble, ils ne sont pas des radicaux, ils croient fondamentalement aux réformes progressives.

Dans les transports d'incroyable folie,
Nos ennemis menacés de la loi,
Osent, armés, invoquer l'anarchie
Et méconnaître enfin jusqu'à leur roi!...
À cet esprit de désordre et d'outrage,
Qui se parait du nom de loyauté,
Nous opposons une fermeté sage
Réforme et liberté.

Réforme et liberté (1835)[74]

De l'échec de la rébellion allait se dessiner un des traits majeurs de notre collectivité: l'errance. Toute la littérature de cette époque exprime un profond attachement au pays, tout en ne cachant pas son désespoir de le voir jamais vivre un jour. Notre langue, même frappée d'interdit, allait devenir le symbole par excellence de notre survie collective dont les chants directement patriotiques seraient le support national. Beaucoup d'hymnes célébrant le pays, dont celui bien sûr de G.- E. Cartier, *Ô Canada, mon pays mes amours*, fleurirent les événements politiques, forçant la réaction collective.

73. *Ibid.*, tome 2, p. 82.

74. *Ibid.*, tome 2, p. 92.

Incapable de vaincre, le peuple se replie. Même dans la coalition, après l'Acte d'Union, le Bas-Canada n'a pas pu assurer le contrôle du parlement. Il reste impuissant dans la construction d'un pays qu'il ne veut surtout pas voir ériger par les étrangers. Le repli sur soi, l'inertie collective, la nostalgie du passé, les rêves impossibles, telles sont les quatre caractéristiques qui se dégagent de l'état d'esprit des Canadiens français après l'échec de la tentative d'assimilation par l'Acte d'Union, en 1841.

Grâce à cette langue divine
Grâce à votre religion,
Canadiens, Français d'origine,
Nous sommes une nation.
Gardons ces trésors, d'âge en âge,
Avec constance et piété.
Des Français la foi, le langage
Sont le drapeau de votre liberté.

Notre langue, nos lois,
notre religion
(*Le Canadien*, 1858)[75]

Donc la religion. Donc la terre. Donc la langue. Ces valeurs refuges prennent, pour les Canadiens, une signification plus globale de valeurs maternelles parce qu'elles ont été adoptées comme une garantie de protection contre soi-même. Langue et religion, fondées sur l'autorité, c'est-à-dire fondues dans le respect de la hiérarchie, sont loin d'avoir été évacuées puisqu'elles confirment leur destin unique en terre d'Amérique. Elles allaient leur donner des schèmes de pensées qui fonctionneront encore longtemps. N'est-il pas juste de reconnaître, habitués qu'ils ont été au mystère, qu'ils ont été collectivement et facilement portés à l'exaltation pour des causes plus directement mystiques ou culturelles que politiques? Entre l'éveil et le réveil, leur nationalisme n'a pas toujours su se situer.

75. *Ibid.*, tome 2, p. 409-410.

Voyez sur les remparts cette forme indécise
Agitée et tremblante au souffle de la brise.
C'est le vieux Canadien à son poste rendu!
Le canon de la France a réveillé cette ombre
Qui vient, sortant soudain de sa demeure sombre,
Saluer le drapeau si longtemps attendu.

Chant du vieux soldat canadien
(*L'Ère nouvelle*, 1855)[76]

Si depuis l'Acte d'Union se sont renforcés des liens économiques avec les États-Unis, la suprématie économique naissante du Haut-Canada et le dépérissement de l'économie bas-canadienne placèrent les Canadiens français dans un état d'infériorité économique qui, ainsi que le croit Denis Monière, est beaucoup plus un «effet de structure qu'un effet de mentalité[77].»

Le nationalisme religieux proclamait que notre infériorité matérielle devait être compensée par une supériorité de notre destin spirituel. Cette mystique nationale s'opposait à un courant plus libéral qui évoquait, pour sa justification, des principes de justice, de progrès et de liberté. Les Rouges, les libéraux doctrinaires et anticléricaux de l'époque de l'Institut Canadien, s'appuyaient par exemple sur le principe libéral (en vogue en Europe) de la théorie des nationalités: le droit des peuples à disposer d'eux-mêmes. Une conception corruptrice de l'activité politique indigne des «vertus spirituelles canadiennes-françaises», ce que Denis Monière appelle notre cynisme politique «ne provient (donc) pas d'une tare héréditaire, mais résulte de notre absence des centres de décisions et de la domination de l'idéologie cléricale[78].» 1867-1896 sera l'apogée de l'ultramontanisme. Quant aux patriotes, ils défendaient toujours un nationalisme appuyé sur une conception polyethnique de la nation dominante canadienne-

76. *Ibid.*, tome 2, p. 333.

77. Denis Monière. *Le Développement des idéologies au Québec*, p. 161.

78. *Ibid.*, p. 187.

française. Crainte et rejet de l'étranger deviennent ainsi les éléments d'une xénophobie qui a «toujours été au Québec, selon Denis Monière, le fait des nationalistes conservateurs à qui s'oppose une tradition nationaliste progressiste, qui concevait la nation comme la réunion de tous les habitants d'un même pays[79]».

Mais tout a bien changé d'aspect
Une amitié durable
Fruit de l'estime et du respect,
Leur sembla préférable.
Sans plus de procès,
Anglais et Français
Vivent en bon ménage,
Et, nobles rivaux,
Joignent leurs drapeaux
Ce dont le czar enrage.

L'hospitalité écossaise
au Canada (1854)[80]

Éléments de conclusion

La chanson politique nous renvoie non pas une image figée du passé, mais celle d'un passé en lutte. La chanson politique, un éditorial par son fond, une chronique par son instantanéité, écrit l'histoire au présent. Elle suit pas à pas l'évolution des idées, décrit les projets de société à travers les événements et les protagonistes. Pour Monique Carrier et Vachon, le chansonnier est peut-être le médiateur critique d'un état de société transposé en projet collectif. La chanson folklorique de contestation, à son insu propre, a traduit autant

79. *Ibid.*, p. 174.

80. Carrier/Vachon. *Chansons politiques du Québec*, tome 2, p. 299.

un discours nationaliste qu'un discours signifiant d'un vécu collectif, mais aussi d'un devenir collectif. S'il y a une poétique de la chanson folklorique, il y a aussi (a eu) une efficacité réelle de la chanson politique. Michel Bibaud rapporte cette anecdote: «Un politique anglais disait dernièrement: 'Donnez-moi à faire toutes les chansons d'une nation, et je réponds de la gouverner'[81].»

La forme de la chanson politique nous apparaît aussi révélatrice que le contenu. Le langage populaire fait que l'image l'emporte sur le concept et que la locution, souvent, remplace le mot tandis que l'allusion exprime une tournure d'esprit que la précision ne saurait rendre. Le couplet satirique est la respiration chantante de la langue populaire.

La chanson politique exprime une sensibilité sociale où se concentrent les traits d'une conscience collective affirmée. Issue d'une conjoncture sociale et d'un parti pris idéologique, elle veut mobiliser en vue d'une action, sinon collective, du moins individuelle. Et parce que nous écoutons, d'une oreille distraite, certaines de ces chansons, l'on ne se rappelle jamais assez qu'elles naquirent impulsivement d'un mouvement patriotique. Ainsi que le notent encore Carrier/Vachon, «c'est dans les moments où la collectivité québécoise est violente, et déchirée par des choix importants pour son devenir, que la chanson politique est le plus fréquemment utilisée[82]».

L'importance politique de la défense du patrimoine national a naturellement imposé une interprétation nationaliste de la chanson folklorique. Ici, sûrement comme ailleurs, la chanson politique s'est nourrie de l'air du temps.

Exaspération. Révolte. Repli. Espoir. C'est cela qu'a exprimé, au jour le jour, la chanson politique qui fut et qui est encore le reflet le plus percutant du vécu collectif. Ces chansons ont donné accès à une conscience collective qui fait écho aux espérances d'une collectivité malmenée. «Aussi, écrivent Vachon et Carrier, ne faut-il pas s'étonner que la chanson demeure encore un mode favori d'expression utilisé,

81. Michel Bibaud. *La Bibliothèque canadienne*, 1825, tome I, n° 3, p. 92.

82. Carrier/Vachon. *Chansons politiques du Québec*, tome I, p. 20.

soit pour mobiliser l'opinion publique, soit pour lui faire prendre parti sur des questions qui nous apparaissent peut-être futiles, pour béatifier ou condamner les artisans, même humbles, du destin collectif[83].»

La chanson politique peut devenir subversive tant il est vrai qu'elle maintient la mémoire à vif et accélère la conscientisation. C'est pourquoi toutes les chansons patriotiques sont plus politiques que lyriques. Elles sont, en fait, une chanson d'opposition politique. Ces chansons nous montrent un peuple qui n'a jamais démissionné, un peuple assujetti, bien sûr, mais qui, progressivement, relève la tête.

83. *Ibid.*, tome 2, p. 420.

CHAPITRE 2

Un peuple paroissial et patriotique

Un peuple qui chante est souvent un peuple qui souffre.

ADOLPHE-BASILE ROUTHIER

Le mot «folklore» est né de la conjonction de deux racines d'origine différente. «Folk», venant de l'anglais et signifiant «peuple», nous renvoie à la notion de famille, de race, alors que «lore», d'origine celtique, veut dire «connaissance». Littéralement, folklore se traduirait par ce que le peuple sait, ce qu'il connaît. Cette notion est tout à fait européenne. En effet, la musique populaire européenne a longtemps maintenu la distinction entre art savant et art populaire. Le romantisme du XIXe siècle appliquait le mot «populaire» aux chansons traditionnelles anonymes. Nous savons aujourd'hui, grâce aux recherches constantes de Patrice Coirault[1] et, ici, de Conrad Laforte[2], que la chanson désormais appelée folklorique a été composée autant par des gens de lettres que par des gens du peuple, les auteurs ayant en commun leur

1. Patrice Coirault. *Notre chanson folklorique...*, Paris, A. Picard, 1941.

2. Conrad Laforte. *La Chanson folklorique et les écrivains du XIX*[e] siècle, Montréal, HMH/Hurtubise, 1973, Cahiers du Québec, 154 pages.

anonymat. La chanson folklorique implique inévitablement un suivi, une continuité. La définition retenue met l'accent sur l'essence même du mot «folklore»: le génie créateur collectif d'un peuple.

> «La chanson folklorique peut avoir été créée par un inconnu illettré, mais elle peut aussi avoir été inventée par un dilettante ou un professionnel des lettres et, éventuellement, avoir été imprimée telle quelle dans sa version originale. Elle peut, en somme, avoir indifféremment pour origine une chanson littéraire publiée à l'intention des citadins snobs, ou une chanson composée par un bûcheron ou un berger sentimental. Ce qui importe, c'est non pas sa vie de chanson, mais sa survie, sa vie de fantôme de chanson. Tant qu'elle demeure identique à sa forme primitive, telle qu'elle a été chantée pour la première fois par son créateur, quel que soit ce créateur, quel que soit l'auditoire qui la répand, elle n'est pas folklorique[3].»

L'utilisation de critères folkloriques rendra imperceptible la distinction, pourtant nécessaire, qui doit être établie entre chanson historique, chanson canadienne et chanson patriotique.

> «La chanson historique, note Conrad Laforte, est un genre nécessairement littéraire, mais pour qu'une chanson historique puisse faire son chemin, il lui faut une mélodie connue, qui peut être l'œuvre d'un musicien, ou venir de la tradition orale. La mélodie d'une chanson historique peut donc être folklorique, mais les paroles sont toujours, à quelque degré, littéraires; l'élément historique étant localisé et daté, il nous permet d'inférer que telle mélodie (ou 'timbre') était bien connue à telle date, en tel lieu[4].»

La chanson littéraire, qui est également une des formes de la chanson patriotique, est généralement composée par un auteur. Cette chanson, même recueillie du peuple, ne peut donc être indifféremment qualifiée de chanson folklorique. Le degré de «populaire» ou le degré de «popularité» n'induit

3. Carmen Roy. *Littérature orale en Gaspésie*, Ottawa, ministère du Nord canadien et des Ressources nationales, 1955, p. 238.

4. Conrad Laforte. *Poétiques de la chanson traditionnelle française*, Québec, P.U.L., 1976, *Les Archives du folklore*, nº 17, p. 108.

pas une même définition de la chanson traditionnelle ou folklorique, et cela, même si les écrivains canadiens-français[5], imitant les auteurs français, introduisaient dans leurs œuvres littéraires des chansons folkloriques. Les chansons servaient donc d'illustration littéraire. «Nous devons constater, écrit Conrad Laforte, que pour les écrivains du XIXe siècle, les citations de chansons traditionnelles constituent un élément de couleur locale dans la description des paysans[6].»

La chanson folklorique a fait naître un sentiment national canadien. Victor Morin, dans son court essai (1928), a très justement signalé «comment les chansons d'outre-mer apportées dans ce pays pendant deux siècles par les soldats et les colons, s'y sont acclimatées, y ont évolué au point de se muer insensiblement en chants canadiens, pour constituer ensuite, sous la poussée d'artistes de talent, un répertoire qu'on peut aujourd'hui considérer national[7]». Dès 1865, Ernest Gagnon écrivait que la mélodie *À la claire fontaine* tenait lieu d'air national. En effet, au XIXe siècle, cette chanson folklorique était considérée comme le chant national du Québec. En fait, moins que la chanson elle-même, c'est son utilisation qui sera patriotique.

Par ailleurs, une certaine forme de la chanson folklorique oblige le chercheur à comprendre cet engouement soudain, chez les intellectuels du siècle dernier, pour la chanson traditionnelle. Cet engouement correspond nécessairement au nouveau mode de diffusion de la chanson folklorique que fut, à l'époque, l'imprimé[8]. Et même si la chanson tradition-

5. Parmi eux: Philippe-Aubert de Gaspé, A.-O. Chauveau, L. O. David, Antoine Gérin-Lajoie.

6. Conrad Laforte. *La Chanson folklorique et les écrivains du XIXe siècle...*, p. 25.

7. Victor Morin. *La Chanson canadienne*, Toronto, The University of Toronto Press, 1928, p. 50. En 1879, le père Louison fera paraître un choix de refrains politiques relevant de l'anecdote historique: *Chansonnier politique du Canada*. Montréal. Des Presses à vapeur du canard.

8. Voir à ce sujet le très beau livre du Musée des Beaux-Arts de Montréal, *L'Illustration de la chanson folklorique au Québec*, Montréal, Musée des Beaux-Arts, 1980, 140 pages.

nelle procédait d'une mentalité populaire pour qui le texte écrit importait peu, elle n'a pas empêché des journalistes, des historiens, des poètes et même des politiciens de s'y intéresser: François-Xavier Garneau, Augustin-Norbert Morin, Octave Crémazie, Albert Lozeau, Georges-Étienne Cartier, etc. Pour ces intellectuels, la chanson folklorique servait donc de référence et, pourrait-on écrire, d'inspiration, voire de modèle. Ils se sont substitués, d'une certaine manière, aux conteurs traditionnels, tout en exerçant une influence idéologique. Cette chanson, il faut bien le reconnaître aujourd'hui, n'a pas les qualités d'une authentique chanson folklorique. Leurs poèmes sont inspirés par une communion intime avec les sentiments du peuple. Ce serait là la raison de leur popularité.

Naissance du chant patriotique

De tout temps, il y eut un art populaire parallèle à l'art officiel. Le populisme, qui, depuis le romantique XIXe siècle, est en fait une tendance de l'art savant, a trouvé dans l'Institut canadien[9] un débouché. Cette institution ayant toujours voulu affirmer l'existence irrécusable de notre identité culturelle, poètes et intellectuels se sont regroupés autour de lui, s'inspirant principalement de l'évocation nostalgique de notre passé national dont les chansons étaient le véhicule privilégié.

En 1834, Ludger Duvernay fonda, à Montréal, la Société nationale des Canadiens français. Un jeune poète, devenu plus tard premier ministre du Canada, vint y chanter un hymne patriotique écrit pour la circonstance. Georges-Étienne

9. L'Institut canadien combina l'intérêt littéraire et l'intérêt national dans sa lutte pour le maintien du patriotisme canadien-français. Société possédant sa charte, ses statuts, ses tribunes d'enseignement, ses journaux, son hôtel même, elle exerça une profonde influence sur ses contemporains.

Cartier, alors étudiant en droit, venait de créer notre premier chant national.

> Comme le dit un vieil adage
> Rien n'est si beau que son pays,
> Et de le chanter c'est l'usage,
> Le mien je chante à mes amis.
> L'étranger voit avec un œil d'envie
> Du Saint-Laurent le majestueux cours;
> À son aspect le Canadien s'écrie
> Ô Canada, mon pays, mes amours!

Ô Canada, mon pays, mes amours
Georges-Étienne Cartier (1834)[10]

La naissance de ce chant est caractéristique des conditions d'existence qui entouraient la chanson patriotique. Chaque année, les dirigeants de la Société nationale des Canadiens français organisaient des conventions nationales où l'idée de patrie était débattue avec grandiloquence. «Je ne sais, écrit Lionel Groulx, si le caractère extraordinaire de ces réunions nous frappe comme il convient. Des réunions pour le réveil national!... Quoi de plus propre à faire réfléchir! Connaissez-vous beaucoup de peuples qui, un jour ou l'autre, sentent le besoin de s'arrêter pour s'interroger sur leur volonté de vivre, sur le fond même de leur âme[11]?»

À l'instar de ces conventions nationales, le chant patriotique traçait, à sa manière, la voie d'un réveil national. À chaque congrès de la langue française, se déployaient avec faste processions, concours de chants, festival de musique, et même séances d'études au Gésu. Les circonstances qui ont entouré la composition de l'*Ô Canada* appartiennent à ce contexte. C'est au congrès national de 1880, qui eut lieu à Québec et auquel participèrent les Sociétés Saint-Jean-Baptiste

---

10. *Chants des patriotes*, Montréal, J. G. Yon Éditeur, 1903, 2e édition, p. 56.

11. Lionel Groulx, cité par Eugène Lapierre dans *Calixa Lavallée*, Éditions Fides, 1966, Les publications de la Société historique de Montréal, p. 169.

du Canada et des États-Unis, que l'on entendit pour la première fois l'*Ô Canada.*

Le chant patriotique exprime les particularités du peuple ou le représente dans son entité. Au Canada, la quête d'un hymne national officiel a inspiré poètes et chansonniers. «Cette inspiration de nos chants patriotiques, écrit Victor Morin, s'épanouit dans l'apothéose de notre hymne national, *Ô Canada, terre de nos aïeux*[12].»

Les titres d'inspiration patriotique vont se multiplier: *Beau Canada notre chère patrie* (1835) de Ludger Duvernay[13], *Couplets pour le banquet de la Société française du Canada* (1835), *Chanson pour la Saint-Jean-Baptiste* (1836) composée par H. Leblanc de Marconnay, *Le chant des patriotes* (1837), etc. Lors de la Première Guerre mondiale, la composition de chants patriotiques sera prolifique et ce n'est qu'après la guerre que l'approbation générale du *Ô Canada* comme hymne national entraînera une baisse d'intérêt pour cette forme de chansons.

Évidemment, les sociétés nationales trouvèrent dans la chanson un complément naturel à leurs activités. Ainsi, en 1928, nos chansons populaires servirent de thèmes à la parade de la Saint-Jean-Baptiste. Chaque char allégorique (une trentaine environ) était consacré à un chant populaire ou patriotique. L'archiviste et folkloriste Édouard-Zotique Massicottte en était le principal instigateur. En 1937, la Société Saint-Jean-Baptiste choisira le titre de la chanson de Sir Georges-Étienne Cartier, *Ô Canada, mon pays mes amours,* comme thème.

Le rôle qu'a joué la chanson dans la défense de la nation canadienne-française est indiscutable, autant que magistral. Jeanne-d'Arc Lortie le signale fort bien dans son essai sur *La poésie nationaliste au Canada français* en confirmant que la culture populaire reste vivace par les chansons, et que cette composante essentielle du génie français se retrouve tout aussi forte au Canada français qu'en France.

> «Les chansons et poèmes de cette période reflètent les variations de la pensée nationaliste. On y découvre deux courants

12. Victor Morin. *La Chanson canadienne,* p. 51.

13. Chanson connue aussi sous le titre *La Saint-Jean-Baptiste.*

> politiques: l'un plus répandu et constitutionnel, l'autre plus limité et réclamant l'autonomie du Canada français au nom du principe des nationalités. On y trouve aussi un patriotisme plus conscient qu'auparavant, un sens d'affinité avec une nation mère qui éclaire le monde et dont on partage la mission spirituelle[14].»

Dans cette perspective, les recueils de chansons canadiennes tels *Chansons du vieux Québec* (des jésuites), *Chante rossignolet* ou *Alouette* de Marius Barbeau, qui firent leur apparition, poursuivaient des objectifs communs. Le recueil de Barbeau, par exemple, avait comme but essentiel la préservation du bon français : «Dans l'Amérique où la majorité, écrivait-il dans sa présentation, est de langue étrangère, on ne pourrait longtemps conserver la culture française dans toute sa richesse sans remettre en lumière ses traits essentiels et sans faire valoir les trésors de son inépuisable tradition[15].»

Mais si, en 1880, s'affrontaient les ultramontains et les laïcs, les combats autour de l'éducation entre l'Église et l'État, dans les années 1940, trouvaient leur expression dans des débats qui opposaient chansons folklorico-politico-religieuses aux véritables chansons nationales d'inspiration folklorique. Le public, cependant, trop occupé à chanter à l'unisson les refrains qui lui tenaient lieu de discours officiel, ignorait de tels débats.

> Toujours loyaux, le cœur franc, l'âme altière
> Fiers du passé, confiants dans l'avenir
> Et de saint Jean portant haut la bannière,
> Comme Français, nous saurons nous unir.
> Et dans le droit sentier nous marcherons;
> De nos aïeux imitant la vaillance,
> S'il nous fallait changer notre allégeance,
> Partout, bien haut nous chanterons.

---

14. Jeanne d'Arc Lortie. *La Poésie nationaliste au Canada français 1606-1867*. Québec, P.U.L., coll. Vie des lettres québécoises, n° 13, p. 459.

15. Marius Barbeau. *Alouette*, Montréal, Éditions Lumen, 1946, p. 10. (Coll. Humanitas.)

Forts de nos droits et pleins de tolérance
Pour l'étranger jaloux de nos succès
Nous aimons Dieu, la patrie et la France
Et nous saurons vivre et mourir français.

Vivre et mourir français, (1893)[16]

C'est à l'idéologie messianique cléricale patriotarde et agraire que l'on doit cet intérêt inédit pour la chanson patriotique, car, pendant près de soixante-dix ans, l'élément prédominant du nationalisme canadien-français aura été le messianisme: nous sommes les porteurs du flambeau de la civilisation et de la chrétienté.

Les journaux et les revues de l'époque participeront à la propagation de cette vision mythique. *La lyre*, revue mensuelle musicale et théâtrale, publiée dans les années 1920, était l'expression d'un mouvement musical encourageant le développement d'un art national distinctif. On y publiait de la musique traditionnelle patriotique et populaire. Ainsi l'éditorial du numéro 8, volume 1, du mois de juin 1923, exhortait les Canadiens à résister à l'attrait des jours meilleurs. Ce même numéro contenait des chants patriotiques dont *Restons au Canada* de Albert Larrieu et un arrangement de l'*Ô Canada, mon pays, mes amours* de Georges-Étienne Cartier. La chanson patriotique célèbre cette idée vivante qu'est la patrie dont la tendance onirique à grandir le passé pourrait bien appartenir, selon Bruno Hébert, au goût universellement répandu du merveilleux[17]. On chante la patrie comme on chante un désir.

Cette seconde moitié du XIXe siècle a donc encore son prolongement idéologique en ce début du XXe siècle. Les thèmes du chant patriotique pouvant servir au nationalisme de propagande se sont retrouvés dans l'œuvre dite d'éducation nationale qu'a fortement représentée *La Bonne Chanson*. C'est donc dans la continuité que l'histoire de la culture populaire met en scène le rapport d'opposition des positions

---

16. *Chants des patriotes*, p. 87.

17. Bruno Hébert. *Monuments et Patrie*, Joliette, Éditions Pleins Bords, 1980, p. 281.

idéologiques et des valeurs nationalistes qu'entretient chaque époque.

D'une certaine manière, les chansons transmettent à la collectivité les préoccupations des élites sociales. Il n'est pas étonnant, alors, de constater que les chansons reflètent majoritairement les aspirations de ces élites. «La chanson patriotique, écrira Carmen Roy, reste confinée dans les cercles publics lettrés qui les apprennent dans des partitions[18].» *Le Charivari canadien* ou la revue *La Lyre canadienne* étaient les organes de diffusion des chansons patriotiques.

Le nationalisme, né au Canada français, s'approfondit et exprime un lent déplacement des valeurs. Si le passé est garant de la survivance nationale, il peut aussi affirmer la force de notre race. L'on puise volontiers dans les forces mêmes de la nation canadienne-française; depuis 1830 (environ), l'intérêt national dominait les débats. La chanson patriotique va faire surgir un nationalisme à dominante culturelle ou historique, et un souffle romantique va traverser les thèmes des héros, des aïeux de la patrie, bref, des réalités perçues comme autant de valeurs nationales. Ce qui naît, en revanche, c'est la physionomie de notre âme collective à travers sa défense et son illustration.

Mais l'unité dont il est question dans la chanson patriotique appartient au discours idéologique et tend à réduire les vrais éléments de la réalité à des épreuves enrichissantes pour la constitution d'une identité collective. La réalité est moins belle. Ainsi la pendaison de Louis Riel compromettra non seulement l'unité canadienne, mais contredira le discours officiel, provoquant une crise politique au Canada que les Canadiens français ressentiront avec une rare mais vive agitation. À Montréal, au Champs de Mars, se tiendra la plus grande réunion jamais vue et Honoré Mercier, visant la réunion de toutes les forces de la nation, débute son discours par ces mots: «Riel, notre frère, est mort...» Le chant de *La Marseillaise rielliste* connaît son heure de gloire:

---

18. Carmen Roy. *Littérature orale en Gaspésie*, p. 238.

Enfants de la nouvelle France
Douter de nous est plus permis!
Au gibet Riel se balance,
Victime de nos ennemis (bis)
Amis, pour nous, quel outrage!
Quels transports il doit exciter!
Celui qu'on vient d'exécuter
Nous anime par son courage.

Honte à vous, ministres infâmes,
Qui trahissez, oh! lâcheté!
Vous avez donc vendu vos âmes!
Judas! Que vous ont-ils payé? (bis)
Dans la campagne et dans la ville
Un jour le peuple vous dira:
Au bagne, envoyez-moi tout ça!
La corde n'est pas assez vile!
Courage! Canadiens!

La Marseillaise rielliste
(1885)[19]

La chanson patriotique exprimera donc, pendant plus de cent ans (1835-1940), sous des formes traditionnelles, l'omniprésence d'une question touchant à l'identité nationale: qui sommes-nous collectivement? Elle répondra à cette question en abordant l'histoire selon un axe événementiel qui a fait se succéder les grandes figures du passé. Moins savante, car loin de l'analyse idéologique ou économique, l'histoire ainsi chantée sera plus populaire.

Va, par les soirs d'été
Dans tes bois vénérables,
Ô Canadien! pour écouter
Les vieux érables
Te parleront de liberté

19. J. Lacoursière, J. Provencher, D. Vaugeois. *Canada-Québec*, Montréal, Éditions du Renouveau pédagogique, 1978, p. 441.

Ô Canadien! sois fier du nom français,
Au vieux drapeau, reste toujours fidèle.

La voix des érables
(paroles de Jean-Eugène Marsouin,
musique de Gustave Goublier)
(1893)[20]

C'est Victor Morin qui entreprit la première étude systématique, bien que peu élaborée, de la chanson patriotique[21]. Il a divisé la chanson canadienne en six catégories: la complainte, la chanson de métier, la chanson amoureuse, la chanson de table, la chanson humoristique et la chanson patriotique. Avant lui, F.- A. Larue avait défini ce qu'il entendait par chanson canadienne.

> «La plupart de nos chansons purement canadiennes sont des improvisations pleines de gaieté et qui sont comme les miroirs fidèles des mœurs douces et paisibles de nos campagnes, ou bien des chants, encore joyeux, mais empreints d'une légère teinte de mélancolie, inspirés par la vue de nos grands bois, de nos grands fleuves et de nos lacs immenses[22].»

Il est intéressant, enfin, de noter que la chanson patriotique avait, à ses débuts, au Québec, un double registre: celui d'exprimer notre survivance française et celui, d'autre part, de rappeler la mission du peuple français en terre canadienne. Par une sorte d'évocation acritique, les chansons patriotiques dévoilent les faits et les sentiments en exprimant les aspirations enfouies du peuple. L'âme du peuple, c'est aussi son

---

20. L'éditeur J.-G. Yon n'a pas daté les chansons, ni dans sa première édition (1893), ni dans la deuxième (1903). À moins de sources sûres, toutes les chansons du recueil *Chants des patriotes*, ayant été rendues publiques par l'édition, porteront la date de leur impression, à savoir 1893. *Chants des patriotes*, Montréal, J.-G. Yon Éditeur, 1903, 2e édition, p. 98.

21. *La Chanson canadienne*, Toronto, The University of Toronto Press, 1928.

22. F.-A. La Rue, *Les Chansons populaires et historiques du Canada*, p. 358-359. F.-A. Hubert La Rue a étudié lui aussi nos chants historiques. Ses études ont paru dans *Le foyer canadien* et mettent en évidence la composition du sentiment national, cela à travers les refrains qui s'attachent à l'idée de patrie.

idéologie. La devise «Je me souviens» en est une synthèse fort éloquente. Le chant patriotique, par sa fonction même, se rapproche de l'hymne national. Exprimant un degré de conscience lié au caractère national, le chant patriotique est un phénomène essentiellement du XIXe siècle.

> «Les chants patriotiques et hymnes nationaux sont essentiellement des produits de la lutte menée au XIXe siècle pour l'État-nation — concept d'un état unitaire pour tous ceux qui partagent une même langue ou une culture dans un territoire commun[23].»

Les sources de la chanson patriotique se confondent parfois avec celles de la chanson canadienne, nombre de morceaux classiques accompagnant la musique traditionnelle, patriotique et populaire; elle était l'expression avouée d'un mouvement qui encourageait le développement d'un art national.

Ce que l'on désignera donc sous le nom de chanson patriotique doit être distingué de la chanson politique dite circonstancielle car celle-ci, par ses allusions au quotidien, tient une sorte de tribune politique. Or, la chanson patriotique, par son langage même, en s'élevant au niveau du symbolique évite toute controverse puisque, s'adressant au peuple, elle se veut à l'image de l'unité nationale dont elle chérit les qualités et les avantages.

La chanson patriotique, certes, célèbre la performance historique, mais plus encore, elle suggère qu'on s'en inspire. De souche populaire, les héros se sont illustrés sur le même sol, face au même défi de base. Le temps qui les distance ici n'est pas discontinuité, mais exigence d'action. La chanson patriotique, à la manière d'un ordre, est perlocutoire[24], car, être, sans être conscient, est impossible et le style allusif, propre à souligner un trait d'actualité, jauge à sa manière l'état du présent.

---

23. Helmut Kallmann, dans *Encyclopédie de la musique au Canada*, Montréal, Éditions Fides, 1983, p. 174.

24. Perlocutoire: en linguistique, se dit d'un acte de langage qui n'a d'effet qu'en raison de la situation de communication.

Nous t'acclamons, Ligue des patriotes
Aux champs d'honneur nous suivons nos aînés;
Les Canadiens ne sont pas des ilotes;
Nul ne saurait les tenir enchaînés.
Forts de nos droits, laissant l'intolérance
S'empoisonner du suc de ses ferments,
Nous resterons français par la vaillance
Français de cœur, français de sentiments.

Restons français
(Paroles de Rémi Tremblay,
musique de Calixa Lavallée) (1893)[25]

D'une conscience latente, on passe à une conscience manifeste. On comprend mieux sa situation coloniale, c'est-à-dire, ici, sa situation historique. La chanson patriotique nous a fait comprendre que quelque chose en nous ne veut pas mourir. C'est cette idée que nos chansonniers, dans les années 1960, avaient poursuivie. Combattre la loi de l'oubli et inscrire son appartenance à la nation, communier à une culture, telle est la conscience collective attentive à elle-même. La chanson patriotique a sensibilisé le peuple à sa propre réalité nationale en indiquant, en termes généraux et généreux, où il s'en va, où il veut aller.

Le héraut patriotique

Même fragile, ce sentiment national canadien, s'il retrace d'abord notre lignée française, n'en a pas moins affermi notre mission. Cette lutte pour la survivance française au Canada, pour le maintien de nos droits, suggère évidemment un rapprochement naturel entre la France[26] et le Canada:

25. *Chants des patriotes*, p. 41.

26. Au Québec, la fidélité des Canadiens français à la couronne britannique n'a pas empêché certains de nos hommes de lettres de maintenir des liens étroits avec la vie intellectuelle française.

«Parmi les poètes canadiens, Louis Fréchette est celui qui a chanté avec le plus de flamme et de sincérité l'amour de la France. Dans *Vive la France*, il résume, pour ainsi dire, l'œuvre et la mission du peuple français sur la terre canadienne, et ce chant de reconnaissance éclate comme un hymne d'amour dans toutes nos fêtes patriotiques; la musique en est d'Ernest Lavigne[27].»

Jadis la France sur nos bords
Jeta sa semence immortelle,
Et nous, secondant ses efforts,
Avons fait la France nouvelle.

Refrain:

Ô Canadiens, rallions-nous!
Et près du vieux drapeau, symbole d'espérance,
Ensemble crions à genoux:
Vive la France!

Vive la France
L. Fréchette (1884)[28]

Comme *La voix des érables* le chante, le goût de la découverte se mêle à la force des racines. Mais l'un ne se sépare pas de l'autre, ni le passé du présent. La chanson patriotique rend le peuple à lui-même, à travers les refrains dans lesquels il se raconte.

Au Québec, la chanson patriotique se consacre à la défense et à l'illustration du Canada français et de ses grandes figures de l'histoire.

Si d'Albion la main chérie
Cesse un jour de te protéger,
Soutiens-toi seule, ô ma patrie!
Méprise un secours étranger.
Nos pères sortis de la France
Étaient l'élite des guerriers

27. Victor Morin, *La Chanson canadienne*, p. 45.

28. *Ibid.*, p. 45.

Et leurs enfants, de leur vaillance,
Ne flétriront pas les lauriers.

Sol canadien
(Paroles d'Isidore Bédard,
musique de Théodore Molt)
(1893)[29]

Essentiellement historique, la chanson patriotique participe d'une mythologie nationale prise comme une imagerie populaire recelant des symboles d'appartenance: le Saint-Laurent ou la feuille d'érable, par exemple.

Le Saint-Laurent, qui berça nos ancêtres
Roule toujours ses palpitantes eaux:
Comme autrefois il verse dans les êtres
L'amour sacré des horizons nouveaux.

Le drapeau national
(Paroles d'Oswald Mayrand,
musique de Ben Tayoux) (1893)[30]

Dans la forêt dont le sol est couvert
Pousse partout un arbre que l'on aime
Nous saluons son premier bourgeon vert
Et nous faisons de sa feuille un emblème.

Les érables
(Paroles de Numa Blés
et de Lucien Boyer,
musique de R. Goublier) (1893)[31]

Autre symbole mythique: le drapeau. Combien de chansons sont consacrées à ce symbole qui résume l'appartenance à une nation, qui soutient les exilés, qui invite à l'ardeur patriotique, qui ranime la flamme nationale...

29. *Chants des patriotes*, p. 43.

30. *Ibid.*, p. 81.

31. *Ibid.*, p. 84.

Jadis tout blanc aux fleurs de lys
Resplendissant comme une gloire,
Il a laissé de ses longs plis
Soyeux, aux chatoiements de moire,
Tomber un soleil dans l'histoire

[...]

Quand aux jours gais nous l'arborons
Ainsi qu'aux longs jours de souffrance,
C'est pour qu'il flotte sur nos fronts
Dans l'air réjoui de la France,
Dans l'air triste de l'espérance.

Mon drapeau
(Paroles d'Albert Lozeau,
musique de J.E. Marsouin)
(1893)[32]

L'utilisation des symboles nationaux cristallisera la ferveur populaire au profit de thèmes symboliques multiples mais convergents: le sol canadien, la France, le fleuve, les droits...

Sol canadien, terre chérie,
Par des braves, tu fus peuplé.
Ils cherchaient loin de leur patrie
Une terre de liberté.
Nos pères sortis de France
Étaient l'élite des guerriers.
Et leurs enfants, de leur vaillance,
Ne flétriront pas leurs lauriers.

Sol canadien
(Paroles d'Isidore Bédard,
musique de Théodore Molt)
(1893)[33]

32. *Ibid.*, p. 21.

33. *Ibid.*, p. 42-43.

La chanson patriotique, au Québec, apparaît comme un acte du cœur qui, en magnifiant les thèmes traités, se rapproche de la parole mythique.

Salut bronze patriotique
Que la victoire a couronné;
Repose, ô soldat héroïque,
Car ton pays te l'a donnée.
Mêle ta poussière aux poussières
De ceux qui, tombés comme toi,
Ont donné leurs heures dernières
Pour leur pays et pour leur foi!

Aux Braves de 1760
(Paroles de N. Legendre,
musique de A.J.H. Saint-Denis)
(1893)[34]

En fréquentant une multitude de héros, le peuple s'oriente vers son accomplissement. Le héros, en donnant figure humaine à de grandes idées, incite le peuple au dépassement. Les héros incarnent tous les éléments d'un vouloir-vivre collectif que le mot «nation» résume: communauté de culture, d'histoire, de religion, de territoire et de race.

Enfin le drapeau tricolore
Vient se déployer à nos yeux!
Sur ce sol va-t-il encore
En héros transformer des gueux?
N'en doutons point! Ce guet-apens
Qu'il réunisse — il en est temps
Les vrais enfants de l'anarchie!
Campagnards, citadins, etc.

Sur le triomphe de Tracey
et de Duvernay
(Bulletin des Recherches
historiques) (1921)[35]

34. *Ibid.*, p. 31.

«J'y suis, j'y reste», avait dit Frontenac. Le héros incarne le dessein de tout un peuple: persister et se maintenir. Le héros est constamment présent, dans la chanson patriotique, pour rappeler que le Canadien français n'est jamais tant lui-même que lorsqu'il est au faîte de ses qualités. Le héros, alors, n'est rien d'autre qu'un héraut. Le patriotisme a besoin de se dire pour vivre dans l'âme collective.

> «Nous croyons donc rendre un service réel à ceux qui gardent intact dans leur âme de patriotes le culte du souvenir, en aimant ce qu'ont aimé nos pères, quand nous réunissons ces parcelles de vie nationale; car ce serait ignorer la vie que de ne pas aimer son pays, et ce serait ne pas aimer son pays que d'oublier les voix qui se sont tues[36].»

L'être patriotique, c'est aussi ce qui est en nous, c'est-à-dire ce qu'il y a de meilleur dans une communauté de rêves où le peuple qui a été sera vraiment. Wilfrid Laurier, en 1897, à la conférence de Londres, n'avait-il pas déclaré: «Les colonies sont nées pour devenir des nations»? Dans la chanson patriotique, on aime son pays contre son destin, c'est-à-dire, concrètement, contre l'étranger, contre l'Anglo-Saxon — et comme l'écrit Bruno Hébert, contre «Non pas tant ce en quoi on ne croit pas, que ce en quoi on n'a pas à croire.» [...] «Le pays à vivre est la condition du mythe patriotique[37].»

De Carillon, couvrant la butte
Sans crainte ils acceptent la lutte
Malgré leur infériorité
De nombre, l'intrépidité
Suffit au courage exalté
Des vaillants Canadiens; devant eux tout culbute
Bravant de l'Anglais la fureur,
La phalange altière

35. Maurice Carrier et Monique Vachon. *Chansons politiques du Québec, 1765-1833...*, tome I, p. 300-301.

36. *Chants des patriotes*, Préface.

37. Bruno Hébert. *Monuments et Patrie...*, p. 292.

Aux soldats de l'envahisseur
Fait mordre la poussière.
Ah! quels beaux fils du Canada
Que ces héros-là
Dont notre race est fière!

La bataille de Carillon
(Paroles de S. Durantel,
musique de Tagliafico) (1893)[38]

«La commémoration, écrit Bruno Hébert, est par essence la célébration des grandes figures de l'histoire et des événements qui les ont illustrées[39].» Le héros est un support à l'évocation historique et à l'idée que le Canadien français se faisait de lui- même. Il se dégage, inéluctablement, un sentiment, celui d'être un peuple aussi réel que jeune, aussi glorieux qu'en pleine croissance.

> «En prêtant signification au monde sensible, l'homme s'apprivoise le réel, il unifie mentalement son insertion dans le monde autrement que par pure abstraction. Par le jeu des analogies et rapprochements, il simplifie le monde pour le rendre habitable en l'humanisant. Le culte du héros célébré désigne une transmutation mentale de ce type. Et encore davantage ce que nos pères décorent du beau nom de patrie[40].»

Selon l'historien Lionel Groulx, cette mystique du héros trouve, dans la venue d'un sauveur par qui adviendra l'État national des Canadiens français, son apogée, son accomplissement. «Rien de grand ne s'accomplit en histoire, avait écrit

38. *Chants des patriotes*, p. 90.

39. «De 1881 à la crise économique de 1929, en effet, on dressera des monuments commémoratifs partout dans la province, si bien que le Québec en élèvera plus à lui seul que les autres provinces réunies. Ainsi, par le hasard d'une réussite, une forme populaire de culte patriotique venait s'enraciner qui fera fleurir parmi le peuple le sentiment d'appartenance à la nation.» (Bruno Hébert. *Monuments et Patrie*, Joliette, Éditions Pleins Bords, 1980, p. 21.)

40. Bruno Hébert. *Monuments et Patrie...*, p. 265.

le chanoine Groulx, à moins que quelqu'un de grand ne s'en mêle[41].»

La force, en empruntant l'argument comparatif (le héros) est plus émotive qu'intellectuelle, plus symbolique que rationnelle. À l'idée patriotique naturellement éphémère, on oppose le «Je me souviens». Ce peuple ne veut pas mourir.

Dans la patrie canadienne
Ce sont tes fils que l'on enchaîne
Mais par la lutte, la souffrance
Ils obtiendront la délivrance.
Dans l'ombre on aura beau ruser
On ne pourra les écraser
Ils sauront faire comme toi
France, terre de foi!

Debout, vivants et morts,
Vous serez les plus forts
Soufflez dans vos clairons
Canadiens, tenez bon!

Tiens bon, Raymond
(Paroles de
Maurice Morisset) (1928)[42]

Parlant d'un peuple au passé, elle s'adressait, dans les faits, au peuple présent, et cela à travers les traits souvent agrandis du héros.

Pour conserver cet héritage
Que nous ont légué nos aïeux
Malgré les vents, malgré l'orage,
Soyons toujours unis comme eux
Marchons sur leur brillante trace,
De leurs vertus suivons la loi,

41. Cité par Denis Monière, dans *Le Développement des idéologies au Québec*, Montréal, Québec-Amérique, 1977, p. 251.

42. Victor Morin. *La Chanson canadienne*, p. 49-50.

Ne souffrons pas que rien n'efface
Et notre langue et notre foi.

Le pays
(Paroles d'Octave Crémazie,
musique de J. Ernest Philie)
(1893)[43]

Un peuple qui chante, un peuple qui souffre, peut bien être un peuple en santé. En manifestant ouvertement les convictions du peuple, la chanson patriotique impose à ses refrains un caractère de défi: célébrer l'éclat du passé garantit la force du présent et annonce l'avenir.

Il fut fécond leur sacrifice
Et nous donna la liberté.
En vain, ils n'auront pas lutté
Ces champions de la justice.
Gloire au sol qui les enfanta
Ces nobles fils du Canada.

Jours glorieux 1837-1838
(Paroles de S. Durante,
musique de
Paul Delmet) (1893)[44]

Maintenir le présent car tout ce qui fut doit être encore, tel est le sens du passé dans la chanson patriotique. Le passé a une dimension d'actualité à travers ses héros, car ici, le présent vaut pour l'avenir. Tel est le sens de sa glorification, car elle habite, on ne peut plus en douter, le sens de l'histoire, c'est-à-dire le sens d'un devenir collectif, en l'occurrence celui des Canadiens français. La parole patriotique s'exprime, ici, plus en chantant ensemble que par ce qu'elle dit ou contient.

43. *Chants des patriotes*, p. 101.

44. *Ibid.*, p. 89.

L'œuvre d'éducation nationale

Définie par ce caractère national canadien-français, la vision unitaire de ce pays s'accordera avec l'image du peuple choisi dont la mission providentielle en Amérique du Nord le prédestine à de grandes réalisations. La chanson patriotique, à sa façon, aura été un puissant catalyseur de l'idéologie de survivance.

Cette idéologie nationale et rurale des clercs visait l'unité que le catholicisme absolutisera et à laquelle la chanson patriotique a collaboré. Cette histoire qui traverse constamment la chanson patriotique est fondamentalement religieuse de par les valeurs communes qu'elle recèle: fidélité au catholicisme et à la langue française, l'épanouissement des vertus rurales, conquête du sol, procréation des familles, nécessité de la survivance, glorification des héros, notre mission apostolique en terre d'Amérique, etc.

Les exemples sont nombreux qui prolongent cette tradition de notre chant national où «c'est l'âme même du Canada qui s'exhale». Dans ces concours de chansons patriotiques, la chanson folklorique sert à la fois d'assise et de tremplin à ce qu'il est convenu d'appeler l'œuvre d'éducation nationale. Dans *La Presse* du 29 mai 1928, Gustave Stressman écrivait:

> «Il peut arriver que, sous la poussée du progrès, nous trouvions nos chants populaires trop vieux-jeu et que nous les laissions tomber dans l'oubli. Ce serait une faute grave. Le folklore fait partie intégrante du domaine national, et à vouloir l'éliminer nous risquerions de compromettre l'avenir de la race. Ces airs connus, entraînants, naïfs, servent puissamment à entretenir dans le peuple le souvenir des ancêtres qui nous les ont légués, ils servent aussi à cultiver le sentiment patriotique.»

Chante rossignolet, recueil du Comité de la Survivance française, permit, lui aussi, en son temps (1928) une propagation des valeurs traditionnelles et patriotiques en se voulant «un effort vers une expression plus complète de la pensée secrète d'une race[45]». La tendance à l'éducation patriotique devient une affaire de culture populaire. Ainsi, les chansons primées lors du concours de «La Bonne Chanson» (mai 1940) portent des titres significatifs: *Hymne à Dollard, Tout le long de mon pays, Les chants de la patrie,* etc.

Avec *La Bonne Chanson,* aussi appelée la chanson scolaire, le combat pour la sauvegarde des bonnes mœurs passe (naturellement?) par la défense de notre culture. L'abbé Gadbois trouvait que la chansonnette française et la chanson américaine, que l'on écoutait à la radio, portaient atteinte à notre culture. Dès lors, il partit en guerre contre cette forme populaire de la chanson. Elle fut, dans les recueils de *La Bonne Chanson,* dénoncée pour des raisons d'ordre moral, étant le plus souvent perçue comme une manifestation satanique et, par conséquent, comme une source de débauche. Pour l'idéologie traditionnelle religieuse, la crise des mœurs qu'elle décrit comme la résultante naturelle du progrès matériel est considérée comme un mal absolu. Les principaux méfaits du matérialisme américain sont vite rattachés aux différents moyens culturels d'expression: le cinéma, la danse (principalement le *fox-trot* et le *tango*), la chansonnette française et bien sûr la chanson américaine. *La Bonne Chanson,* exprimant sa résistance aux changements, aura donc collaboré à ce qu'on a maintenant convenu d'appeler l'idéologie de conservation.

> «Il semble qu'une société ne contrôlant ni son développement économique ni ses instruments politiques n'aurait d'autre choix que de se rabattre sur l'action idéologique et d'en faire le point de départ et le lieu privilégié de tout changement, ou au contraire, le point d'ancrage formel du *statu quo.* Inscrite sur cet axe, la chanson scolaire, chantre avoué du nationalisme religieux, aura plutôt contribué au *statu quo* sociopolitique[46].»

La chanson patriotique, en devenant didactique, doit maintenir un certain nombre de valeurs nationales. Les titres, une fois rassemblés, nous renvoient à une idéologie politico-religieuse. Des paroliers à soutane multiplieront des refrains

45. Marius Barbeau. *Festival de la chanson et des métiers du terroir,* programme, mai 1928, p. 8.

46. Jean Blouin. *Une épopée musicale aujourd'hui oubliée: La Bonne Chanson...,* *Perspectives (Dimanche-matin),* 12 déc. 1976, p. 11.

engagés[47]. De Blondin Dubé, jésuite: *D'Iberville à la baie d'Hudson, Kateri Tekakwitha, La route de chez nous, Les découvreurs, La prière en famille*, etc.; de Gabriel La Rue, jésuite: *Marie-Anne de Saint-Ours, Monsieur Frontenac, Le feu de la Saint-Jean*, etc.; de H. Nadeau, p.s.s.: *Rêves canadiens, Debout patriotes* (dédié aux patriotes de Rosemont), etc.; de Dollard Sénécal, jésuite: *Le printemps de chez nous...*; de Ernest Desjardins, jésuite: *Mon pays...*; de Jean Laramée, jésuite: *La chanson de l'érable, Madeleine, Madelon, Tenons, vaillants castors, Dollard, Prière à saint Charles Garnier, Prière au Christ, Fils de la lutte*, etc.

Fils de la lutte
Ravins ou buttes
Rien nous ne redoutons
Fils d'une race
Sainte et tenace
Debout toujours nous marcherons
Portés par nos chansons.

Fils de la lutte
(Jean Laramée) (1939)[48]

Parce qu'il a rempli sa mission, le héros est vainqueur même dans la mort. Ainsi, Dollard, le chevalier sans peur et sans reproche; ainsi Madeleine de Verchères, notre inimitable Jeanne d'Arc canadienne. Voilà comment toute la jeunesse canadienne apprenait avec orgueil les exploits de ses héros, symboles convaincants de l'héroïsme canadien.

Ils sont tombés, ils n'étaient pas vingt,
Au fond des noirs ravins.

47. *Chansons du vieux Québec*, Montréal, Librairie Beauchemin, 1939. Ce recueil du père Jean Laramée, à la fin des années 30, maintient le culte du terroir dont les compositions plus souvent littéraires servaient, comme l'ont fait de façon plus spectaculaire les cahiers de *La Bonne Chanson*, l'œuvre d'éducation nationale. Concernant les chansons, nous utilisons la date de parution de ce recueil.

48. *Ibid.*, p. 68.

Debout les gars, soyons un seul cœur
Et nous serons vainqueurs.

Ils ont porté leurs desseins hardis
Jusques en paradis;
Debout les gars, nous rallumerons
Leur gloire à notre front.

Dollard
(Jean Laramée, s.j.) (1939)[49]

Dans ces chansons d'inspiration chrétienne et patriotique, le Canadien français découvre plusieurs de ses traits spécifiques. Les paroliers à soutane associent leurs vers chantés à l'histoire; la grande, la noble: celle qui crée le mythe. Ainsi, dans sa chanson *Les découvreurs*, Blondin Dubé, s.j., fait l'apologie des exploits de nos ancêtres: La Vérendrye, La Salle, Joliet, le père Marquette, Iberville, Le Moyne, etc. Le présent trouve son sens dans l'héroïsme des aïeux. L'histoire devient leçon de courage et de vie:

Nos fiers aïeux sur Laurentie
régnaient en seigneurs absolus,
Mais leurs enfants sont au service
des étrangers qui sont venus

Le jour viendra de la victoire
où tous les gars forts comme nous
Regagneront ce que l'ancêtre
a défendu jusqu'au bout...

Les découvreurs
(Blondin Dubé, s.j.) (1939)[50]

Les refrains ont souvent valeur d'exemple, de rappel, d'appel: l'appel de la race, quoi!

49. *Ibid.*, p. 27.

50. *Ibid.*, p. 53.

Ils ne l'auront jamais, jamais (bis)
L'âme de la Nouvelle-France
Redisons ce cri de vaillance
Ils ne l'auront jamais, jamais!
Ils ont dit dans leur fol orgueil:
Nous te prendrons, ô race fière,
Et ta langue et ton âme altière,
En paix nous clouerons ton cercueil.

Ils ne l'auront jamais
(Paroles de Lionel Groulx)
(1938)[51]

Cette adaptation par le chanoine Lionel Groulx d'une chanson flamande ajoute un argument de taille à la mission civilisatrice en Amérique du Nord. Le champ des luttes nationales s'élargit, qui lie langue et foi, héros et prophètes, drapeaux et évangile, survivance et miracle. L'histoire est utilisée comme illustration et défense de l'âme française, donc des luttes nationales.

À deux genoux, relisons notre histoire
Fils de héros, des croisés du Bon Dieu,
Et préparons les siècles de victoire
Comme Taché, Langevin et Mathieu;
Éternisons, au temple de la gloire,
L'auguste éclat de leur nom en tout lieu.
Amis, soyons hérauts de l'Évangile,
Les messagers du culte des aïeux;
Phalange sainte à l'ardeur juvénile,
Préparons-nous aux combats glorieux.

Le blé qui se lève
(Paroles de Georges Boileau)
(1938)[52]

51. Cahier 3 de *La Bonne Chanson*, p. 103.

52. Cahier 1 de *La Bonne Chanson*, p. 36.

Le mythe, globalement, c'est l'histoire de ce qui s'est passé à l'origine. Le mythe raconte ce qui a commencé d'être. Voilà comment, par exemple, dans la chanson canadienne d'inspiration politico-religieuse, le mythe de la mission providentielle, au cœur de l'idéologie dominante, raconte les origines de la colonisation en Amérique du Nord[53].

L'Anglais a fui, Notre-Dame, victoire!
Deux fois chassé, deux fois vaincu;
La gratitude orna tes oratoires,
Le peuple chante ta vertu

Notre-Dame de la recouvrance
(Jean Laramée) (1939)[54]

Le feu qui vint de France
Ne s'est jamais éteint;
En la Nouvelle-France
Il brûlera sans fin

Nous gardons fidèlement
Le feu de la Saint-Jean

Le feu de la Saint-Jean
(Gabriel La Rue, s.j.) (1939)[55]

Le mythe de la mission providentielle sert de référence majeure à l'idéologie politico-religieuse et à son corollaire social: l'idéologie ruraliste. La chanson de Maurice Morisset, *La terre de chez nous,* illustre fort bien notre propos:

53. Je renvoie le lecteur à cet excellent livre de Christian Morisseau, *La Terre promise: le mythe du Nord québécois*, Montréal, Cahiers du Québec HMH, 1978, 189 p. (Coll. Ethnologie).

54. *Chansons du vieux Québec*, p. 92.

55. *Ibid.*, p. 90.

Pour rester dignes des aïeux
De leur grande âme disparue
Aimons le sol, faisons comme eux,
Rivons nos mains à la charrue.
Soldats penchés sur les sillons
Jamais leurs vaillants bataillons
Ne furent plus beaux, ni plus grands
Que dans la paix des champs.

La terre de chez nous
(Maurice Morisset) (1928)[56]

La chanson patriotique[57] regroupe donc plusieurs aspects mythiques de notre histoire dont certains sont puisés dans les scènes de la vie quotidienne. Chez Albert Larrieu, par exemple, nous assistons même à une manière de folklorisation des éléments qui nous identifient et qui nous distinguent. Ses chansons nous offrent une énumération des traits propres à la réalité canadienne-française de l'époque: *La cabane à sucre, Les quêteux, La vieille église, L'éternelle voix, La tire, Notre chez-nous, Madeleine de Verchères, La soupe aux pois, Les crêpes, La roue*, etc.

Les chansons d'Albert Larrieu, comme celles de tous les autres compositeurs, proposent à l'admiration du public les qualités épiques de nos ancêtres. Le talent de nos paroliers porte un cachet national. Tel était le critère d'alors: la chanson doit servir la grande œuvre d'éducation nationale, apprendre à chanter à cette jeunesse canadienne pour en faire une race belle et forte, fière et française.

«Et nous... nous fredonnerons ces vieux airs, que nos ancêtres aimaient, pour que leur âme passe en la nôtre; nous redirons les exploits d'antan, nous chanterons les oiseaux, les plantes, la route de chez nous afin de mieux nous attacher aux choses

56. *La Bonne Chanson*, cahier 5, p. 220.

57. Celle-ci, également, tend à vouloir dire chanson canadienne. Victor Morin lui attribue les mêmes traits idéologiques. La présentation du recueil de *Chansons du vieux Québec* procède du même esprit.

> du pays de Québec, où Dieu nous a marqué un grand avenir, si nous le voulons[58].»

«Pays de Québec», écrira Jean Laramée en 1939. L'œuvre d'éducation nationale vise le pays. Au cours d'une conférence préparatoire au deuxième congrès de la Langue française, en juin 1937, monseigneur Camille Roy exprima ce vœu: «L'un des meilleurs moyens de conserver et de cultiver l'esprit français, c'est de chanter et de faire chanter le plus possible nos belles chansons canadiennes-françaises[59].» C'est précisément cet aspect de la démarche patriotique qui a inspiré l'abbé Gadbois. Cet instigateur de l'entreprise nationale que fut *La Bonne Chanson* se fit rapidement approuver par le Comité catholique du Conseil de l'Instruction publique de la Province de Québec, à sa séance du 5 octobre 1938.

Voici qu'une chanson d'inspiration patriotique et religieuse, honorée de la bénédiction papale, subissant un académisme étroit, se transforme en une entreprise commerciale hautement florissante: entre 1937 et 1955, il s'est imprimé et diffusé quelque cent millions d'exemplaires de cinq cents chansons rassemblées en dix albums.

Tout ce qui se chante de bon en français appartient d'emblée à *La Bonne Chanson*. Un certain nationalisme clérical participait à l'œuvre d'éducation nationale. Des critères moraux présidaient au jugement des œuvres qui, selon la hiérarchie religieuse d'alors, trouvait grivoises les chansons qui passaient à la radio. Il fallait aussi, du même coup, éliminer la chanson américaine. Les titres célèbrent à eux seuls cette volonté nationale: *Restons français, Canadien toujours, Les soirées de Québec, Notre-Dame du Canada, Loyaux et fiers, Hommage à l'Acadie, Sol canadien, Les noms canadiens, Montez toujours, Le doux parler ancestral, La feuille d'érable.*

> Regarde avec amour sur les bords du grand fleuve
> Un peuple jeune encore qui grandit frémissant

58. Jean Laramée. *Chansons du vieux Québec*, présentation, p. 7.

59. Cité par Albert Gervais, *Le Magister*, octobre 1977.

Tu l'as plus d'une fois consolé dans l'épreuve
Ton bras fut sa défense et ton bras est puissant

Refrain: Garde-nous tes faveurs
Veille sur la patrie
Et sois du Canada
Notre Dame, ô Marie

Notre-Dame du Canada (1937)[60]

Aux pieds du Christ, en syllabes de France,
Prions ensemble, ô peuple canadien;
Demeurons tous, en geste de vaillance,
Prédicateurs d'héroïsme chrétien!

Le doux parler ancestral (1937)[61]

Peu importe que *La Bonne Chanson* ait été un antidote à l'angoisse de la Seconde Guerre mondiale, on peut certes écrire que les chansons de l'abbé Gadbois comportent une ferveur militante indissociable de son œuvre éducatrice. La famille réunie autour du piano n'avait qu'un sens: «les foyers où l'on chante sont des foyers heureux». Si *La Bonne Chanson* fut l'œuvre d'un seul homme, elle fut, tout aussi entière, le ferment d'une époque: *Le temps des sucres, Le temps des pommes, Le sourire, La ronde du bonheur, Le lac des amours, Le soir sur l'eau, Le cœur a besoin de l'amour, La mère et l'enfant, La bergère fidèle, Légende canadienne*, etc.

Mon dur labeur fait sortir de la terre
De quoi nourrir ma femme et mes enfants.
Mieux qu'un palais, j'adore ma chaumière;
À ses splendeurs je préfère mes champs;
Et le dimanche au repas de famille,
Lorsque le soir vient tous nous réunir,

60. *La Bonne Chanson*, cahier 2, p. 100.

61. *Ibid.*, p. 38.

Entre mes fils, et ma femme et ma fille,
Le cœur content, j'espère en l'avenir

Le credo du paysan
(F. et S. Borel) (1937)[62]

À cette époque, plusieurs chansons de Théodore Botrel connurent également la faveur populaire en raison des sentiments religieux et patriotiques qu'il y exprimait et dont la *Franco-Canadienne* est un bel exemple:

Cartier fut notre ancêtre
— Vole, mon cœur, vole
Canadiens, voulons être
Mais français avant tout;
[...]
Nos corps à l'Angleterre
Mais notre cœur à tous
Reste au pays si doux, doux, doux,
Reste au pays si doux.

Sur l'air de
Vive la Canadienne (1931)[63]

Théodore Botrel, chanteur populaire breton, fut en son pays, pendant la Première Guerre mondiale, chansonnier aux armées. Ses chansons procédaient du même esprit que celles de *La Bonne Chanson*.

Chantez-les, petits écoliers,
En rentrant, le soir, de l'école;
Chantez-les, vaillants ouvriers,
Pour que la fatigue s'envole;

Chantez-les, mignonnes mamans,
Auprès de leurs bercelonnettes,

62. *Ibid.*, p. 11.

63. *Chansons de Botrel*, Montréal, Librairie Beauchemin, 1931, p. 181. (Coll. Maisonneuve.)

À vos doux angelots charmants,
Pour lesquels la plupart sont faites;

Montréalais et Québécois
Tous chantez ma chanson française:
Que vos aïeux à votre voix
Dans leurs tombeaux tressaillent d'aise!

Adieu Canada
(T. Botrel) (1931)[64]

Généralement écrites et composées pour l'école et le foyer, on ne s'étonnera pas que plusieurs d'entre elles aient alimenté les cahiers de l'abbé Gadbois: *René Goupil à sa mère, La Paimpolaise, Le tricot de laine,* etc. Il y a affinité avec *La Bonne Chanson* tant au plan de la forme qu'à celui du contenu:

> «Car Botrel n'est pas seulement un poète et un artiste; chaud patriote et fervent chrétien, il a l'âme ardente d'un apôtre. [...] Puisse ce modeste volume, où ont été recueillies quelques-unes des plus belles de ses chansons et poésies, continuer l'œuvre du barde, et, pénétrant dans les écoles et les foyers du Canada, y porter quelque joie et y faire quelque bien[65].»

Dans les recueils de *La Bonne Chanson*, les textes de Théodore Botrel côtoient les poèmes d'auteurs français qui nous ont si souvent servi de modèles littéraires: Lamartine, Sully Prud'Homme, Victor Hugo, Alfred de Vigny, Alphonse Daudet et même Charles Trenet avec sa *Douce France*. Si en France la chanson populaire a toujours été connue des écrivains, au Québec, *La Bonne Chanson* se rallia à Basile Routhier qui avait déclaré que «tout poète national est l'amorce d'un répertoire patriotique». Poètes et poèmes s'alignent comme des soldats au garde-à-vous: *Ô Carillon, Le pays, Le Canada* (Octave Crémazie), *Vive la France* (Louis Fréchette), *Quand il neige sur mon pays* (Albert Lozeau), *Le réveil rural* (Alfred Desrochers), etc.

64. *Ibid.*, p. 183-184.

65. *Ibid.*, p. 12.

Replacée dans son contexte social, *La Bonne Chanson*, comme jadis la chanson patriotique du XIXe siècle, marque les intentions de son promoteur: renouveler les symboles folkloriques dont *À la claire fontaine* fut trop longtemps l'image nationale. En sauvegardant la tradition folklorique et patriotique, *La Bonne Chanson* a prolongé un humanisme ancien qu'a officialisé la Société Saint-Jean-Baptiste en proposant comme hymne national, en 1945, *À la claire fontaine*. La tradition est ici authentifiée. «Au Canada français, chanter *À la claire fontaine*, c'est presque hisser le drapeau de l'ancienne France[66].»

Un droit à quel folklore?

Parce qu'elle a joué un rôle de refuge, la chanson patriotique peut paraître ambiguë. Il est vrai qu'en 1880, le Canada français s'était donné comme mission de porter le flambeau de la civilisation et de la chrétienté. Dix ans plus tard, le conformisme politique deviendra immobilisme, comme si l'insurrection des patriotes de 1837-1838 n'avait jamais eu lieu. Tout un processus de folklorisation de nos symboles patriotiques alimentera notre aliénation collective. Nous accorder le droit d'être symboliques, c'est-à-dire folkloriques, c'était une façon certaine d'évacuer la conscience du présent. Il faut cependant constater que la chanson patriotique a mis en évidence la continuité d'un fort sentiment national, révélant les forces culturelles sous-jacentes à une littérature nationale dont l'absence livrait le peuple au dilemme de la fidélité et de la soumission à son existence collective.

Beau pays canadien, vieille terre française
Je voudrais te chanter: je ne te connais point.

L'âme solitaire
(A. Lozeau) (1907)[67]

66. M. et R. D'Harcourt. *Chansons folkloriques françaises au Canada*, Québec, P.U.L., 1956, p. 185.

67. Albert Lozeau. *L'Âme solitaire*, Montréal, Librairie Beauchemin, 1907.

La chanson patriotique, vue sous l'angle de la valorisation collective, utilise les symboles nationaux pour indiquer la capacité qu'a le peuple d'imposer un sens à son histoire: le castor et la feuille d'érable (principalement dans l'illustration de la chanson folklorique), le drapeau fleurdelisé, le mouton de la Saint- Jean, etc. Il y a dans ces symboles quelque chose d'artificiel en même temps qu'ils laissent une résonance particulière. La fête de la Saint-Jean-Baptiste, par exemple, n'est reliée à aucun événement historique précis. Si cette fête et ce patron s'incarnent dans l'image officielle du mouton, cette image, dans l'inconscient collectif du peuple, est parfois supplantée par le symbole subversif du révolutionnaire:

En toi, je vois l'aïeul, l'ancêtre
Nos augustes traditions;
Tu nous apprends qu'on doit renaître
Au jour des libres nations

Ta voix comme un clairon de guerre
Jette l'appel du ralliement,
Tes fils, de ville et de chaumière,
Se lèvent en un corps ardent.

Jean-Baptiste Canadien
(Paroles de F.G. Huot,
ancien député de Québec-Est,
musique de Rémi Diffadaux)
(1893)[68]

Ainsi, le personnage de saint Jean-Baptiste accède à la splendeur mythique parce que ce qu'il représente, ce n'est pas lui-même, mais la réussite nationale, c'est-à-dire le mythe de la patrie. «Les modèles s'exercent non sur notre volonté, écrit Bruno Hébert, mais sur notre conscience des valeurs[69].»

L'hymne de Basile Routhier, par exemple, aura été avec

---

68. *Chants des patriotes*, p. 45.

69. Bruno Hébert. *Monuments et Patrie*, p. 279.

les années le lieu incontestable de projections idéologiques irréconciliables. Est-ce alors un hasard si l'*Ô Canada, terre de nos aïeux* en vint à être connu sous le seul titre *Ô Canada*? Et même si ce chant allait connaître une extraordinaire popularité, du côté français comme du côté anglais, ce sont encore nos aïeux qui, d'un océan à l'autre, en firent les frais, se perdant dans l'anonymat.

Il faut noter qu'il fallut près de cent treize ans au Canada pour qu'il adopte son propre hymne national, car si, du côté français, l'opinion publique espérait depuis le début du XXe siècle l'acceptation des paroles françaises, du côté anglophone, les réticences étaient manifestes: ce symbole rigoureusement canadien (français) pouvait présenter une menace réelle pour cet autre symbole qu'est le *God Save the Queen*.

Tout récemment, la récupération de ce chant patriotique a passé par des voix (et des voies) officielles, dont celle du chef du NPD, M. Ed Broadbent: «Il était symboliquement important à ce moment-là de notre histoire que cet hymne ait été composé par un Québécois.» Et Pierre Elliot Trudeau de surenchérir que ce chant se veut un «exemple supplémentaire de canadianité». C'est ainsi que les anglophones se sont approprié le nationalisme québécois de cet hymne (à leur propre insu?). Voici donc, à partir d'une vieille volonté d'appropriation pan-canadienne, comment ce chant national fut vidé de son sens patriotique: il est devenu la propriété de ceux à qui il ne s'adressait pas, abolissant le lieu de la différence même. Artificiellement signe de rassemblement, l'*Ô Canada*, aujourd'hui, arrive-t-il à nommer les significations sociales à partager pour l'ensemble de la collectivité canadienne? Cet hymne, pensent certains, ne sert plus à identifier, mais bel et bien à récupérer, car depuis toujours, disent-ils, c'est le nationalisme québécois qui donne un sens au nationalisme canadien.

> «Si l'œuvre n'est pas tout à fait à la hauteur de la composition musicale, nous avons du moins un chant qui, traduit en anglais, unit dans un même sentiment patriotique les deux principaux groupes ethniques de notre pays; de fait, nos compatriotes de langue anglaise l'ont si bien approprié à leur usage qu'un jour, j'entendais l'un d'eux m'exprimer sa surprise

agréable du fait que les Canadiens français l'eussent traduit dans leur langue, étant sans doute d'avis qu'une œuvre aussi grandiose ne pouvait être que de provenance anglaise[70].»

Rappelons que c'est le marquis de Lorne, alors gouverneur général du Canada, qui commanda, en 1880, un hymne national à Arthur Sullivan. Le compositeur anglais n'eut pas la main heureuse et ne put l'écrire. L'exaltation collective, dans une unité d'inspiration nécessaire pour ce chant, ne vint jamais. L'hymne national de Routhier/Lavallée, dont l'effet d'émotion est réel, a naturellement remué les Anglo-Canadiens. C'est ainsi que les paroles du *Ô Canada* propulsèrent le duo Routhier/Lavallée premiers chantres de la Confédération canadienne:

> «L'*Ô Canada* reflète la race. Nous ne pouvons pas le renier: il mire tout ce que nous sommes. Il s'apparente à *La Marseillaise* alors qu'il s'oppose aux hymnes étrangers. Même au point de vue forme, ce sont les deux seuls de tous les chants nationaux à se plier au genre lyrique consacré et, de plus, à y mêler l'élément marche héroïque. Ils ont un air de famille malgré leurs différences profondes de préoccupations. L'hymne français, démocratique, passionné, guerrier, révolutionnaire, pathétique, chante la France républicaine à la poursuite d'une généreuse chimère. Notre hymne, celui de Lavallée, porte aussi la marque de ses origines françaises: le panache, l'élan, l'enthousiasme, la mystique militaire; mais il chante plutôt la tradition, la religion officielle, la vieille France monarchique. Il lance 'le cri vainqueur pour le Christ et le roi!'. En exprimant des aspirations si disparates, Lavallée comme Rouget de l'Isle trouvent le tour de traduire la même race latine. L'*Ô Canada* est le frère cadet de *La Marseillaise*, un frère qui n'a pas les mêmes idées politiques[71].»

Ce chant national canadien-français résume à lui seul tous les thèmes patriotiques: du vieux soldat au drapeau, des aïeux à leurs exploits, de leur langue à leurs droits. Jamais chant patriotique ne fut plus proche de l'âme de tout un peuple.

---

70. Victor Morin. *La Chanson canadienne...*, p. 14-15.

71. Eugène Lapierre. *Calixa Lavallée*, Montréal, Éditions Fides, 1966, p. 191-192.

Plus largement, l'*Ô Canada* ne sera pas le seul chant patriotique dont la récupération sera éminemment politique. Le chant patriotique lui-même, en tant que véhicule de la pensée secrète d'une race, traduira un attachement à son pays natal que les exigences de la vie moderne vont bouleverser, modifier.

Le passé national et son souci de défense du patrimoine culturel dominent l'idéologie de la cueillette des chansons folkloriques. Dans les faits, cependant, ce n'est plus la préoccupation folklorique qui retarde l'accession à la modernité, mais sa transformation en objet, voire en objectif unique. Luc Lacoursière rappelle:

> «Ce généreux mouvement fut malheureusement dévié. C'est à partir de 1920, en effet, que des amateurs chez qui on ne retrouvait rien du folklore ni de l'art, usurpant le titre même des soirées de Saint-Sulpice, entreprirent d'improviser des 'veillées du bon vieux temps'. On s'y contentait de mimer notre paysannerie[72].»

«Canadianiser les chansons[73]», d'un point de vue folklorique, relevait de la supercherie. Depuis que *Les Veillées du bon vieux temps* avaient donné le goût du folklore, les folkloristes, tel Marius Barbeau, ne pardonnaient pas à certains auteurs d'avoir remanié plusieurs chansons folkloriques. Pour ces puristes, malheureusement, la mémoire collective aura été forcée de retenir la version altérée de ces chansons.

En 1907, l'abbé François-Xavier Burque avait publié des chansons patriotiques, nationales, littéraires ayant subi auparavant des mutilations. La critique l'accusa de falsifier les paroles des chansons qui «doivent rester intactes dans la mémoire du peuple». L'abbé Burque, dans son effort de modernisation, pensait rendre accessible le patrimoine culturel québécois. Aujourd'hui, écrit Guy Champagne, «l'abbé François-Xavier Burque est le fossile vivant d'une

72. Luc Lacoursière. *Archives de folklore*, tome 3, p. 11.

73. Par exemple: *Sur la route de Louviers* devient *Sur la route de Berthier.*

versification qui ne demande qu'à s'éteindre après un interminable règne[74]».

L'aspect moralisateur de ces chansons bien-pensantes fera taire toute opposition. L'élite cléricale en porte la responsabilité, qui n'a pas su éviter le chauvinisme, écueil par excellence du chant patriotique. C'est ainsi que seuls des critères moraux présidaient au choix des œuvres qui paraissaient dans *La Bonne Chanson*, pierre de touche de l'éducation nationale. Dressée dans des cahiers reproduisant musiques et paroles, c'est autour du piano familial ou de l'école qu'on interprétait *La Bonne Chanson*.

En analysant les textes parus dans les dix albums[75] de *La Bonne Chanson*, on découvre une littérature tour à tour folklorique, lyrique, religieuse mais le plus souvent patriotique. Le caractère national de l'œuvre de *La Bonne Chanson* présente des traits moraux intimement liés à une conception esthétique du chant patriotique. L'élément de couleur locale, plutôt aseptisé, repose sur l'expression de beaux sentiments.

Ô Canadiens, vos noms disent l'aisance,
Le doux bonheur, la discrète opulence
Que le Seigneur promit en récompense
À tout foyer brillant d'enfants joyeux.

Les noms canadiens
(M. P. Dupaigne, p.s.s.) (1928)[76]

La trilogie travail-famille-patrie à laquelle se réfère *La Bonne Chanson* appelle à la soumission. Voilà un autre bel exemple de détournement de la culture populaire: «Peuple, à genoux, attends ta délivrance...» Yves Alix fait remarquer que la chanson *Maudit sois-tu carillonneur...*, qui proteste contre la longueur des journées de travail et revendique le

74. *Dictionnaire des œuvres*, Éditions Fides, tome 2, p. 405.

75. Quarante-six des 500 chansons sont des chansons de folklore, les autres étant écrites et composées par des auteurs classiques ou contemporains.

76. *La Bonne Chanson*, cahier 1, p. 4.

droit au repos, devient avec l'abbé Gadbois: «Loué sois-tu carillonneur, Que Dieu bénisse ton labeur[77]...»

Que sous-tend cette ambivalence sinon justement un discours idéologique: de la soumission à la dignité, du mouton au révolutionnaire, du passé au présent.

Ainsi, la promotion au rang des symboles de certaines batailles du passé projette un vide sur ce passé même:

> Nos amis qui loin des batailles
> Succombons dans l'obscurité,
> Vouons du moins nos funérailles
> À la France, à la liberté.
>
> *Mourir pour la patrie*
> (A. Chénier) (1893)[78]

La popularité de *La Bonne Chanson* est due moins à ses qualités intrinsèques qu'à un attachement aux choses du pays. C'est avec opportunisme qu'elle est le reflet d'une époque révolue. Conrad Laforte est probablement celui qui jugea le plus sévèrement l'abbé Gadbois:

> «Au Canada, la pire des supercheries fut celle que l'abbé Charles-Émile Gadbois a faite pour la chanson le *Bal chez Boulé*. Il a conservé la mélodie, le premier couplet et le refrain traditionnels tels que publiés par Ernest Gagnon, mais il a recomposé entièrement les autres couplets, de sorte que bien des artistes s'y laissent prendre, et ils chantent la version Domisol au lieu de la traditionnelle. Si la version Gadbois était supérieure... mais elle se veut plus populaire que le peuple. Au demeurant, Gadbois qui était un éditeur commerçant, ne saurait être considéré comme un folkloriste, imitant en cela l'abbé Burque dont il a d'ailleurs reproduit plusieurs textes édulcorés. Ce sont les Maurice Donnay et les Maurice Bouchor du Québec. Il y a toujours eu de ces fabricants de faux naïf, de faux populaire, comme il y a toujours eu des gens pour se

77. Yves Alix. «*Débat sur la musique traditionnelle*» dans *Pourquoi chanter?*, mai 1977, vol. 1, nº 3, p. 17.

78. *Chants des patriotes*, p. 36.

> laisser tromper par eux. Et cela devient grave quand leurs recueils sont approuvés et largement diffusés dans les écoles[79].»

Voici, parmi tant d'autres, une des raisons qui firent que plusieurs personnes s'opposèrent à ce que l'abbé Gadbois reçut la décoration de l'Ordre du Canada. Mais la réussite commerciale de cette gigantesque entreprise ne doit pas nous faire confondre celle-ci avec la tradition folklorique. Nous ferons la même remarque à l'égard du recueil *Chansons du vieux Québec* publié en 1939 par des jésuites:

> «Ces jésuites poursuivaient certainement un but louable en publiant leur recueil, puisqu'ils voulaient 'servir la grande œuvre d'éducation nationale en faisant chanter les gens au pays du Québec'. Mais ils le firent au détriment de l'authenticité, de la sobriété et de la simplicité, qualités essentielles des grandes œuvres[80].»

Il est évident qu'en inculquant à un peuple vaincu les propriétés salvatrices de son sang et qu'en favorisant l'attachement aux symboles plus qu'à la réalité elle-même, la chanson patriotique est devenue l'expression d'une idéologie utilisatrice. Par un exemple emprunté à la radio, nous illustrerons le prolongement idéologique inspiré du discours patriotique.

Au début des années 1950, *Béni fut mon berceau*, un feuilleton radiophonique de Françoise Loranger, devient très vite une œuvre populaire, une œuvre de propagande. Rappelons son lien avec la chanson patriotique.

> «*Béni fut mon berceau* est par son titre en intertextualité avec l'hymne *Ô Canada*, adopté à l'été 1880 comme hymne national canadien '*a mari usque ad mare*'. Il est tiré en effet d'un verset de l'hymne composé par Calixa Lavallée, et le système référentiel et sémantique de ce titre renvoie au texte: 'Il est né d'une race fière/Béni fut son berceau'. C'est donc dans le contexte

79. Conrad Laforte. *Poétiques de la chanson traditionnelle française*, Québec, P.U.L., 1976; Les Archives du folklore, n° 17, p. 114-115.

80. *Dictionnaire des œuvres littéraires du Québec*, Montréal, Éditions Fides, 1900-1939, tome 2, p. 211.

> d'un sentiment national exaltant l'appartenance à un peuple et à un pays que l'ensemble de l'œuvre doit être lu. Or l'intention avouée par la structure du récit, et particulièrement par la structure sémantique profonde de ce programme, obéit à la finalité patriotique comme lieu référentiel d'un discours de propagande[81].»

Bien que marginale, *Béni fut mon berceau* est une œuvre militante visant à mobiliser l'opinion publique contre la menace communiste. Mais l'ardeur patriotique n'est pas étrangère à ce réflexe protectionniste.

> «L'objectif de cette œuvre a donc comme particularité de ranimer l'ardeur patriotique des Canadiens français alors que les tensions qui divisent le monde en deux blocs antagonistes, dans cette immédiate après-guerre, demeurent vives. En 1951, en effet, la guerre froide oppose radicalement les deux idéologies dominantes: communisme et capitalisme[82].»

Les idéologies changent, mais l'idéologie reste: entre le chant patriotique et le nationalisme de propagande, il y a parfois si peu.

> «Toute la conception du phénomène de la guerre, silencieuse dans sa réelle inscription politique et économique, sert finalement à entériner le bien-fondé des valeurs conservatrices: 'Dieu! Patrie! Famille! Au-dessus de toute notre confiance et notre foi mais avant la famille, il y a le pays. La famille doit lui être sacrifiée!' (23 octobre 1943), ces valeurs positives qui, quand elles ne sont pas à posséder comme gages de bonheur, sont à défendre comme gages de liberté[83]!»

81. Renée Legris. *Propagande de guerre et Nationalismes dans le radio-feuilleton (1939-1955)*, Montréal, Éditions Fides, 1981, p. 40. (Coll. Radiophonie et société québécoise)

82. *Ibid.*, p. 98.

83. *Ibid.*, p. 52.

Éléments de conclusion

Pourquoi, à une certaine période de son histoire, un peuple éprouve-t-il le besoin de chanter? Pour nous, en fait, la vraie question est: quel est le sens de la chanson patriotique? Est-elle créée pour seulement faire passer le reste ou sert-elle véritablement de ferment à un devenir?

En fait, la chanson patriotique, comme le geste commémoratif, répond à un besoin psychologique. La chanson patriotique ne fait pas œuvre d'innocence, mais elle est prise de conscience. La chanson patriotique et la fête commémorative sont nos particularismes à partir desquels s'élabore notre conscience historique en nous éduquant comme peuple.

> «La démarche patriotique est essentiellement téléologique, c'est-à-dire qu'elle cherche un sens à la vie nationale. On y tend à comprendre beaucoup plus qu'à apprendre. C'est pourquoi on demande à l'histoire d'inspirer plus que d'instruire[84].»

La promotion du passé au rang de symbole reste un effort de rationalisation de l'action. Elle a conduit à une fabulation collective dans le cadre d'une revalorisation collective de notre passé. Ce caractère, en période de gestation et d'expansion, a trouvé son essor dans l'imagination exaltée des poètes. La volonté de rester français est la première réponse aux interrogations de l'histoire. Le chant patriotique reste un acte du cœur, et son ardeur appartient à l'imagerie populaire. Son anachronisme en regard du présent porte la double signification de soumission et de résistance vis-à-vis d'une situation coloniale qui a amené le Canadien français à ne vivre que de son passé, donc de ses symboles. Edmond de Nevers remarquait avec sévérité que: «Nous sommes restés patriotiques, mais de ce patriotisme inactif et aveugle dont on meurt[85].» L'identification du peuple à cette «âme particu-

---

84. Bruno Hébert. *Monuments et Patrie...*, p. 159.

85. Cité par Georges Vincenthier, *Une idéologie québécoise*, Montréal, Cahiers du Québec HMH, 1979, p. 41. (Coll. Histoire)

lière» dont Adolphe-Basile Routhier a tant parlé, à cette irréductibilité de la race que le chant patriotique a tant vantée, nous a temporairement fermés au monde moderne, retardant ainsi notre droit, comme pays, comme peuple, à la modernité.

> Qu'ainsi de Dieu toujours bénis
> Dans le village et dans les villes,
> Les Canadiens, jamais serviles,
> Aiment l'Église et leur pays!
>
> *Loyaux et fiers*
> (Abbé Arthur Lacasse)
> (1951)[86]

La fidélité aux ancêtres et à leurs vertus passait plus naturellement par le lyrisme patriotique. Voilà comment la chanson patriotique a participé à la vocation catholique et française définie par l'idéologie rurale proposant des refrains qui suggèrent des conduites individuelles en accord avec la mission civilisatrice des Canadiens français en terre d'Amérique. Parce qu'elle en constituait une composante efficace, la chanson patriotique reflétait l'étendue de la parole de l'Église. François Charron, dans *La Passion d'autonomie,* a bien cerné ce type de nationalisme qui a pour but essentiel de:

> «... lier le groupe (la nation) autour des aïeux et des événements qui leur sont attribués, il en exige même une fidélité indéfectible par l'entremise de rites et de souvenirs qui se doivent eux, de ne pas mourir. [...] Il faudra éviter avant tout les désagréables tangentes qui viendraient souligner l'arbitraire de cette fiction nationale, ses contradictions vivantes. La pensée compulsive émergeant de là se protège de tout tremblement, de tout vacillement des signifiants majeurs qui cimentent la collectivité: famille, patrie, traditions, morale[87].»

Car à n'être que des symboles, les réalités auxquelles ils renvoient perdent leur sens premier. Tout processus de

86. *La Bonne Chanson,* cahier 9, p. 443.

87. François Charron. *La Passion d'autonomie,* Montréal, Les Herbes rouges, janvier 1982, nos 99/100, p. 17-18.

folklorisation est réducteur d'action puisqu'il détourne de ses voies la conscience des événements qui l'a suscitée. Albert Memmi a déjà écrit que le colonialisme réduit la culture du colonisé aux dimensions du folklore et de la propagande[88]. En effet, comment, ultimement, comprendre cet optimisme ambiant, ce quiétisme national vis-à-vis d'une situation coloniale de fait et un «bonentendisme» notoire de l'élite impuissante? Le Canadien français, en tant que colonisé, serait-il condamné à perdre progressivement la mémoire?

> Mais, si quelque jour l'heure sonne
> De n'être plus sujets du roi,
> Rappelons-nous de nos ancêtres,
> Qui surent s'immortaliser.
> Comme eux, chez nous, restons les maîtres
> Et faisons taire l'étranger.
>
> *Ô Canada, ma patrie*
> (Paroles de J.H. Malo) (1893)[89]

Or, justement, le colonialisme culturel consiste à éliminer la conscience de l'événement en élevant celui-ci au rang de symbole. C'est en ce sens qu'Antoine Rivard avait déjà écrit que «nous avons une vocation à l'ignorance». Le colonialisme culturel conduit à ne pas voir, par exemple, que toutes les chansons et la littérature du XIXe siècle exprimaient une forme de dépossession. La chanson patriotique s'est-elle donné la vocation paysanne parce qu'elle ne pouvait faire autrement? Pour Victor Morin, dans *La Chanson canadienne*, la réponse est nette: la terre grandit les hommes de demain.

> «Cette lutte pour la survivance française au Canada ne s'est pas faite seulement avec l'épée; nous avons conquis pacifiquement le sol canadien par la croix et notre emprise s'est maintenue par la charrue. Nous envisageons l'avenir avec sérénité,

---

88. Lire Albert Memmi. *Le Portrait du colonisé*, Montréal, L'Étincelle, préface, 1964.

89. *Chants des patriotes*, p. 51.

car le passé nous est garant de la survivance nationale; mais si notre race est forte et saine, c'est à la terre que nous le devons, à la terre fertile et nourricière, à la terre que nos ancêtres ont aimée avec ardeur et qui leur a rendu au centuple le grain de blé qu'ils lui ont confié[90].»

Retenons que les chansons patriotiques et le monde littéraire en général participèrent, dans un même effort, à l'élaboration d'une littérature nationale. Tout en se joignant au vécu collectif, ils n'en ont pas moins été dominés par les mouvements idéologiques dont les desseins, trop souvent, ne sont restés que formulés. La chanson patriotique s'est fait l'écho du discours idéologique de son époque. D'emblée, elle peut être retenue comme processus d'historisation, car elle a accompagné comme une ombre la lutte pour le droit à l'histoire.

La chanson patriotique aura légitimé l'existence d'une nation française en Amérique; elle nous aura fait comprendre que notre appartenance ethnique a fait de nous des minoritaires dans l'ensemble confédératif canadien. Cette expérience commune d'inégalité a mobilisé notre conscience nationale sans toutefois renvoyer à une stratégie de transformation sociale.

Quant au peuple, à sa manière n'a-t-il pas exalté une vision du présent? N'aimait-il pas s'entendre dire et chanter qu'il n'était pas n'importe qui?

90. Victor Morin. *La Chanson canadienne*, Toronto, The University of Toronto Press, 1928, p. 50.

CHAPITRE 3

Folklore sur la ville

On peut se plaindre, mais pas se révolter.

JEAN NARRACHE

Aujourd'hui, à la lumière des nouvelles connaissances sur le folklore, il nous paraît désuet voire hasardeux de considérer, tel que l'a établi l'usage, comme non folkloriques les chansons postérieures au XIXe siècle.

Depuis Béranger, la chanson populaire a considérablement évolué et un certain type de chansons a disparu. La chanson, en devenant un métier, crée de nouveaux rapports qui bouleverseront le cours de son histoire. Car l'apparition du professionnalisme a modifié la conception de cet art populaire, dont on ignorait, jusqu'à l'avènement du gramophone, les vertus commerciales. Naissant, jadis, du rythme des saisons, du travail quotidien, des joies et des peines des hommes, la chanson n'est plus qu'un produit de consommation. Mise en forme par des auteurs, elle s'installe sur une scène, devant un public appelé désormais à écouter. «Hier, expression spontanée d'un état d'âme ou d'un idéal, elle va être écrite désormais moins en fonction de celui qui la donne qu'en fonction de celui qui la reçoit[1].» Le public va au spectacle pour se retrouver, se reconnaître. La chanson populaire est véhiculée non plus par la mémoire seule, mais par la voix d'un artiste populaire.

Toutefois la chanson populaire n'est pas sans lien avec les chansons anciennes transmises par la tradition orale. À l'ère de l'industrialisation, les moyens modernes de communication ont bouleversé les habitudes de la tradition orale.

L'évolution des moyens audiovisuels de transmission se traduira, pour la chanson, par la fidélité à un texte unique alors que, dans la tradition orale, c'est l'infidélité et l'émiettement en versions différentes qui primait ce que M. Patrice Coirault nomme la folklorisation[2].

La survivance du genre traditionnel dans le répertoire des artistes de chez nous crée une dynamique nouvelle dont profitera la chanson populaire au Québec. Dans les années 1930, la chanson canadienne (ainsi commençait-on à l'appeler) procédait d'un authentique esprit folklorique. E.Z. Massicotte et Conrad Gauthier, voulant à tout prix préserver notre culture, organisèrent des soirées typiquement canadiennes au Monument National. On y chantait des chansons du terroir et les artistes devenaient, dans ces veillées du bon vieux temps, les propagandistes du folklore canadien.

Toutes ces chansons du terroir aux airs entraînants, canadiennes autant par le sujet que par les mots et la manière, recoupaient un vieux désir de canadianisation de la chanson que formulait ainsi, en 1928, Victor Morin:

> «Si nos poètes et nos musiciens s'inspiraient plus souvent des choses de leur pays au lieu de battre les sentiers connus, ils y trouveraient assurément une satisfaction, sinon un avantage personnel, et notre patrimoine national s'enrichirait d'autant. Soyons donc les apôtres de la chanson canadienne et efforçons-nous d'en opposer les suaves mélodies aux tintamarres incohérents qui sont en voie de pervertir universellement le goût et le sens artistique sous prétexte de musique moderne[3].»

---

1. Georges Coulonges. *La Chanson en son temps*, Paris, Éditeurs français réunis, 1969, p. 29.

2. Cité par Carmen Roy, dans *Littérature orale en Gaspésie*, Ottawa, ministère du Nord canadien et des Ressources nationales, 1955, p. 236.

3. Victor Morin. *La Chanson canadienne*, Toronto, The University of Toronto Press, 1928, p. 52-53.

La chanson populaire d'expression canadienne-française est le produit d'un environnement populaire. Elle est généralement composée par des auteurs sans contact avec les milieux littéraires. Ovila Légaré, Conrad Gauthier, Lionel Daunais, Pierre Daigneault s'inspiraient de l'identité canadienne, créant ainsi un type de chanson folklorique appelée aussi chanson composée. Ces chansons, tout en se rapprochant de la tradition orale dont étaient encore imprégnés les nouveaux citadins, ne doivent pas cependant être associées aux chansons populistes de la Bolduc, d'Oscar Thiffault et, même plus tard, du soldat Lebrun. C'est au niveau d'une démarche intellectuelle que s'établit la distinction.

Un Conrad Gauthier ou un Lionel Daunais, contrairement à ces chanteurs populistes, sont plus près des intentions nationalistes des intellectuels de leur époque. C'est le contexte urbain qui influencera la thématique de ces chansons issues des gens du peuple, alors que le contexte idéologique servira de support à la diffusion de cette chanson canadienne.

La Bolduc, par exemple, n'a jamais eu cette prétention d'un Conrad Gauthier que l'on présente dans son propre recueil de chansons comme un «Canadien authentique et sincère doublé d'un vrai patriote travaillant d'arrache-pied à la diffusion de la chanson typiquement canadienne[4]». Dans la dernière émission de «*Propos et Confidences*», consacrée à Lionel Daunais, ce dernier reprenait le raisonnement de Victor Morin, cité plus haut, fustigeant la «mafia de la chansonnette» qui exerçait sa domination à la radio.

Même plus proches de la culture bourgeoise trop souvent aseptisée, les chansons de Lionel Daunais ont un point commun avec les chansons de la Bolduc: elles participent au renouveau plus ou moins formel de la chanson canadienne. Plus largement, ce renouveau a pour but de faire barrage à l'arrivée sur les ondes de la chanson étrangère française et américaine. Non professionnelle à l'origine, la Bolduc, parce qu'elle parle du peuple, sera exclue de la radio et méprisée par la bourgeoisie. René Lévesque rappelle à Réal Benoît le

4. Conrad Gauthier. *Dans tous les cantons*, Montréal, Éditions Archambault, 1963, présentation.

rejet dont fut victime la Bolduc. «Comme je suis gaspésien, j'ai toujours eu un faible pour la Bolduc, mais un faible qui a longtemps été un peu honteux. Je me souviens quand on était petit gars, on turlutait toutes ses chansons, mais plutôt par bravade. C'était le répertoire des servantes et les grandes personnes bien disaient que ce n'était pas distingué, que c'était même terriblement vulgaire[5].» Les chansons de la Bolduc ne se rapprochent guère de la chanson patriotique dont elles sont contemporaines si ce n'est par un certain aspect populiste, et encore!

Autodidacte, tel le violoneux, telle la Bolduc, l'artiste populaire ne s'inspire que de ce qu'il connaît. Son art est le résultat d'une occupation spontanée qui singularise, tout compte fait, les choses ou les événements qui participent de près à son existence quotidienne.

L'artiste populaire prolonge l'esprit folklorique. Dans ce contexte, l'amateur de chansons folkloriques plonge par plaisir, mais aussi par nécessité psychologique, dans un passé réel encore vivant dans son inconscient collectif. La chanson folklorique arrive en ville, et c'est son «électrification» (l'enregistrement) qui en dégradera les mécanismes de saine folklorisation. À l'inverse, la chanson moderne ira vers les campagnes. Cet échange de culture musicale produira un même phénomène: la prise de conscience par les populations urbaines et rurales de l'existence d'une culture populaire s'abreuvant à une même tradition. Par populaire[6], il faut désormais entendre, non seulement ce que le peuple a créé, mais dans son ensemble, ce qu'il a adopté ou reconnu pour sien.

Dès lors, ce qui caractérise la chanson populaire, c'est que, pour la première fois, le quotidien trouve son expression sur une scène. L'identification opère alors sa magie. Car c'est sans le concours de la radio et des journaux que les

5. Cité par Réal Benoît, dans *La Bolduc*, Montréal, Éditions de l'Homme, 1959, p. 114.

6. Entendre aussi: au moment où ça devient un succès, où la chanson est entendue et chantée partout.

artistes du terroir, par exemple, s'assurèrent d'un succès immédiat auprès des couches populaires, ainsi Conrad Gauthier avec: *On est Canayen ou ben on l'est pas, Le Canadien, brave habitant, Chantons la Canadienne, Les gens du Canada, La Saint-Jean-Baptiste.*

De la Bolduc au soldat Lebrun[7], la chanson populaire est ce qui surgit du peuple. Elle est ce besoin de s'exprimer avec des gens que l'on considère de son propre milieu. Elle a sa marque sur les choses usuelles. Le véritable artiste populaire ne crée que pour son utilité; il s'approprie les formes en leur donnant un sens. Son langage brode sur des thèmes connus.

Chansons du terroir

L'utilisation de la chanson traditionnelle comme élément de couleur nationale fera apparaître une authentique chanson canadienne. Et même si l'histoire ou l'actualité y sont traitées avec légèreté ou de manière anecdotique, la chanson du terroir dépasse le plus souvent un niveau d'observation critique. Tel ce refrain d'Ovila Légaré sur la conscription de la guerre 1914-1918:

J'suis un lion! Dans la société et dans l'intimité
Je suis bouillant comme un volcan, c'est effrayant!
J'suis un lion! J'ai des envies d'tuer! Et de pulvériser!
Faut par m'marcher sur l'pied, car j'suis un lion!
Je me souviens de la grand'guerre; comme j'étais d'âge militaire,
Je fus pris dans conscription. J'dis au major d'la révision:

7. Notons qu'ils sont nos deux premiers auteurs-compositeurs-interprètes au sens où on l'entend aujourd'hui. La première a raconté la crise; le deuxième, la guerre.

J'peux pas y aller, c'est impossible
J'y f'rais des choses trop horribles!

J'suis un lion
(Ovila Légaré) (1931)[8]

Il faut cependant noter que dans ces chansons, les valeurs traditionnelles regroupaient un très grand nombre de comportements qui témoignaient, souvent, même sous le mode de l'humour, d'une inaptitude à assumer les nouvelles réalités urbaines:

Depuis un an j'exerc' le métier d'chômeur,
Et je suis toujours de très bonne humeur.
Plus ça dur'ra longtemps, et plus je s'rai content,
Car je me tiens chaud la moitié du temps.

Faut pas se faire de bile
(Ovila Légaré, paroles et musique) (1931)[9]

En ce début de l'industrialisation, les nouveaux citadins, issus du milieu rural, vivent ces nouvelles réalités sans trop en analyser ni les causes ni les effets:

Quant tu arrives à Québec
Souvent tu fais un gros bec
Tu demandes à ton bourgeois
Qu'est là assis à son comptoi
Je voudrais être payé
Pour le temps qu'j'ai travaillé
Le bourgeois qu'est en banqu'route
Il te renvoie manger des croûtes.

Dans les chantiers
(L.B. Bourassa) (1932)[10]

---

8. Ovila Légaré. *Les Chansons d'Ovila Légaré*, Montréal, Éditions du Jour, 1972, p. 27.

9. *Ibid.*, p. 11.

10. Pierre Daigneault. *Vive la compagnie*, Montréal, Éditions de l'Homme, 1979, p. 210.

La crise des années 1930 et les perspectives nouvelles qu'offrait la ville seront des thèmes exploités, toujours sur un ton léger teinté d'un humour bien populaire.

Ces chansons à caractère social se mêlaient au genre traditionnel et n'avaient rien à envier à la popularité des chansons folkloriques. Ainsi, *La vie est chère,* dont on connaît plusieurs versions, a surtout été popularisée par un des plus grands chanteurs traditionnels de cette période, Oscar Morin:

Les taxes c'est la même chose,
Augmentent de jour en jour
Franchement ce n'est pas rose
Ils vont taxer l'amour
Taxe sur les cigarettes
Taxe sur les cornichons
Taxe sur les allumettes
Taxe sur les vieux garçons!
Et si ça continue
Eh bien tout l'monde s'ra dans la rue.

La vie est chère (1920)[11]

Pensons aussi à *La marche des propriétaires,* enregistrée sur 78-tours par Alex Desmarteaux et que reprend le film *La turlute des années dures.* Quant à *La chanson des élections* interprétée sur l'air de *Sous les ponts de Paris,* elle annonçait la sourde colère du peuple et fut composée au début des années 1930, alors que le chômage faisait rage et que la marche sur Ottawa, en 1935, était suivie par des milliers de chômeurs.

C'est tout un attirail, pour avoir du travail
Faut des papiers d'échevin et du maire
Et plus ça va c'est la grande misère noire
On est rendu en sorte que les fesses nous en sortent

11. Cette chanson appartient aux années 1920. Elle fut enregistrée en 1920 par J. A. Bédard. Il en existe plusieurs versions. Nous présentons la version qu'a retenue le recueil de *Chansons de lutte et de turlute,* version popularisée et enregistrée sur disque par Oscar Morin. (CSN/SMQ, *Chansons de lutte et de turlute,* Montréal, 1982, p. 85.)

On est écœuré de crier famine,
C'est pas des fleurs mon mine
Les riches avec angoisse disent qu'ils sont tous cassés!
Ils prêchent pour leur paroisse, la chose est assurée
Ils ont c'qu'il faut, tout c'qui a d'plus beau
Des châteaux, des automobiles
Et nous hélas! il faut qu'on passe
Tous nos beaux dimanches en guenilles.

La chanson des élections (vers 1935)[12]

Alors que les années 1930 mettront un terme à la politique ruraliste des nationalistes traditionnels en détruisant un de leurs plus chers rêves: le retour à la terre ou colonisation, la période de 1920 à 1945 sera marquée par le développement du milieu urbain. Le nouveau citadin développera en lui des contradictions qui forgeront l'essentiel de sa pensée sociale: la ville est l'espace des étrangers, et le chômage, l'inquiétude majeure. Ainsi Oscar Thiffault, dans *J'ai fait une banqueroute,* relatait dans un humour bien paysan les conséquences de la crise économique sur les agriculteurs:

J'ai fait une banqueroute (bis)
J'ai vendu ma cruche ainsi que mon violon
Ma femme court après moé
Elle dit: «Mon cher Gédéon
Vends ta cruche pis ton flacon
Mais j'veux que l'violon reste à la maison»

J'ai fait une banqueroute
(vers 1936-1937)[13]

12. Cette chanson, note-t-on, a été recueillie par Michel Faubert, auprès de Mme Levac de Saint-Zotique. (*Chansons de lutte et de turlute*, p. 79.)

13. *Ibid.*, p. 81.

Moi, je manque d'ouvrage, douze mois par année.
Surtout ce qui m'enrage, c'est que j'peux pas en trouver.
Partout où je m'présente, à onze heur's du matin,
L'patron d'une voix méchante, m'dit: «J'en ai pas besoin!»
[...]

J'en arrache
(Ovila Légaré, paroles et musique) (1958)[14]

Anecdote historique ou trait de l'actualité se transforment en refrains cocasses dont l'humour gentil joue sa fonction de catharsis auprès du peuple. Les chansons de Lionel Daunais, par exemple, s'inscrivent, selon l'avis d'Éloi de Grandmont, dans la plus sympathique tradition française. Ce sont des chansons vigoureusement canadiennes, mais «elles se souviennent, précisera-t-il. La note canadienne de ses chansons est toujours admirablement juste[15].»

Monsieur Frontenac
But un verre de cognac
Il dit, ma foi, elle est bien bonne
La réponse à donner
J'aurais pu sans effort
Choisir un mot plus fort
Mais je le laiss'rai à Cambrone
Boum! Pour plus tard quand il s'ra né

Mon Boum! Par la bouche de nos canons
Boum! Par la bouche de nos canons

Monsieur Frontenac
(Lionel Daunais) (1957)[16]

14. *Les Chansons d'Ovila Légaré*, p. 25.

15. Éloi de Grandmont. *Douces chansons canadiennes* (de L. Daunais), Montréal, Éditions Archambault, préface, 1re série, 1954.

16. Lionel Daunais, *12 chansons canadiennes*, Montréal, Éditions Archambault, 1957, 2e série, p. 8-9.

Comme plusieurs Canadiens, il avait combattu
En 1914, dans les rangs des Français
Quand y r'vint au pays, on l'appela l'poilu
Pour justifier son nom, Eustache la barbe il portait

Eustache
(Pierre Daigneault, paroles
et musique (1960)[17]

Nous n'avions jamais eu le pouvoir effectif du pays. Nos chansons témoignaient de valeurs collectives dont nous avions honte mais que nous défendions tout à la fois dans un climat de nécessité et de fierté; elles nous rappelaient constamment que le dominé est toujours coupable.

Cette dualité fierté/honte trouvera son corollaire social dans l'opposition campagne/ville et aura son prolongement dans nos premières chansons d'auteurs typiquement canadiennes.

Quat'r canons du château d'Ram'zay
qu'avaient plus d'boum boum
qu'avaient plus d'portée
Quat'r canons du château d'Ram'zay
qui n'avaient plus même de quoi rouspéter
Continuèrent jusqu'au Long-Sault
Pour tonner «Ô Carillon»
S'aperçur'nt qu'ils avaient l'air sot
Parmi les grues et les camions
Petit train, ont gagné Sainte-Foy
Pour saluer Lévis, Montcalm
Ont cherché dans l'chemin du roy
N'ont pu trouver que macadam

Les canons du château Ramezay
(Lionel Daunais) (1957)[18]

17. Pierre Daigneault. *Vive la compagnie...*, p. 154.
18. Lionel Daunais. *12 chansons canadiennes*, 2e série, p. 3-4.

On a trop souvent eu tendance à considérer cette chanson d'inspiration folklorique comme un égarement, comme une fuite devant l'intransigeance du présent. On y a vu l'image désuète d'un peuple paroissial dépassé par les événements, un réflexe de repliement sur soi, donc un réflexe de défense. Il faut dire que la littérature de cette époque témoignait d'une espèce d'impuissance historiquement déterminée. En Amérique, notre langue nous identifiait comme vaincus.

La Bolduc: le témoignage d'une solidarité

Dans les années 1930, le travailleur canadien-français est profondément touché par la dépression. Rarement propriétaire des moyens de production, il est dans une position socio- économique dépendante. De plus, les conflits sociaux sont aggravés par l'antagonisme culturel latent qui oppose francophones et anglophones. Les conscriptions de 1917 et 1942 illustreront la difficulté qu'éprouvent ces deux communautés à vivre ensemble dans le cadre du fédéralisme canadien.

La Bolduc, dans ses chansons documentaires, restitue ce climat particulier de tensions sociales: grève, chômage, dépression, guerre. Serge Deyglun dira des chansons de la Bolduc que «c'est de l'actualité, de la satire, de la mise en boîte et de la politique à la fois[19]». Ses chansons sont comme de petits tableaux de la vie sociale. Moins revendicatrices que la chanson folklorique de contestation, les chansons de la Bolduc s'apparentent davantage à la chronique sociale que l'on pourrait appeler chansons journalistiques.

La Bolduc, dans une langue pittoresque, traduit les inquiétudes d'une époque marquée par la pauvreté. Ses chansons sont solidaires de la misère des petites gens. Ainsi, dans sa chanson *La grocerie du coin*, elle déplore que même le crédit soit refusé aux chômeurs. Avec beaucoup de réalisme, elle décrit aussi les conditions de vie des classes populaires:

---

19. Serge Deyglun, *Châtelaine*, avril 1961, p. 30.

Dans la crise du chômage
La saucisse est en usage
On la trouve un peu partout
À trois livres pour trente sous

Si les saucisses pouvaient parler (1932)[20]

Lorsque la Bolduc proteste contre les conditions d'existence des femmes, il peut nous sembler se développer, chez elle, une certaine conscience féminine qui s'inscrit dans une société où les rôles traditionnels — jamais véritablement critiqués — restent inchangés. La mentalité qu'elle projette correspond à une pensée sociale dominée par un ensemble de valeurs conformistes qui va du respect traditionnel des rôles sociaux attribués aux individus à la servitude sécurisante de la femme face à l'homme.

Une bonne femme de ménage
Doit être appréciée
Et l'homme à son ouvrage
Est toujours mieux placé
[...]
Pour qu'un ménage s'accorde
C'est bien des précautions
Que la femme porte la robe
Et l'homme les pantalons.

Les femmes (1932)[21]

Madame Bolduc a certes véhiculé et retransmis les préjugés qui avaient cours à son époque, mais il serait erroné de ne pas prendre en considération la conscience critique qu'elle

20. Jean-Jacques Schira. *Les Aires de la chanson québécoise*, p. 100. Toutes les dates des chansons de la Bolduc indiquent les dates d'enregistrement, lesquelles ont été compilées par Jean-Jacques Schira et publiées dans *Les Aires de la chanson québécoise*, Montréal, Éditions Triptyque, 1984.

21. J.-J. Schira, p. 100.

exprimait avec les mots de tous les jours. Sa chronique chantée, aussi sociale que populaire, était souvent caustique:

> Il y en a qui vivent comme des rentiers
> Mais ils le font pas voir
> Ils ont de l'argent caché chez eux
> Du manger plein l'armoire
> Ils s'en vont en mendiant
> Prendre la place des pauvres
>
> *Le secours direct* (non daté)[22]

Ce constat ne bouscule ni les événements ni les esprits, mais rien n'empêche la Bolduc d'observer. *La chanson de la bourgeoise,* par exemple, amorce discrètement la contestation d'une société où règnent l'injustice et l'exploitation en utilisant un thème classique: la satire des mœurs bourgeoises. Faut-il voir à travers la servante, donc à travers la vie quotidienne, une allusion à la lutte des classes? Ici, le temps est moins à la critique qu'à l'anecdote humoristique.

> Quand madame est en vacances
> Dans ce temps-là je vous dis qu'a s'plante
> Il faut bien se dépêcher
> Car monsieur vient pour dîner
> [...]
> En les voyant tous les deux
> Y paraissent si heureux
> C'est lui qui lavait les plats
> Pis elle faisait le barda
>
> *Chanson de la bourgeoise* (1931)[23]

Les chansons de la Bolduc ne remettent pas en cause le système politique; elles ne visent pas le changement social. Par contre, elles manifestent, le plus souvent sur un ton humoristique, une conscience sociale plus que critique.

22. Non daté.

23. J.-J. Schira, p. 99.

Quand un homme vient de s'marier
Sa femme a bien des qualités
Mais la lune de miel passée
C'est rien que des défauts qu'elle a

La lune de miel (1936)[24]

Les femmes qu'on me pardonne
Sont bien trop méprisées
Il faudrait que les hommes
Leur laissent plus de liberté

Les femmes (1932)[25]

Les chômeurs canadiens-français se reconnaissent d'emblée dans les chansons de la Bolduc, qui sait mieux que personne circonscrire et traduire leurs problèmes et certaines de leurs revendications. Malgré le faible niveau de conscience ouvrière, il nous faut noter que la solidarité en milieu populaire n'était pas un vain mot. On ne se contente plus de dire qu'on est «né pour un p'tit pain» et l'invocation du destin ne suffit plus à expliquer les injustices sociales; c'est ce que constate Monique Leclerc dans son mémoire de maîtrise sur la Bolduc.

> «À ce niveau, les protestations des chômeurs font front commun avec celles des chansons de la Bolduc, car les unes et les autres s'entendent sur les revendications à proclamer, s'adressant tantôt aux employeurs, tantôt aux autorités gouvernementales. On pourrait voir là l'indice d'une certaine idéologie ouvrière que partagent les classes populaires par leurs protestations envers des cibles concrètes et qui tend à démontrer un niveau de conscience de leur situation particulière par rapport aux classes dirigeantes. Il ne s'agit pas cependant d'une remise en question de la société dans son entier ni, encore moins, d'une lutte acharnée et en profondeur contre des ennemis bien définis[26].»

24. J.-J. Schira, p. 100.

25. J.-J. Schira, p. 100.

26. Monique Leclerc, *Les Chansons de la Bolduc: manifestation de la culture à Montréal*, Université McGill, 1974, thèse, p. 112.

Le Canadien français des chansons de la Bolduc (originaire le plus souvent de la campagne) se sent étranger et craintif face à la ville et aux usines. Il se sent menacé par «les autres» et ce sentiment se transforme en xénophobie, ce que Denis Monière appelle le «syndrome de la concurrence».

Quand on s'présente pour travailler
Dans les usines et les chantiers
Les Canadiens sont délaissés.
On engage que les étrangers
Quand on se donne meilleur marché
On nous empêche de travailler;
Alors un jour on comprendra
Que nous souffrons pour ces gens-là.

Sans travail
(La Bolduc) (1932)[27]

«La xénophobie canadienne-française, contrairement à ce que veulent faire croire certains bien-pensants, n'est pas un atavisme culturel, elle ne fait pas partie intégrante de notre mentalité; ce sentiment était absent des attitudes des patriotes envers les juifs et les Irlandais avant 1840; ce réflexe idéologique doit être situé dans le contexte socio-économique de l'époque et compris comme un effet pervers du colonialisme. L'antisémitisme se développera au Canada français en tant que réaction à la structure des classes où le Canadien français est dominé. Il se sent menacé de disparaître et cherche à s'affirmer non pas en s'attaquant aux causes réelles de sa situation, mais en s'attaquant aux autres collectivités plus faibles que la sienne. Il exècre les autres pour compenser son sentiment d'infériorité[28].»

Son chauvinisme lui fait négliger le sort que l'on réserve aux immigrés, rapidement tenus responsables de la crise.

27. J.-J. Schira, p. 100.

28. Denis Monière. *Le Développement des idéologies au Québec*, Montréal, Québec-Amérique, 1977, p. 281.

C'est aux employeurs que je m'adresse maintenant
Prenez un Canadien et vous serez contents
Ils sont bien honnêtes aussi bien travaillants
Et nous font honneur pis j'vous dis qu'y ont du cœur
Un bon Canadien ça vaut trois immigrés
Ç'a pas peur de travailler.

L'ouvrage aux Canadiens (1931)[29]

Lorsqu'il s'éloigne des problèmes socio-économiques, le nationalisme de la Bolduc, voire son patriotisme, devient plus lyrique, plus naïf, plus attendrissant. Ainsi, son appartenance au Canada sera surtout teintée de sa fierté d'être gaspésienne. Rien n'est plus beau que sa Gaspésie:

La Gaspésie c'est mon pays, j'en suis fière, je vous le dis
C'est ici que Jacques Cartier sur nos côtes planta la croix
France, ta langue est la nôtre et on la parle comme autrefois
Si je la chante à ma façon, j'suis gaspésienne et j'ai ça de bon.

La Gaspésienne pure laine (1935)[30]

Chaque strophe éclate d'un amour manifeste pour son pays natal, auquel se mêlent les qualités de la «race» canadienne-française: prudence, courage, bravoure, fertilité, bonne santé, pacifisme.

Gardez vos enfants chez vous
Pour faire des habitants comme vous
C'est mieux qu'd'courir les rues
Et d'passer leur temps aux p'tites vues
Tout en cultivant leurs talents
C'est avec ces gens-là
Qu'a prospéré le Canada

Nos braves habitants (1931)[31]

29. J.-J. Schira, p. 99.

30. J.-J. Schira, p. 100.

31. J.-J. Schira, p. 99.

Elle rend hommage à ce pays que les siens ont bâti et fait prospérer. Elle s'engage à le défendre, n'hésitant pas à insérer dans ses chansons ce slogan évocateur: «Achetez tout ce qui est canadien», que Papineau, lui-même, n'aurait pas désavoué.

N'allez pas chercher plus loin
Mangez tout ce qui est canadien

Si les saucisses pouvaient parler (1932)[32]

Comme tous les gens de son époque, la Bolduc a une certaine difficulté à se situer et à faire face aux nouvelles réalités sociales. Ainsi, l'échec du retour à la terre, de la colonisation, est imperceptible dans l'analyse de l'univers culturel de ses chansons.

C'est aux braves habitants
Que je m'adresse maintenant
Quittez jamais vos campagnes
Pour venir rester à Montréal
Dans des grandes villes comme ça
D'la misère il y en a

Nos braves habitants (1931)[33]

Si la ville est un lieu de contraintes, voire de perdition:

Chères p'tites filles de campagne
Restez avec vos parents
Y a des beaux garçons en ville
Mais c'est pas tous des travaillants.

Les filles de campagne (1931)[34]

32. J.-J. Schira, p. 100.

33. J.-J. Schira, p. 99.

34. J.-J. Schira, p. 99.

elle reste une réalité ambivalente, mouvante, où l'homme se disperse. La ville demeure un thème ambigu qui fait écho aux problèmes de l'époque: rationnement, privations, chômage, réalités urbaines, etc.

Certes, ce que l'on constate pour le roman de la terre, qui avait son prolongement dans les chansons du terroir, existe aussi dans les chansons de la Bolduc: survivance, exaltation de la terre, fierté de la langue, nécessité de défendre les droits des Canadiens français, etc. Le nationalisme de la Bolduc, moins moralisant, se définit par rapport à la réalité socio-économique et reflète la parfaite harmonie entre la chanteuse et son public. C'est pour une amélioration des conditions de vie des siens que ses chansons revendiquent; ses revendications sociales sont significatives des préoccupations particulières aux classes populaires.

> «Toutefois, précise encore Monique Leclerc, jamais il n'est question comme tel dans les chansons, d'un concept de classe ou d'un groupe distinct parmi la société québécoise. [...] Cependant, il importe de souligner qu'il ne semble pas de toute évidence qu'il y ait de prise de conscience, par ce groupe, de leur situation de classe, ni encore moins de volonté avouée dans les chansons de représenter ce groupe en particulier[35].»

Parfois, elle défend, à son insu, les intérêts d'une classe sociale qui n'est pas la sienne. Par certaines remarques à l'endroit de chômeurs qui tenteraient d'abuser de la situation, elle s'associe aux préoccupations du gouvernement. Dans un contexte qui ne remet pas en cause les autorités politiques, la Bolduc résume, dans ses chansons, les espoirs de toute une population dans l'avènement d'un nouveau régime politique.

> Mes amis je vous assure
> Que le temps est bien dur
> Il ne faut pas se décourager
> Ça va bientôt commencer
> De l'ouvrage y va en avoir

35. Monique Leclerc. *Les Chansons de la Bolduc: manifestation de la culture à Montréal...*, p. 130.

Pour tout le monde cet hiver
Il faut bien donner le temps
Au nouveau gouvernement

Ça va venir
découragez-vous pas
(1930)[36]

Ignorante, probablement, de la portée sociale de ses chansons, à l'écoute des petites misères de son public, ses textes traduisaient un courant de pensée que l'on peut certes rapprocher de l'idéologie dominante. Guy Millière, dans *Québec: chant des possibles,* a bien saisi ce rapport:

> «Et c'est précisément là qu'il faudrait analyser le discours de bienveillance tenu par rapport à la première 'chansonnière' du Québec. Ses chansons sont sociales, mais ce caractère social vise à recouvrir de loi et d'ordre toute mesure sociale. Le chômage, disions-nous: si la Bolduc y consacre plusieurs chansons, c'est pour transplanter dans les problèmes de la ville ses cécités vieillies, son rapport inconditionnel au travail préindustriel et traiter les chômeurs de paresseux[37].»

L'idée que la Bolduc se fait des rapports sociaux et des effets du système capitaliste n'est pas forcément cohérente. À sa façon, elle traduit bien, d'un côté, la révolte qui sourd et, de l'autre, l'acceptation de l'ordre social dans lequel elle vit. D'une part, chômage, misère, immigration, mortalité infantile, la colonisation; d'autre part, bon gouvernement, le courage des colons. Ses positions politiques (s'il y en a) fluctuent en l'absence d'une pensée sociale définie.

Avec la Bolduc, c'est la première fois que la chanson canadienne a une prise directe sur le présent, parce qu'elle a su dire avec les mots la manière de penser de ces petites gens que les réalités urbaines effraient et qui s'installent dans leurs préjugés. Son œuvre témoigne de son époque et a sa valeur

36. J.-J. Schira, p. 98.

37. Guy Millière. *Québec: chant des possibles,* Paris, Albin Michel, 1978, coll. Rock-Folk, p. 25.

sociologique. Le mérite de la Bolduc, encore aujourd'hui, est de s'adresser à cette part quotidienne de nous-mêmes qui ne peut jouer avec la réalité.

L'angoisse de la guerre

Le soldat Lebrun et ses chansons furent un antidote à l'angoisse suscitée par la Deuxième Guerre mondiale. «Je veux, dit-il, être moi-même un témoin du pays[38].» Cet auteur-compositeur-interprète exprimait sur un mode lyrique les émotions, les craintes et les préoccupations sociales engendrées par cette période trouble de conflit mondial. Indirectement liés à la situation sociale et politique, ses refrains collaient à une réalité quotidienne, mais guère à des préoccupations immédiatement politiques.

Ainsi, le mode et le motif de la participation du Canada à la Deuxième Guerre mondiale, avant tout européenne, ne sont jamais soulignés et encore moins mis ou remis en cause. Participant dans cette guerre aux rangs des alliés, le Canada, en tant que fournisseur de vivres et d'hommes, n'amène, chez le soldat Lebrun, ni critique ni réflexion.

Il reprend à son compte certains symboles du chant patriotique: la grandeur, la vigueur, la force du pays qu'incarnent fleuve et forêt. Tout comme *La Bonne Chanson*, le soldat Lebrun fait l'éloge du Canada, de son histoire et de son épopée. Ainsi, dans *Ô Canada, pays de gloire* (1944) et dans *Le Grand Saint-Laurent* (1951):

> Le Canadien possède son histoire
> Parlons d'un roi que l'on n'oubliera pas
> Le Saint-Laurent que nous couvrons de gloire
> Il règnera toujours au Canada

38. Le soldat Lebrun, cité dans *Chanson d'hier et d'aujourd'hui*, dossier de travail, Département d'études canadiennes, Québec, 1968, vol. 1, p. 203.

Dans mon pays, la gloire et l'amour règnent
De tous côtés l'on vient chercher la paix
Du Canada si la forêt est reine
C'est sa grandeur qui forme ses attraits

Le grand Saint-Laurent (1951)[39]

Toutes écrites dans le contexte de la Seconde Guerre mondiale, ses chansons traitent avec sentimentalisme de l'absence du fils, de la rupture du couple, de la peine, de la veuve et de l'orphelin...

À travers les obus il s'élance
Il lui faut se frayer un chemin
Blessé deux fois malgré les souffrances
Jusqu'au bout lentement il parvint

La complainte d'une mère (1952)[40]

Mon grand amour voici quelques nouvelles
De ton ami qui s'ennuie loin de toi
En Italie je guette les rebelles
Qui veulent abattre nos lois, notre foi
[...]
J'aurai servi avec bonheur et gloire
Sous les drapeaux tout comme nos aïeux

Lettre d'amour à sa fiancée (1943)[41]

39. Les dates de chansons du soldat Lebrun ont été prises à même sa discographie, rédigée en août 1985 par Jean-Jacques Schira. (Document non publié)

40. Discographie, Schira, 1985. Fréquent à cette époque, le thème militaire n'est pas nouveau: *La chanson de l'aviateur* (Houde), *Nos soldats* (Parent), *Rêve de soldat* (Parent), *La chanson du «V»* (Huot), *Je suis soldat de De Gaulle* (Huot).

41. *Ibid.*, document J.-J. Schira.

... et de l'ardeur du soldat, fils, époux et père, dont le premier devoir est d'aller se battre pour sauver la patrie.

> Pour protéger notre monde (pays)
> Il faut aller risquer la mort
>
> *L'adieu au soldat* (1940)[42]

> Fiers Canadiens, gardez votre courage
> [...]
> C'est sur le champ de bataille
> Que nous protégerons nos mamans
> [...]
> Pour garder l'honneur et la gloire
> Nous offrons notre vie à Dieu
>
> *Courageux Canadiens* (1941)[43]

Cependant, une analyse trop rapide et trop subjective de ses chansons serait impartiale et probablement malhonnête. Elles doivent être, chaque fois, replacées dans le contexte sociopolitique si l'on veut en comprendre la portée et l'influence sur le public.

> N'as-tu point mis sur ma poitrine
> L'image du cœur de Jésus?
> Et sur cette arme divine,
> Je braverai les canons, les obus
>
> *Mère, sèche tes larmes*
> (1942)[44]

Impuissant à changer le destin, le soldat Lebrun s'en remet naturellement à Dieu qui est, ainsi qu'on le lui a appris, maître des destinées. La fatalité justifie le malheur alors que la religion encourage la résignation dans l'attente d'une vie

---

42. *Ibid.*, document J.-J. Schira.

43. *Ibid.*, document J.-J. Schira.

44. *Ibid.*, document J.-J. Schira.

meilleure. Seule l'intervention divine peut sauver les âmes perdues ou consoler les mères si bonnes devant l'ingratitude du destin:

Ainsi le soir au crépuscule
La vieille maman fixait au loin
Elle vit dans un rayon de lune
Son fils apparaître soudain
Mon fils s'écrie-t-elle toute tremblante
Merci Dieu vous l'avez sauvé
Maintenant je meurs reconnaissante
Puisque vous m'avez exaucée

La prière d'une maman (1941)[45]

Religion primaire ou idéologie dépassée? Le soldat Lebrun prolonge une attitude passive. Toutefois, cela ne l'empêche pas de reconnaître le difficile destin auquel les siens sont liés. Le caractère social de ses chansons, sans justifier de chanson engagée, n'en dégage pas moins des interrogations lucides. Mais celles-ci n'ont rien de révolté.

Maman, tu es bien heureuse
De revoir ton cher enfant
Lorsque cette guerre affreuse
Nous sépara si longtemps

Une prière exaucée
(1944)[46]

Chers Canadiens gardez votre courage
Et si un jour vous êtes appelés
Venez combattre ces sauvages
Afin de garder votre liberté

Courageux Canadiens (1941)[47]

45. *Ibid.*, document J.-J. Schira.

46. *Ibid.*, document J.-J. Schira.

47. *Ibid.*, document J.-J. Schira.

La prise de position, ici, est affective, non idéologique. L'ennemi, ce «sauvage», c'est une abstraction que la guerre lui impose: l'ennemi, c'est celui qui cause de la peine. La vengeance est optative, rarement factuelle.

> C'est bien affreux pour la mère canadienne
> D'apprendre que son fils, son mari
> Tous les deux sur les eaux si lointaines
> Ont combattu et ont perdu la vie
> [...]
> Le pauvre enfant écrivant à sa mère
> Dans la tranchée, lui dit ces quelques mots:
> «Pauvre maman, votre peine est amère,
> Rassure-toi je vengerai les héros.»
>
> *Je les vengerai* (1942)[48]

Ici, les vrais héros connaissent la mort. Chez le soldat Lebrun, le courage est lié autant à la fierté qu'à la vengeance, celle-ci étant plus imaginée que réelle. L'agressivité que certaines chansons du soldat Lebrun déploient reste ambiguë. Entre l'idéal militaire (s'il peut exister) et l'angoisse de la douleur, sauver l'humanité n'a plus de sens. La vengeance comme la guerre tournent à vide.

> Mais s'il me faut perdre à mon tour la vie
> Pour retrouver ceux qui m'étaient si chers
> Et tu diras bientôt l'âme ravie
> Les trois héros: tes deux fils et leur père
>
> *Je les vengerai* (1942)[49]

Même au champ de bataille, loin des siens, à travers les obus, le fils a droit à l'espérance. Car la mère, tout comme la Madelon (la chanson de Louis Bousquet) est un symbole à la portée du cœur... ou à la portée de la main et des yeux... pour

48. *Ibid.*, document J.-J. Schira.

49. *Ibid.*, document J.-J. Schira.

la Madelon. Mère ou femme: la remplaçante fait rêver. Le courage, chez le soldat Lebrun, est un legs maternel. La patrie et la mère: toutes deux lieux de souvenirs heureux, lieux de quiétude.

Je suis blessé mais malgré mes souffrances
Je me souviens de ma belle patrie
Et dans mon cœur je n'ai qu'une espérance
Aller mourir près de maman chérie

Pour lui je vais mourir (1951)[50]

Hélas! c'est encore pour une guerre
Que bien des cœurs seront déchirés
Séchez vos larmes petites mères
Il reviendra un jour au foyer

La complainte d'une mère (1952)[51]

L'absence de l'un renvoie à la misère de l'autre. La marginalité, ici la délinquance, c'est le manque d'amour familial. L'orphelin est un être vulnérable. La mère, vue comme un facteur positif d'intégration sociale, reste la matrice indispensable à l'équilibre humain:

Je suis si malheureux sur terre
Je n'ai point connu mes parents
Ni les caresses d'une mère
Celle qu'on appelle une maman
[...]
C'est pourquoi je suis voyou.

Le mendiant des rues (1946)[52]

50. *Ibid.*, document J.-J. Schira.

51. *Ibid.*, document J.-J. Schira.

52. *Ibid.*, document J.-J. Schira.

L'amour, en fin de compte, est la seule force valable pour faire contrepoids au destin. L'amour, telle une force magique et opératoire, agit comme stimulant et comme facteur d'oubli de cette misère. C'est la pensée de cet amour, cette espèce de vision qui survole et dépasse toutes les misères physiques, qui oriente toute l'action du combat. Car ici, la chanson est un soutien moral même lorsque la colère s'avoue ou s'épuise:

Au loin là-bas sur la terre étrangère
Malgré les balles de l'ennemi
J'oublierai toutes les misères
En songeant à toi ma chérie

Courageux Canadiens
(1941)[53]

La guerre, pour le soldat Lebrun, est tout ce qui s'oppose à la quiétude protectrice du foyer maternel. L'orphelin, tel le soldat anonyme luttant au front, subit les mêmes affres: la faim, le froid, l'absence de gîte, etc. La misère, ici, prend une double dimension: contrainte physique, contrainte morale ou psychologique. Devant les désolations de la guerre et des départs pour celle-ci, ses chansons la racontent et l'amplifient, car elles décrivent le plus souvent un climat d'oppression devant lequel les gens se sentent impuissants. De telles chansons sont circonstancielles, certes, mais elles n'expliquent pas toujours ce qui, imperceptiblement, s'en dégage, c'est-à-dire l'idéalisation de la guerre:

Je vais quitter mon pays que j'aime
Je vais combattre pour l'humanité
[...]
Rendu là-bas la bataille fait rage
Au premier rang je suis tombé trois fois
Me relevant encore plus de courage
Plutôt mourir que de perdre mes droits

Pour lui je vais mourir (1951)[54]

53. *Ibid.*, document J.-J. Schira.

54. *Ibid.*, document J.-J. Schira.

Figure de proue d'une culture populaire, celle des années 1940-1950, les chansons du soldat Lebrun répondaient à un besoin du moment puisque les sentiments qui y étaient exprimés correspondaient aux états d'âme des gens. Ses chansons étaient un auxiliaire nécessaire au maintien du bon moral des troupes canadiennes et de leurs familles. Son chant d'amour, peut-on écrire, fut un chant d'espoir fondé sur la bonté et la fidélité. Certes, l'amour ne pourrait enlever les balles au cœur des soldats ni ses chansons posséder les vertus d'entraînement d'une chanson comme *Les voyez-vous,* mais le soldat Lebrun incarnait, par le biais de la chanson sentimentale et un tant soit peu patriotique, toute la nostalgie de ces années de guerre. Cette misère dont il chante les accents douloureux est, ai-je déjà écrit ailleurs, «une suite logique au théâtre de Gratien Gélinas, *Tit-Coq,* et au célèbre roman de Gabrielle Roy, *Bonheur d'occasion*. Le soldat Lebrun, en chantant les désolations de la guerre, de la patrie, de la femme, de l'amour, répondait à un besoin d'expression contemporain. Il faut sûrement interpréter la phrase de Robert-Guy Scully en ce sens: 'Seul Roland Lebrun a su conjuguer l'art de la chanson nord-américaine blanche et des paroles qui témoignaient de la réalité environnante[55].'»

La naïveté du soldat Lebrun n'a pas empêché certaines chansons de revêtir un caractère plus social. Elles parlent des événements vécus à travers des conditions sociales d'existence proches de la misère. Car chantant les émotions du peuple, la vie, pour lui, ne semble possible que sous l'étiquette de l'amour. À travers les affres quotidiennes d'une époque, il a atteint les tourments de l'homme, de tous les hommes.

S'il reste un phénomène unique et qui ne fut pas suivi, Roland Lebrun reste aussi le témoin d'un climat d'oppression accentué par l'ignorance des gens. Et parce que la misère autant morale que physique fut créée par le bouleversement général de la société, sa chanson, comme les gens, n'y pouvait rien. L'espoir, généralement, fait chanter, mais dans le cas du soldat Lebrun, c'est sa chanson qui suscita l'espoir.

55. Passage repris de *Panorama de la chanson au Québec,* Montréal, Éditions Leméac, 1977, p. 66.

«Chansons de lutte et de turlute[56]»

Bien avant l'avènement du disque 78-tours, chaque région possédait ses musiciens et ses chanteurs de folklore. Les informations concernant cette époque étant de sources orales, les journaux ne nous renseignent que très peu sur la musique traditionnelle et ses interprètes. En fait, malgré la présence de plus en plus grande du disque et de la radio, une certaine tradition de la chanson poursuivait son cours. Toujours chantés sur des airs connus, certains refrains amateurs parlent encore, et avec beaucoup de clairvoyance, de l'actualité sociale. Elle est le fait de travailleurs qui, même de façon bien informelle, s'inscrivent dans la lignée des chansons folkloriques de contestation.

Rappelons qu'autrefois, les chansons de marins, ou chansons de bord, et les chansons de bûcherons étaient les chansons de métiers les plus nombreuses. Ces chansons de métiers furent inspirées par le travail des hommes et ont été composées, pour la plupart, au Canada. C'est en cela qu'il faut donc les distinguer de la chanson folklorique proprement dite. Si toutes ont en commun des refrains sur les métiers, très peu concernent, finalement, les unions ouvrières. Ainsi, une chanson, datée de la fin du XIXe siècle — c'est l'époque de la construction du chemin de fer du Grand Tronc — n'est pas sans rappeler les motifs toujours actuels de la syndicalisation des forces ouvrières.

Rendu à Ottawa, j'étais pas mal tanné
Je demande au patron si j'pouvais débarquer
Mais il me dit: «Monsieur, vous voulez débarquer?
Vous allez débarquer, quand vous s'rez mis à pied.»
À vous tous les jeunes gens qui êtes sans travailler
Vous allez au Grand Tronc pour vous faire engager

56. Titre repris du recueil de chansons locales rassemblées par Yves Alix: *Chansons de lutte et de turlute*, 1982, SMQ-CSN.

Tenez tête aux patrons, y nous traitent comm' des poches
Trois quat' claques par la tête, pis six coups d'pied dans l'cul!

Chauffez, chauffez fort (non daté)[57]

La chanson de revendication sociale, au sens où l'entendait le mouvement ouvrier à cette époque, n'est pas très affirmée. Ce type de chanson, de par son langage et de par son contenu, est encore très près des formes de la chanson traditionnelle où la critique, bien que présente, reste diffuse. Comme dans les chansons de Mlle Parisé, il y a constat d'un problème social ou économique en même temps qu'il y a soumission à un ordre économique qui n'est pas contesté:

Toutes les femmes sont désolées
Y'ont pas d'argent pour acheter
Son mari lui dit: «Ma femme,
Faut attendre que je soye payé.»

Le chômage
à la baie des Chaleurs
(1946)[58]

«Au pays du Québec rien n'a changé», clamait Menaud à la suite de Louis Hémon. Mais les premières grandes

57. «Cette chanson fait référence au chemin de fer du Grand Tronc, construit pendant la deuxième moitié du XIXe siècle, et qui deviendra le Canadien National. Les chemins de fer ont joué un rôle stratégique dans le développement économique du Canada, et c'est aussi un des secteurs principaux dans lesquels le syndicalisme s'est développé, avec des grèves importantes dès les années 1870 (cf. «L'histoire du mouvement ouvrier au Québec», Éditions CSN-CEQ). La version présentée ici est celle qui est interprétée par M. Cyrice Dufour dans le film *La turlute des années dures*. Elle a été modifiée et actualisée et diffère de celle recueillie par Marius Barbeau en 1919, ainsi que de celle (1918) du Centre franco-ontarien de folklore (cf. le «Chansonnier franco-ontarien; vol. 2).» CSN/SMQ, *Chansons de lutte et de turlute*, Montréal, 1982, p. 77.

58. Cette chanson a été composée par Mlle Angélique Parisé, de Paspébiac en Gaspésie. Elle fait partie de la collection Carmen Roy au Musée national du Canada. (*Chansons de lutte et de turlute*, p. 87.)

grèves, au Québec, annonçaient un changement d'attitude chez les travailleurs en même temps qu'un ras-le-bol généralisé. Ces grèves, de l'amiante (Asbestos et Thetford en 1949), du textile (Louiseville en 1952), furent durement réprimées et à travers elles, c'est le syndicalisme lui-même qu'on tentait d'étouffer par tous les moyens.

> Les Gaspésiens qu'elle employait (bis)
> L'année passée se syndiquaient (bis)
> Toutes les méthodes furent bonnes
> Même les plus cochonnes
> Pour éviter de négocier avec les employés
> [...]
> Parlons d'la police provinciale (bis)
> De la paix y s'en fichent pas mal (bis)
> Ils protègent les faux frères
> Les *scabs* les rats les traîtres
> Quand un gréviste r'garde de côté, il se fait arrêter.
>
> *La grève de Murdochville* (1957)[59]

Le conflit des travailleurs du cuivre de Murdochville dura sept mois et fut particulièrement dur. Il fallut la proclamation d'une loi spéciale, la loi d'émeute, pour la casser.

> La *gang* d'Atlas est arrivée (bis)
> De bonne heure le printemps passé (bis)
> Toujours ce qui se r'semble
> Faut que ça se rassemble
> Y sont arrivés en même temps
> Qu'les cent cinquante agents.

59. «*La grève de Murdochville* fait partie des chansons composées pour la marche sur Murdochville (19 août 1957), organisée par un front commun intersyndical: la FTQ (à laquelle les grévistes étaient affiliés, représentée ici par son président Roger Provost), le Congrès du travail du Canada (président: Claude Jodoin) et la Confédération des travailleurs catholiques du Canada, ancêtre de la CSN (président: Gérard Picard, et secrétaire: Jean Marchand). Cette chanson nous a été transmise par Robert Demers, documentaliste de la FTQ.» (*Chansons de lutte et de turlute*, p. 89.)

[...]
Malgré tout ça on tient not'bout (bis)
Car la justice est avec nous (bis)
Si la bataille est dure
C'est que la dictature
Pour Noranda paraît que c'est *company policy*.

La grève de Murdochville (1957)[60]

À travers les conflits, l'on assistait à la naissance d'une chanson de revendication ouvrière ou chanson syndicale. Ainsi, la marche sur Murdochville (19 août 1957) organisée par un front commun intersyndical (Fédération des travailleurs du Québec/FTQ, Congrès du travail du Canada/CTC et la Confédération des travailleurs catholiques du Canada/CTCC, ancêtre de CSN) a fait naître nombre de chansons, sur timbre, à l'image des chansons politiques du XIXesiècle. Ces chansons évoquent non seulement les grands moments de lutte, mais aussi les rapports conflictuels qui jalonnent la vie des travailleurs, laquelle, nous rappelle Serge Dilaz dans *La Chanson française de contestation*, est universelle:

> «Dans un climat social tendu par les grèves qui se sont multipliées tantôt pour arracher des augmentations de salaires tantôt pour s'opposer à des licenciements arbitraires, la geste socialiste de son côté n'est pas restée inactive. Alors que les chansons d'autrefois s'étaient attachées à des contingences géographiques et temporelles, celles de la fin du XIXe siècle acquièrent une universalité accrue par la multiplicité des conflits opposant employés et employeurs. D'une finalité pratique manifeste, la chanson d'action devient une porte ouverte sur l'avenir[61].»

Dans ce type de chanson on s'aperçoit que c'est la classe ouvrière, dans ce qu'elle a de plus vulnérable, qui s'organise. Mais il est encore trop tôt pour parler d'une chanson directement militante. Son impact souligne les rapports de classe

60. *Ibid.*, p. 89.

61. Serge Dilaz. *La Chanson française de contestation*, p. 61.

mais ne fait pas nécessairement naître une conscience de classe.

Il faudrait entreprendre des recherches plus poussées et recueillir une documentation plus importante afin de reconstituer l'évolution de cette chanson de contestation qui, encore aujourd'hui, n'a ni la diffusion ni la reconnaissance que l'on souhaiterait. Marginalisée parce que vivant hors des circuits habituels de production, elle a quand même eu le mérite de créer et d'entretenir des habitudes chansonnières. Un recueil de la CSN/SMQ, *Chansons de lutte et de turlute*[62], publié en 1982, a contribué à la conservation et à la diffusion de ces chansons ouvrières et populaires.

Éléments de conclusion

Si la crise entraîne une réorganisation des différentes fractions des classes dominantes politiquement, elle rend nécessaire une réorganisation de l'appareil politique canadien. Mais ce n'est pas de cela dont il sera question dans les chansons à saveur traditionnelle de cette période. On découvre plutôt que la classe ouvrière entretient de multiples liens avec le monde rural. Ces liens de solidarité intrafamiliale ont longtemps participé au renforcement d'une identité francophone. Ce sentiment d'appartenance de la chanson dite traditionnelle à la chanson dite canadienne reposait sur un système de valeurs qui se figeait plus fortement à cause de la crise. En effet, le repliement sur soi (du groupe) renforçait un sentiment de sécurité chez les individus. Toutes les chansons d'alors, issues du peuple, marquaient ce temps d'arrêt du Québec vers sa modernité.

C'est un nationalisme clérical et conservateur, à travers un préjugé favorable à l'endroit des paysans, qui poursuivra, jusque dans les années 1950 et plus, une idéologie ruraliste

62. CSN/SMQ. *Chansons de lutte et de turlute*, Montréal, 1982.

qu'entretiendra cette chanson à caractère social et dont les auteurs populistes ignorent qu'elle est profondément idéologique.

Discrètement, à travers toutes les chansons de cette période, l'on assiste à une remise en question de la vocation industrielle et urbaine des Canadiens français.

Les chansons du terroir, celles de la Bolduc et celles du soldat Lebrun, ont proposé des retours aux valeurs traditionnelles. Il faut cependant se souvenir que leurs refrains ont souvent permis au public d'oublier la crise et la guerre.

L'artiste populaire est apparu, au Québec, dans un contexte précis: celui de l'urbanisation et de l'industrialisation. Sa fonction première était de divertir. Il répondait à un besoin de loisirs collectifs ressenti par des masses anonymes. La culture populaire sortait du milieu du travail, illustrant, par le fait même, le passage d'une société rurale, dominée par les traditions orales et musicales, à une société urbaine où s'affirmaient inconditionnellement le rythme artificiel du travail à la chaîne et l'affadissement des rapports humains. La vision sociale qu'ont proposée les chansons de ce temps est donc tributaire de ce passage généralisé (dans les pays industrialisés) des valeurs traditionnelles de la population à des valeurs que la nécessité du changement a instaurées.

DEUXIÈME PARTIE

«Tenir paroles»

Je hais une chanson qui me fait penser que je suis né pour perdre.

WOODY GUTHRIE

Présentation

L'idéologie politique peut se définir comme une vision du monde qui se fonde sur le passé vu comme un moteur d'action. C'est celle-là, parce qu'elle s'appuie sur les traditions du peuple, qui a été jusqu'ici proposée par l'élite et dont les chapitres précédents ont tenté de cerner les différents éléments culturels ou historiques à travers deux cents ans de chansons.

Or, l'idéologie que proposent les définisseurs de la nation tient-elle compte des traditions véritables du peuple? Celle-ci est-elle encore opératoire devant une société en mutation? Car s'opposent ici deux idéologies: l'idéologie de conservation et l'idéologie de développement[1]. La première, axée sur le passé, a marqué la période d'entre les deux guerres mondiales; la deuxième, sorte d'idéologie de participation (1960), propose que la société elle-même se dirige vers une autodétermination afin de conquérir son indépendance par le contrôle de son économie et de sa politique. Or, avec ce qu'on a appelé le parti culturel, les chansonniers ont défendu cette idéologie de développement et de participation. Car le rêve d'indépendance, ainsi que l'écrit Axel Maugey dans *Poésie et Société*[2], qui a failli se concrétiser en

1. Lire Denis Monière, *Le Développement des idéologies au Québec*, Montréal, Québec-Amérique, 1977.

2. Axel Maugey, *Poésie et Société au Québec*, Québec, P.U.L., 1972, p. 23. (Coll. Vie des lettres canadiennes)

1837 n'a jamais quitté depuis l'inconscient de tout Canadien français.

La prise de conscience individuelle ne se sépare pas de la prise de conscience collective. Toutes deux s'inspirent des événements de tous les jours, du travail, du langage, de la rue, des images urbaines, des valeurs collectives, de l'histoire, etc. Justifier les éléments d'une définition de l'idéologie ne nous fera pas éviter la contamination idéologique dont parle Denis Monière. C'est à lui, tout compte fait, que j'emprunterai la définition de l'idéologie qui accompagnera, maintenant, cet essai d'analyse politique de la chanson:

> «Une idéologie est un système global plus ou moins rigoureux de concepts, d'images, de mythes, de représentations qui dans une société donnée affirme une hiérarchie de valeurs et vise à modeler les comportements individuels et collectifs. Ce système d'idées est lié sociologiquement à un groupe économique, politique, ethnique ou autre, exprimant et justifiant les intérêts plus ou moins conscients de ce groupe. L'idéologie est enfin une incitation à agir dans telle ou telle direction en fonction d'un jugement de valeur[3].»

Il n'est pas erroné de penser que la chanson québécoise est traversée par ce système global de concepts dominé par cette idée majeure de notre histoire: mettre le pays au monde. Pour la chanson, nous avons pu affirmer une identité, une dignité qui n'étaient rien d'autre qu'un droit à l'existence. C'est sous cet angle que notre chanson a assuré le lien entre les idées et le peuple. Voilà comment, dès les années 1960, le Québec inscrit sa nouvelle affirmation dans la voie progressive de son autonomie. Toute chanson qui s'écrit au Québec, clame Gilles Vigneault, est forcément nationaliste puisqu'elle contribue à nous identifier comme distincts:

> «Mais il faut, moi aussi, que je manifeste ma volonté de communication; quand je chantais à Toronto, je disais quelques mots en anglais pour expliquer. Maintenant je ne chante qu'en français. La dernière fois, j'ai dit: 'On va avoir le premier spectacle bilingue du Canada'. Je l'ai dit en français, et assez distinctement pour qu'on me comprenne. 'Ce sera la première

3. Denis Monière. *Le Développement des idéologies au Québec*, p. 13.

> fois qu'on aura un spectacle bilingue: vous allez écouter dans votre langue, et je vais chanter dans la mienne[4].'»

Forcément nationaliste!

À l'instar de Gaétan Rochon, dans *Politique et Contre-culture*[5], de préférence à «nationaliste», j'adopterai le terme de «nationalitaire», emprunté au deuxième degré au sociologue égyptien Anouar Abdel-Malek pour désigner la tâche de développement et d'édification du Tiers-Monde où le national, le social et le culturel sont étroitement liés. Malek, par ce néologisme, veut éliminer la connotation péjorative et négative liée au terme nationaliste.

> «Le nationalisme est identifié aux intérêts de toutes sortes de l'État-nation dont les menées extérieures sont une part importante; le mot nationalitaire met l'accent sur les exigences d'un groupe minoritaire souvent opprimé. L'action qu'il distingue, loin d'être engendrée par le dynamisme étatique, part au contraire du culturel — au sens de culture ethnique — pour remettre en question l'État-nation dans ses deux composantes ambiguës[6].»

À partir des années 1960, dans les pays occidentaux industrialisés, le mot «nationalitaire», repris par d'autres analystes, désignera les phénomènes de contestation fondés sur des analyses proches de celles d'Abdel-Malek:

> «L'oppression soufferte est de caractère culturel et le groupe entier dans toutes ses composantes sociales la subit parce que groupe spécifique. Même son élite économique et intellectuelle a souffert à un moment ou l'autre de la domination adverse. Sa véritable histoire escamotée ou défigurée, il est privé de ses héros authentiques et ses traîtres avérés sont présentés comme des héros[7].»

---

4. Philippe Meyer. «Entretien avec Gilles Vigneault», revue *Esprit*, juin 1973, n° 6, p. 1285.

5. Gaétan Rochon. *Politique et Contre-culture*, Montréal, Cahiers du Québec HMH, 1979. (Coll. Science politique.)

6. *Ibid.*, p. 206. (Voir Anouar Abdel-Malek, *Égypte, société militaire*, Paris, Le Seuil, 1961, préface.)

7. *Ibid.*, p. 107.

L'autre trait majeur du fait nationalitaire est la communauté linguistique, caractéristique visible de la spécificité culturelle. «Il est remarquable, note Gaétan Rochon, que, dans le cas où la langue a pratiquement disparu comme outil quotidien ou qu'on a adopté celle du dominateur, elle a laissé un substrat assez puissant pour distinguer une manière de sentir différente et permettre au germe nationalitaire de croître[8].»

Dans les États fédéraux, le groupe nationalitaire n'a jamais connu la souveraineté complète. D'abord, il n'a aucune prise sur la réalité économique. Il a, en tant que groupe, une place et un statut économique inférieurs à celui du groupe dominant. Sa langue et sa culture souffrent de la concurrence asservissante de la langue et de la culture majoritaires.

Le mot convient donc parfaitement à l'esprit du nationalisme québécois même si certains intellectuels, dont le plus connu et le plus visible fut Pierre Elliott Trudeau, ont tenté de le ramener à un synonyme de chauvinisme et d'esprit d'agression[9].

C'est bien pour contourner l'inutile polémique sur ce terme et parce qu'il sied amplement à notre réalité sociale et culturelle que je préfère le terme «nationalitaire» à celui de «nationaliste». Par ailleurs, trait essentiel, les mouvements nationalitaires n'ont pas surgi uniquement dans un Tiers-Monde en voie de décolonisation, mais aussi dans des États industrialisés et apparemment unifiés où tout problème d'ordre national ou culturel semblait inexistant il y a quelques

---

8. *Ibid.*, p. 107-108.

9. Pourtant, ce dernier a déjà conçu le nationalisme comme une vertu (quand il s'agit du Canada!):

> «Et je connais un homme à qui l'école n'a jamais su enseigner le nationalisme, mais qui contracta cette vertu lorsqu'il eut ressenti dans sa chair l'immensité de son pays, et qu'il eut éprouvé par sa peau combien furent grands les créateurs de sa patrie.»

(Pierre Elliott Trudeau, cité dans *Between Friends/Entre amis*, Productions ONF du Canada, Service de la photographie, McClelland and Stewart Limited, Canada, 1976, p. 145.)

années. Politiquement, ces mouvements vont de la modération au radicalisme; leurs moyens vont de la voie électorale à la lutte clandestine. La réhabilitation et la revalorisation de leur culture débouchent ou bien sur une autonomie de type régional, fédéral ou confédéral, ou, bien sûr, l'indépendance tout simplement.

Le chansonnier n'échappe pas à ce mouvement; au contraire, il s'en fait le porte-parole. Il dessine une nouvelle conscience collective enracinée dans les réalités proprement québécoises. De ces réalités quotidiennes surgissent des conflits dont il se sent solidaire. La chanson québécoise est ainsi aux premières loges de la conscience politique et transforme le nationalisme défensif et abstrait en une contestation offensive et concrète.

De plus, le mouvement chansonnier rejoint d'autres phénomènes semblables à travers le monde, ancrés eux aussi dans la naissance du fait nationalitaire. Alsaciens, Basques, Corses, Occitans, tous ces groupes ont leurs chansonniers; le réveil culturel breton, par exemple, a été marqué comme celui d'ici par la prolifération de chansonniers comme Glenmor et, plus tard, Gilles Servat.

C'est ainsi que le nationalisme entretient des affinités avec la contre-culture. Même traversée par des idéologies diverses, la société moderne empêche l'homme de devenir créateur. L'impérialisme ne développe-t-il pas des stratégies totalitaires qui, en détruisant les petites cultures ainsi que l'entendent les auteurs de *Cause commune*, Michèle Lalonde et Denis Monière, dépossèdent les individus de ce qui les différencie[10]. L'aboutissement de tout impérialisme est la dissolution des solidarités culturelles. La culture, facteur de cohésion, voit son extension réduite aux dimensions du folklore. Pourtant, la culture, dans la contre-culture, c'est d'abord un vécu, c'est-à-dire une expérience. La contre-culture a obligatoirement un sens anthropologique et sociologique. Nombre de commentateurs y voient de nouvelles formes de cultures populaires.

---

10. Michèle Lalonde et Denis Monière, *Cause commune*, Montréal, L'Hexagone, 1981.

Pour Gaétan Rochon dans *Politique et Contre-culture*, déjà cité, le phénomène contre-culturel est redevable à des concepts transmis par des leaders intellectuels: Herbert Marcuse, Buckminster Fuller, Alan Watts, Timothy Leary, Paul Goodman, Allen Ginsberg. Le mouvement est d'abord américain. Depuis la guerre contre le Viêt-nam, la contre-culture, aux États-Unis, a pris la forme d'un refus politique: celui de participer à un génocide au nom de l'impérialisme. Or — est-ce là un paradoxe? — le destin des contre-cultures c'est de devenir un vaste courant embrassant la totalité de notre univers. Comme leur prétention à l'universel est, pour Rochon, une affirmation excessive, il écrit:

> «En assimilant le monde à l'Occident, elle participe beaucoup plus qu'elle ne le croit à l'idéologie de celui-ci, car loin d'être universelle, la contre-culture est limitée dans l'espace politique et confinée aux sociétés capitalistes avancées[11].»

Pour Rochon, la contre-culture est en réalité un mouvement transculturel, d'où son caractère hybride. La contre-culture est d'abord conscience: «Maintenant, je sais...». En ce sens, son entreprise de création d'un système parallèle est nettement un phénomène d'ordre politique, mais qui n'a pas à réaliser une synthèse unitaire qui ressemblerait à l'apparition d'une nouvelle idéologie de récupération.

Bref, le phénomène des chansonniers a été souvent raccordé à celui d'une certaine révolution tranquille. «Depuis 1960, écrit Gérard Bergeron, on a parlé de révolution tranquille ou silencieuse au Québec. Tranquille, silencieuse; pas tant que ça, puisque chanter dans un pays qui l'avait désappris, c'est bien une révolution[12].» La chanson désormais québécoise a trouvé l'oreille du peuple; en effet, c'est bien là une révolution en soi. Nous nous mettions à écrire nos propres chansons. L'essor de la chanson au Québec est survenu à une

11. Gaétan Rochon. *Politique et Contre-culture*, p. 59.

12. Gérard Bergeron. *Le Canada français après deux siècles de patience*, Paris, Le Seuil, 1967, p. 138.

époque précise de notre histoire où nous avons assisté au renversement des valeurs d'une société en complète mutation.

Il fallait une chanson québécoise d'envergure distincte de la chanson étrangère, avec laquelle nous ne pouvions aller très loin, qui, pour paraphraser Lysiane Gagnon, deviendrait notre passeport. Un petit peuple d'origine française vivant en Amérique du Nord — c'était la définition même des Canadiens français — décida d'orienter ses efforts collectifs dans le sens d'une plus grande affirmation de son identité. Il se rebaptisa québécois. «Ce qui était auparavant, écrit Denis Monière, jugé provincial, local ou folklorique par la culture des élites au nom d'un universalisme déréalisant et castrant, poussé par la quête d'une identité et de l'affirmation de soi, devient culture dominante[13].» La chanson canadienne d'expression française, devenue québécoise, ne sera qu'un vague rappel d'une présence française en terre canadienne. La chanson d'ici, elle aussi, comme on le verra, basculait dans le camp de cette culture dominante.

13. Denis Monière. *Le Développement des idéologies au Québec...*, p. 328.

CHAPITRE 4

Chante fort Québec

On a fait des chansons comme d'autres ont fait des canons. Ici, on pouvait faire un pays avec des mots.

FÉLIX LECLERC

Depuis 1930, la chanson française et la chanson américaine dominaient la radio et les cabarets de l'époque. Vers 1935, la radio envahissait le domaine de la chanson française au Québec. Elle s'y lançait à corps perdu, de sorte que fut créé, selon Jacques Normand, le public des cabarets. Lionel Daunais et son trio lyrique ouvraient le bal à CHLP, le poste de radio à qui on reconnaît le titre de pionnier de la chansonnette française. Roger Baulu affirme que «grâce à Jacques Normand, la chanson française a barré la route à la chanson anglaise dans le Québec[1]». En effet, la grande émission «La parade de la chansonnette française», à la radio de CKVL, a permis «un nouveau départ, une nouvelle politique pour les postes de radio[2]». Dorénavant, c'est sur le terrain de la radio que le combat se ferait.

---

1. Jacques Normand. *Les Nuits de Montréal*, Montréal, Éditions La Presse, 1974, p. 185.

2. *Ibid.*, p. 57.

Du côté des cabarets, les meilleures heures des nuits de Montréal appartenaient sans contredit au *Faisan Doré* et à la boîte de *Saint-Germain-des-Prés*. L'opération *Faisan Doré*, explique Jacques Normand, consiste à faire de cette boîte un cabaret français en y mélangeant la formule des «chansonniers de Montmartre[3]». Et ce fut le succès. Puis il y eut la fameuse époque du *Saint-Germain-des-Prés*, dont le style chansonnier paraissait partout. Pour la première fois à Montréal, le *night-life* perdait sa marque anglo-saxonne. Ce fut précisément l'époque Jacques Normand. «Il est normal qu'en pays de colonisation (et nous l'étions au domaine du spectacle), on aille vers la métropole pour apprendre et pour faire le point. Comme se plaît à dire Baulu: 'Ce n'est imiter personne que de planter des choux', et c'est un arrangement des formules utilisées à ce moment-là à Paris qui sera notre guide et que nous allons tenter d'adapter au goût du Québec[4].»

À la radio, Fernand Robidoux, déjà à cette époque, se battait pour la chanson d'expression française; il n'a jamais pu supporter le fait de devoir quitter les ondes au coucher du soleil pour les laisser à une station anglophone. Son combat fut de défendre cette conviction: le disque québécois pouvait être rentable. «Je me sentais de plus en plus dans une sorte de camisole de force culturelle *made in U.S.A.*[5].» Deux de ses chansons (paroles et musiques), *Je croyais* et *Pour toute la vie*, se trouvèrent bientôt dans la plupart des électrophones de la métropole, puis du Québec tout entier. Et Robidoux d'ajouter: «J'ai encore l'impression d'avoir été, en 1946, comme trop souvent au cours de ma carrière, en avance sur mon époque. [...] J'avais appris, depuis mes débuts dans le monde de la radio, que notre québécitude culturelle était de plus en plus à la remorque des grands opérateurs anglo-américains[6]». Chanter québécois fut son obsession presque.

3. *Ibid.*, p. 69.

4. *Ibid.*, p. 99.

5. Fernand Robidoux. *Si ma chanson...*, Montréal, Éditions populaires, 1974, p. 47.

6. *Ibid.*, p. 55.

La volonté d'imposer une chanson proprement québécoise, chez Robidoux, est aussi dans la logique d'une option politique favorisant l'indépendance. À cela il n'y a aucun doute. À Paris, Robidoux sympathise avec des Africains:

> «Entre colonisés, nous nous sommes vite compris. [...] Gilles Sala, auteur-compositeur-interprète, se joignit aussi à notre groupe. Il y fut, bien sûr, question d'indépendance, de souveraineté, de libération. Au contact de ces braves gars, tous ces mots gagnèrent en mon esprit des résonances nouvelles[7]. Ils auront œuvré à ma politisation beaucoup plus que les meilleurs discours des chefs de file québécois de la souveraineté et du socialisme[8].»

Plus tard, faut-il s'en surprendre, la station CHRS fut, selon Robidoux, la première station du Québec à accueillir en studio les tenants de l'option indépendantiste. Il dota l'arsenal des mouvements de libération du Québec d'un hebdo populaire qui permettrait à son action politique d'être expliquée à la majorité silencieuse. Robidoux y a consacré trois années de sa vie sans rémunération. Il a cru à la chanson québécoise, maintenant il croyait en l'importance de l'information populaire. On dit qu'il a quitté l'hebdo, désabusé, s'étant aperçu que les militants manquaient de sérieux, que ces militants intellectualisés n'avaient changé qu'en surface, qu'ils n'avaient fait que transposer de l'Église, ou de *Cité libre*[9], aux mouvements sociaux et nationaux leur attitude traditionnelle de «dame patronnesse[10]».

---

7. À l'époque, on lui prêtait une réputation de communiste.

8. Fernand Robidoux. *Si ma chanson...*, p. 112.

9. Curieux retour de l'histoire, quand *Cité libre* justifie son orientation, elle a cette formule qu'auraient pu employer nos premiers chansonniers: la revue est celle «d'une génération dont le tour est venu de s'exprimer». Mais la pensée des «citélibristes» n'a rien de commun avec celle de ceux qui imposeront la chanson québécoise. Liant leur antiduplessisme au rejet du nationalisme canadien-français, les intellectuels de *Cité libre* ont confiné leur position dans une prémisse préjudiciable à tout espoir: nous sommes congénitalement inférieurs et impuissants. Ils ont lu et accepté à la lettre le rapport Durham.

10. Fernand Robidoux. *Si ma chanson...*, p. 152.

Ses amis ont repéré en Robidoux le témoin plutôt que l'acteur principal d'une aventure qui a vu naître la chanson d'ici. Les noms, désormais, se multiplient: Robert L'Herbier, Rolande Desormeaux (qui chantaient de plus en plus québécois), Pat di Stasio, Roland D'Amour, André Gingras, Jacques Blanchet, Raymond Lévesque, Pierre Pétel, Monique Leyrac, Félix Leclerc. Aussi, en France, aux yeux de Paul Gilson, Robidoux était «la révélation d'une surprenante survivance française en terre d'Amérique[11]». Il n'était plus seul.

La voix du paysan que j'aimais
Bientôt va s'éteindre
Mais nos enfants grandiront sagement
Et un jour quand nous serons vieux
Tous les érables de ma province
Résonneront de leurs cris joyeux
C'est la chanson que j'ai apprise
Sous un érable

Sous un érable
(Pierre Pétel) (1957)[12]

La chanson canadienne d'expression française, c'était une chanson écrite en français par des gens de chez nous. La nécessité d'écrire en français était réelle. «Il me fallait, disait Robert L'Herbier, du matériel canadien-français québécois. Et la meilleure façon d'en trouver à cette époque, c'était d'en écrire soi-même[13].» Ainsi, de rares artistes produisaient une chanson véritablement québécoise. Puis vint, en 1957, le

11. *Ibid.*, p. 67.

12. Pierre Pétel. *10 chansons canadiennes*, Montréal, Éditions Archambault, 1957, série, p. 6. Cette chanson, *Sous un érable*, est par son titre, tout à fait dans la suite logique du symbole patriotique. Fernand Robidoux, en collaboration avec la Société Saint-Jean-Baptiste du diocèse de Saint-Jean, n'avait-il pas organisé un concours de chansons pour accentuer la refrancisation de cette région: «La feuille d'érable», qui connut un très vif succès?

13. Benoît L'Herbier. *La Chanson québécoise*, Montréal, Éditions de l'Homme, 1974, p. 39.

Concours de la chanson canadienne. «Ce concours, rappelle encore L'Herbier, constitua le démarrage majeur dans le domaine artistique de la chanson dans la province de Québec. De nouvelles vedettes naquirent, des auteurs émergèrent, les boîtes à chansons suivirent[14]...»

Le Concours de la chanson canadienne fit basculer celle-ci du côté de la chanson québécoise. Les thèmes pouvaient se recouper; désormais, le répertoire devenait valorisant. Ils offraient toujours des éléments de continuité avec le répertoire du folklore ou du chant patriotique. Ainsi, convertis au symbolisme de *La Bonne chanson*, nombre d'auteurs ne cessaient de reprendre à leur compte le symbole patriotique du fleuve:

Mon Saint-Laurent si grand, si grand
Coule sans tapage
En déroulant son long ruban
Au soleil du printemps
Il est ravi tout simplement
Du beau paysage
Qu'il n'a pas vu depuis si longtemps
Dans son hivernage

Mon Saint-Laurent si grand
(R. Tournier) (1957)

Mais la chanson française était toujours dans la peau de l'artiste québécois. Monique Leyrac apprenait des chansons françaises. Raymond Lévesque, Jacques Blanchet et Claude Gauthier reconnaissaient avoir été marqués par Trenet. Bécaud a eu une influence directe sur Renée Claude, qui s'était d'abord appelée Renée Gilbert. Jean-Pierre Ferland avoue que Brassens a été son maître. Claude Léveillée se dit conscient de l'héritage laissé par Édith Piaf. Pour Pauline Julien, «c'était chanter Vian ou Brecht, parce qu'on croyait alors que notre folklore ou que la culture de l'époque ne pouvaient produire que les petits feuillets de *La Bonne Chanson*,

---

14. *Ibid.*, p. 88.

de l'abbé Gadbois. [...] Tu subis des influences et, sans t'en rendre compte, c'est comme si tu perdais ton identité. [...] Lent processus, identique ou presque à celui de tous les Québécois qui, dans les années 1950, étouffaient dans la ouate bleue et qui, pour respirer, revivre, devaient s'exiler, se mesurer à la civilisation européenne, et finalement croire y avoir trouvé racines[15]». La chanson québécoise devenait le combat d'une profonde conviction dont l'enjeu était notre identité même. Ainsi, la nouvelle forme d'expression que constitue la chanson québécoise devient le lieu d'une conscience sociale renouvelée.

L'interrogation des valeurs

Après 1945, l'effritement du monolithisme idéologique favorisera son contraire: l'émergence d'une pluralité idéologique. De la tradition au rattrapage de la modernité, il y a une prise de conscience des retards accumulés. Les transformations de la vie matérielle agissent sur les mentalités et stimulent les espoirs de mobilité sociale.

Du côté de la chanson, si celles du soldat Lebrun ne laissaient rien entrevoir de cette quête de justice, celles de Raymond Lévesque laissaient apparaître l'émergence d'une nouvelle conscience sociale.

Quand les hommes vivront d'amour
Ce sera la paix sur la terre
Les soldats seront troubadours
Mais nous nous serons morts mon frère
Nous qui aurons aux mauvais jours
Dans la haine et puis dans la guerre
Cherché le pain cherché l'amour

15. Gil Courtemanche. «La vraie nature de Pauline Julien», dans *Nous*, vol. 1, nº 5, octobre 1973, p. 16.

Ils connaîtront alors mon frère
Dans la grande chaîne de la vie
Pour qu'il y ait un meilleur temps
Il faut toujours quelques perdants
De la sagesse ici-bas c'est le prix

Quand les hommes vivront d'amour
(Raymond Lévesque) (1956)

Les premiers thèmes sont communs à d'innombrables chansons populaires de tous les pays: la guerre, l'oppression, l'injustice. La chanson de Raymond Lévesque projette une quête inlassable de fraternité. Elle se fait aussi l'écho de la solitude de l'auteur comme de celle de son époque. Elle s'avère une vision lucide de l'expérience humaine. Et nonobstant un point de vue souvent chrétien, mais largement humaniste et qui n'a rien de commun avec la sensiblerie de son contemporain le soldat Lebrun, l'auteur de *Quand les hommes vivront d'amour* a donné un ton à une chanson canadienne qui tentait de devenir de plus en plus québécoise, le langage évoluant directement avec les expériences. Et comme, en France, la seule manifestation politique en chanson c'est la mise en accusation de la guerre, les années 1940 ont vu se perpétuer une tradition de résistance chansonnière bien propre au génie français. Ici, Raymond Lévesque prolonge la chanson antimilitariste de Francis Lemarque (*Quand un soldat*) ou de Boris Vian (*Le déserteur*). Lévesque, faut-il le préciser, n'a pas créé un genre; il a plutôt écrit des chansons pacifistes et socialisantes. *Feuille de gui*, de Jean-Pierre Ferland, donnera, au début des années 1960, une version moins pessimiste que *Quand les hommes vivront d'amour*:

Quand nous boirons au même verre
La tisane des bons copains
Et qu'aux quatre coins de la terre
Le fiel tournera raisin
Quand nous allumerons nos pipes
Au flambeau d'une liberté
Payée au prix d'une salive

Et non à celui d'une épée
Ce jour, ce jour
Je porterai feuille de gui

Feuille de gui
(Jean-Pierre Ferland) (1962)

Le ton est donné. La filiation est établie. Cet intime murmure de paix de Ferland est aussi, à sa manière, un essai de socialisme. L'une des premières chansons de Félix Leclerc cultivait, et bien naïf qui pourrait croire que c'était à son insu, un espoir de justice qui, quinze ans après, éclatera dans *L'alouette en colère*. Déjà les couplets sont proches parents d'une conscience sociale et d'une lucidité affirmée:

Quand le patron te raconte
Que t'es adroit et gentil
Sois sûr que t'es le nigaud
Qui fait marcher son bateau
Quand monsieur l'curé a dit
Qu'la paroisse est pleine d'impies
C'est pas à cause des péchés
C'est qu'les dîmes sont pas payées

Attends-moé ti-gars
(Félix Leclerc) (1956)

Plus globalement, au Québec, l'interrogation de la guerre, sa contestation, débouche sur une dénonciation plus large mettant en cause toute la société. L'éveil politique se précise en même temps que surgit une conscience sociale plus nette.

Pendant la Deuxième Guerre mondiale
La mode était aux chansons militaires
Et ces chansons racontaient souvent l'histoire
D'un jeune soldat canadien-français
Qui devait abandonner son foyer
Pour aller défendre sa patrie
Laquelle à ce moment-là

Tout le monde s'en souvient
Était le Canada

1940
(Pierre Létourneau) (1964)

L'argent donne des ordres et la guerre obéit
L'argent crache et hurle ses discours synthétiques
Aux micros chambranlants des pays à l'écoute
Quelle charade métallique au tympan des enfants
Ah que j'aime la chanson
Que mon père chantait
Sur son âme faite au couteau

Dieu-argent
(Jean-Paul Filion) (1960)

Le premier mouvement des chansonniers procédait d'un idéal sincère mais quelque peu abstrait, plongé dans un traditionalisme qui tentait d'humaniser le chaos. Et comme les chansons livrent des visions du monde, les premières chansons québécoises ont été souvent rattachées au message pastoral de l'Église.

Les chansonniers ont eu beaucoup de difficultés à nier leur côté paroissial car, dans les années 1960, leurs chansons s'intégraient naturellement aux mouvements de jeunesse, dont le plus répandu était celui de la Jeunesse étudiante catholique (JEC). Germaine Dugas, Hervé Brousseau, en leurs temps, en étaient les têtes d'affiche.

S'il est vrai que la vie sourit aux audacieux
Allons suis-moi et ne sois pas si orgueilleux
La vie t'attend t'ouvre les bras
Ne vois-tu pas, là-bas, là-bas
Viens avec moi et tu verras
Parce qu'il ne faut jamais se contenter de peu
Car un peu ce n'est pas assez, crois-moi mon vieux
La vie t'attend...

Viens avec moi
(Germaine Dugas) (1959)

Mets ton chapeau
De rêve et de conquête
Et prends le bras
De ton pire ennemi
Mais n'oublie pas
De ranger dans ta tête
Et tes projets
Et ta boîte à outils

Rêve et conquête
(Hervé Brousseau)
(1961)

Nos premiers chansonniers exprimaient leurs préoccupations personnelles, leurs instants d'émotion, leurs rêves, leur vie. Pierre Létourneau affirmera que s'il manque une soirée de chansons il «manque une partie de sa vie[16]». Cet engagement apparemment apolitique n'en dégage pas moins une signification collective même s'il est perçu comme un engagement humain: «Si la chanson est la vie qui s'exprime, je veux exprimer beaucoup plus des sentiments que des idées face à une société mouvante[17].»

Ici, l'engagement suppose d'abord une recherche et une réflexion personnelles éclairées par les textes de chansons des chansonniers. «J'écris des chansons, déclarait déjà Claude Gauthier, pour qu'un jour il n'y ait plus de chansons de guerre.» Il dira qu'il chante des plaidoyers:

> «J'ai fini par voir au-delà de mon village et de moi-même, puis au-delà du pays québécois et des Québécois... J'ai compris à un moment donné, non petit à petit, que les injustices qui se commettent à cinq mille milles d'ici méritent d'être dénoncées... que tous les hommes sont mes frères et que je suis le gardien de tous mes frères... Je suis un peu messianique[18].»

16. Cité par Michel Dupuis, dans *Chanson d'hier et d'aujourd'hui*, dossier de travail, Québec, Département d'études canadiennes, Université Laval, 1968, vol. 2, p. 305.

17. *Ibid.*, p. 306.

18. Claude Gauthier, *La Presse*, 19 juin 1969, p. 13.

Les chansonniers ont chanté pour l'établissement d'une plus grande justice, voire d'une plus grande beauté. Leurs chansons ont couvert un éventail de thèmes à l'image militante du jéciste des années 1960:

Tous ensemble et bien fort
Faisons le dernier sermon
Jurons à vie à mort
D'être des bons enfants
Je m'engage, je m'engage
À être fier de notre drapeau blanc
À faire ce qu'on peut...

Je m'engage
(Monique Miville-Deschênes)
(1963)

La part de l'engagement, que chante ici Miville-Deschênes, c'est celle du cœur et de l'apostolat. L'absolu est demeuré un thème privilégié à une époque de plus en plus désacralisante. L'homme, aujourd'hui, découvre le sens du sacré par d'autres voies qui, en plus de n'être plus rationnelles, répondent de ses propres aspirations. Mais cette voix de la chanson qui s'entend, s'écoute aussi. Vivant de nous-mêmes comme de nos mythes, l'adéquation entre le texte et la réalité reste ardue.

La chanson moderne à thème spirituel trouve naturel de s'inspirer de la Bible en vue de donner un sens au quotidien. Elle correspond, à cet effet, à la tradition du *negro-spiritual* qui, à l'origine, était une réaction spontanée de l'auditoire accompagnant la proclamation de la parole de Dieu. Comme la chanson française, évoquant cette ligne féconde de la chanson américaine, la chanson québécoise des années 1960 allait, à sa façon, acquérir une haute dimension spirituelle sans toutefois qu'elle s'identifiât expressément à la chanson d'inspiration religieuse. C'est la notion d'engagement qui allait amener les premières interrogations: Le confort nous amollit, pourquoi être matérialistes?; Que faisons-nous pour nos frères, les hommes?; etc. Les premières chansons de Tex Lecor sont fort représentatives de ce courant moral. Le questionnement social passe par le questionnement moral, l'engagement par la réflexion.

Dix dollars vaut une prière
Mille dollars un fossoyeur
Pas d'dollars pas d'cimetière
Crève en paix mon frère
Mais crève ailleurs
Ça, charité,
Qui m'écœure!
Qui m'écœure!

Ça m'écœure
(Tex) (1964)

Certaines chansons au ton pastoral appelaient une prise de conscience de l'injustice. Ainsi Tex, au début des années 1960, le «dernier des vrais» d'alors, ironise facilement sur une situation sociale dont la morale collective se résume à ces mots: «La loi du plus fort est toujours la meilleure.» À cette morale, Tex oppose une morale personnelle: «Ne fais pas aux autres ce que tu ne veux pas qu'on te fasse.» Dans *T'es-tu déjà d'mandé,* la préoccupation de Tex tourne autour de l'égoïsme humain auquel il rattache des faits descriptifs de la vie sociale. Tex présente pêle-mêle diverses attitudes qui se rattachent directement à la fausse représentation de la charité chrétienne dont notre société est imprégnée: la valorisation de soi au détriment d'autrui, l'exploitation par l'argent, la corruption électorale, l'égoïsme humain, la faim de l'orgueil.

Lui a d'l'argent
C't'un bon parti
Ça, c't'un mendiant
Ah ben ça, ma chère, c'est-ti maudit!
Fais 'a charité
Quand t'é r'gardé
Tends pas la main
Tu peux m'aider

T'es-tu déjà d'mandé
(Tex) (1964)

Hervé Brousseau a, lui aussi, commis des chansons prédicantes qui vont dans le même sens que les observations de Tex: l'artifice des sentiments conduit à l'artifice de la vie:

> Le fermier a deux fils
> Qui ne sont pas de lui
> Et la femme a des cuisses
> Qu'elle montre à ses amis
> Il se croit le seul homme
> À coucher dans son lit
> Mais l'honneur est sauvé
> Oui, l'honneur est sauvé
> [...]
> Dans tout ce branle-bas
> Un seul homme a le pas
> Qui n'est ni épicier
> Ni marchand ni fermier
> C'est le curé Duval du péché
> C'est au confessionnal
> Que l'honneur est sauvé

L'honneur est sauvé
(Hervé Brousseau)
(1959)

Brousseau comme Tex se prononçaient contre les formes sociales du pharisaïsme. Les premiers chansonniers étaient souvent perçus comme des bousilleurs de tabous. Indépendants d'opinion, leur anti-conformisme, voire leur anticléricalisme, prolongeaient une tradition libertaire de la chanson qui, par certains aspects, était plus française qu'américaine. Ainsi, au plan thématique, la chanson française des années 1960, celle des Brassens, Brel, Ferrat, Ferré, Vian, parle des mêmes problèmes: l'oppression, l'hypocrisie sociale des bourgeois, l'hypocrisie religieuse, l'injustice sociale, la condamnation de la guerre, la répression sexuelle, le conformisme, l'absence de fraternité, etc.

On a beau dire c'est pas not' lot
Faire respirer l'humanité
Quand on a vingt ans sur le dos
Y a pas d'espace à gaspiller.

Salut la Terre
(Monique
Miville-Deschênes) (1965)

Soumis à l'argent, chacun sa monnaie! L'homme déplace ses priorités. L'ère est au matérialisme.

Pas le temps de sauver les sapins
Les tracteurs vont passer demain
Des animaux vont périr
On n'a plus le temps de s'attendrir
L'avion le train l'auto
Les collèges les hôpitaux
Et de nouvelles maisons
Le progrès seul a raison

Fer et titane
(G. Vigneault) (1961)

Dès les premières chansons québécoises, les thèmes majeurs étaient l'antagonisme entre les riches et les pauvres, entre les patrons et les travailleurs, entre les privilégiés et les exploités. La critique de l'exploitation est constante autant que virulente. Chez le chansonnier, l'axe exploiteur/exploité est présent et domine sciemment toute espèce d'engagement politique ou social.

Qu'nos vedettes parlent parisien
Nos hommes d'affaires l'américain
Nos professeurs le latin
Nos députés jamais de rien
Qu'à l'étranger on s'cultivait
Mais chez nous on cultivait

On cultivait roches et gravelles
Avec monsieur l'curé Labelle

Je me souviens
(C. Gauthier) (1965)

Tout cela, la chanson en parlait en termes d'égoïsme. Plus messianique que politique, l'engagement de certains chansonniers constituait les premiers pas d'une contestation plus globale de la société.

Ce refus de l'égoïsme, la chanson de tous les temps et de tous les pays a largement contribué à le susciter. Au Québec, au début des années 1960, ce refus a pris des accents d'anticléricalisme. L'Église était attaquée en tant qu'entité politique réactionnaire. L'engluement du confort bourgeois est également un thème majeur de cette période sociale de remise en question. En effet, il y a un côté anarchisant dans les premières chansons québécoises.

Je veux sauter les ponts, les murs et les haut-bords
Je veux briser les rangs, les cadres et les fenêtres
Je veux mourir ma vie et non vivre ma mort
Je veux vivre en mon temps
Saboter les coutumes
Piller les conventions
Sabrer les règlements

Avant de m'assagir
(Jean-Pierre Ferland) (1965)

Ici, Ferland ne se contente pas de présenter en vrac une situation sociale quelconque. Il se trace plutôt un programme de vie qu'il veut le plus personnel possible. Programme, le terme n'est peut-être pas très exact pour qualifier l'élan vital de tout un être vers son idéal de vie. Et cet élan, cette poussée provoque un conflit intérieur inévitable entre sa conscience morale, ou plus explicitement tout le bagage de règles et d'interdits profondément installés dans son psychisme, et une profonde aspiration à un complet et très autonome épanouissement de sa personnalité.

Utiliser ses forces vitales, mettre le temps à sa portée s'opposent aux pressions d'une société hiérarchisée dont les cadres ne peuvent qu'être contraignants.

> Je ne veux pas survivre
> Je ne veux pas subir
> Je veux prendre mon temps
> Me trouver, m'affranchir
> Me tromper de bateau, de pays ou de port
> Et bien mourir ma vie et non vivre ma mort
> Avant ce coup de vieux
> Avant ce mauvais rhume
> Que tuera mes envies
> Et mes trente-deux dents
> Et si je le pouvais
> Je ferais mieux encore
> Je me dédoublerais pour vivre comme il faut
> Le jour pour ce qu'il est, la vie pour ce qu'elle vaut
>
> *Avant de m'assagir*
> (J.-P. Ferland) (1965)

Par cette chanson passe cette aspiration de la jeunesse de toujours, aspiration à la liberté totale, à la possibilité d'expérimenter les interdits comme des fruits défendus. L'exercice de la liberté reste fondamentalement un désir impérieux de s'affranchir. De plus, Ferland, dans sa chanson, veut vivre uniquement en conformité avec lui-même, même si pour cela, il doit affronter l'inéluctable réalité sociale au prix d'une position prise contre toute discipline morale, personnelle ou sociale. Il veut tout révolutionner, tout «troubler». L'anarchisme de Ferland est dû à sa révolte. Tel l'adolescent, en se plaçant en situation de rupture, il se construit une personnalité. Le chansonnier s'affirme en s'opposant. Il établit ses propres références morales. En termes psychanalytiques, il assassine son père, c'est-à-dire qu'il détruit son surmoi. Sa chanson est une réponse intuitive à son cri libertaire. *Avant de m'assagir* est de cette lignée de pensée qui veut mettre en miettes le carcan éthique de l'autorité. Comment vivre avec ce que je suis? n'est-ce pas là, sous-jacente, l'idée de la révolution tranquille?

L'éveil d'une conscience identitaire

Historiquement, il n'y a jamais eu de Canadiens, il n'y a eu que des *British North Americans* (BNA's) qui se sont toujours définis par la négative en se distinguant des Canadiens (devenus des Québécois). Or:

> «Comme les véritables Canadiens continuèrent, quant à eux, à se désigner comme tels, les BNA's les appelèrent alors *French Canadians*. Ce processus de transfert et d'appropriation fut jusqu'à tout récemment une réussite incontestée puisque les Canadiens en vinrent eux-mêmes à se distinguer, par aliénation mentale et linguistique, sous le vocable 'Canadien français', ce qui est là le plus pur des anglicismes[19].»

Le nom de Canadien français a servi longtemps de nom d'emprunt. Comme le note Denis Monière, tandis que les colons anglais devenaient des Américains, les colons français s'appliquaient à apprendre leur nouveau rôle de Bas-Canadiens, c'est-à-dire de Canadiens français.

Nous le savons, le Québec est l'expression politique du Canada français, et ce qu'il exprime ne peut être la synthèse du Canada unilingue anglais. Sous cet aspect, la chanson québécoise est un commentaire inédit de notre rapport à l'histoire. En fait, les chansonniers se sont aperçus que la notion d'identité québécoise, détachée de celle de l'identité canadienne, pouvait conserver son autonomie.

Avec les artistes et les intellectuels en général sont nés l'identité québécoise et son contraire: l'identité canadienne. Cela devient notoire: le Québécois n'a pas le même imaginaire que le Canadien — lire l'anglophone.

---

19. Jean Morisset. «Entre la terre perdue et la terre promise», *Le Devoir*, 9 mai 1980, p. 9.

Quand elle visite son domaine
Il nous faudrait saluer la reine
Mais sentant monter notre colère
J'arrête ici mes propos pervers
Car je devine déjà
Que vous serez bientôt
Dans un état
À ne plus supporter les drapeaux

Les drapeaux
(Pierre Létourneau) (1964)

Progressivement, le nationalisme des premiers chansonniers s'affirmera par la langue. Ainsi, à l'Île-du-Prince-Édouard, devant un public strictement anglais, Jean-Pierre Ferland a chanté en français: «Le nationalisme pour moi, dit-il, c'est cela! C'est m'affirmer, prouver aux Anglais que j'existe, que je fais quelque chose, que j'ai quelque chose à dire et que je le fais et le dis mieux qu'eux[20].» C'était en 1966, lors de sa tournée dans les provinces maritimes. Nombre de chanteurs, et parmi les plus farouchement québécois (Vigneault, Charlebois, Julien), se sont produits devant les anglophones. Pour eux, cependant, il ne pouvait (et ne peut) y avoir de perspective foncièrement canadienne. L'autre, c'est l'Anglais.

Le grand six pieds a peut-être donné le coup d'envoi au nationalisme dans la chanson en introduisant la présence de l'Anglais. Et même si son engagement, comme il le dit lui-même, était plus social que nationaliste, ce qui fut un tournant idéologique pour la chanson québécoise, c'est qu'avec cette chanson de Claude Gauthier, il y eut une prise de conscience de la force canadienne-française. Et la colère de Bozo a suivi. Depuis, pour taper sur les Anglais, chaque génération[21] n'a-t-elle pas inventé son *Grand six pieds*?

---

20. Jacqueline Boucher. *Jean-Pierre Ferland jaune ou...*, Montréal, Productions Pierre Jobin, 1971, p. 5.

21. Cette idée que «c'est la faute aux Anglais» rejoint l'argument majeur des manifestes québécois:

Mais son patron, une tête anglaise
Une tête carrée entre parenthèses
Et malhonnête
Mesurait l'bois du grand six pieds
Rien qu'à l'œil, un œil fermé
Y était pas bête
Mais l'grand six pieds l'avait à l'œil
Et lui préparait son cercueil
En épinette

Le grand six pieds
(C. Gauthier) (1960)

Au Québec, socialement et politiquement, la notion de privilège est liée à la présence anglaise et se rattache évidemment à la notion de profit. La puissance occupante, c'est celle des Anglais. Et si on a tenté de nous priver de notre langue, c'est que nous étions dans une situation coloniale qui nous éliminait du pouvoir. Comme l'a très souvent répété Albert Memmi, la notion de privilège est au cœur de la relation coloniale et touche de près à l'aspect économique de la colonisation. La chanson n'a pas révélé ce seul trait. Elle a également — ce n'est pas moins fondamental — fait comprendre qu'en étant l'autre, on n'est personne.

«Le plus étonnant cependant ne réside pas tant dans la survivance à travers les années de cette omniprésence de l'anglais, mais plutôt dans la redécouverte que ne cesse d'en faire chaque génération de Canadiens français et finalement de Québécois. À trente ans d'intervalle, soit 1790, 1837, 1890, 1925, et 1960, on se découvre un anglais qui devient immédiatement la cause de la situation d'infériorité économique et politique du groupe. En termes plus clairs: 'C'est la faute aux Anglais'. L'Anglais n'est-il pas, à travers les manifestes québécois, cet 'Autre' qui permet de définir le nous?»

(Diane Poliquin-Bourassa et Daniel Latouche, «Les manifestes politiques québécois: médium ou message», dans *Le Manifeste poétique/politique*, PUM, Études françaises, octobre 1979, p. 38.)

Si je suis évolué
Je n'ai pas encore trouvé
Ni ma personnalité
Ni ma nationalité

Identité
(Jacqueline Lemay)
(1966)

Impasse? Vulnérabilité? Résistance? À mesure que cette pénétration progressive des consciences se faisait, les traits d'une identité spécifique et positive voyaient le jour.

Qu'est-ce que je suis
Je suis un Canadien français moyen
Je suis bien comme ça
Si tu me prends par les sentiments
Tu m'auras à tous coups
Si tu me prends par la force
Tu ne m'auras pas

Le Canadien français moyen
(J.-P. Ferland) (non daté)

Mais prenez bien garde nos maîtres
Et l'exemple s'est vu chez nous
Le peuple comme ses ancêtres
Peut se lasser d'être à genoux
On sent que partout l'esprit bouge
48 a des rejetons
Et dans tout ce noir on voit rouge
Les Canayens y-z-ont ça d'bon!

Les Canayens
y-z-ont ça d'bon!
(Ernest Tremblay/
R. Charlebois) (1965)

Ce poème d'Ernest Tremblay, d'inspiration socialiste, a séduit Robert Charlebois qui l'a mis en musique et il annonce cette résistance devenue légendaire qu'ont reprise, au plan thématique, nombre de chansonniers. Ceux-ci, au fil de leurs chansons, sont devenus les messagers les plus populaires du mouvement identitaire québécois. Ils ont fait revenir la chanson à ce qu'elle était à la naissance d'une situation coloniale, c'est-à-dire une chanson qui maintenait à vif la mémoire collective.

> Je suis de nationalité canadienne-française (1960)
> Je suis de nationalité québécoise-française (1965)
> Je suis de nationalité québécoise (1970)[22]
>
> *Le grand six pieds*
> (C. Gauthier) (1960)

Cesser de vivre en pseudonyme, pour reprendre Vigneault. La substitution du mot «canadien» est significative d'une attitude nouvelle. Une nouvelle fierté d'être québécois apparaissait. «Le Québec aux Québécois», disait plus tard le slogan.

Nous sommes tous devenus québécois. C'est là une conquête irréversible. La chanson québécoise a fait valoir la différence, *spoken here* comme dirait le personnage de Godbout, François Galarneau. L'incontestable changement de vocable a sa signification politique. Il nous évite, au moins dans notre corps, de nous sentir minoritaire. Il nous force à adopter le comportement du majoritaire dont la mentalité est celle du conquérant souverain. Passer de canadien à québécois, c'est-à-dire de l'état de minorité à celui de majorité, c'est transformer notre nationalisme défensif et abstrait en un nationalisme ouvert et concret. L'identité, elle se conçoit à partir d'une vision se référant à la réalité globale.

22. Claude Gauthier. *Le Plus Beau Voyage*, Montréal, Éditions Leméac, 1975, coll. Mon pays, mes chansons, p. 41.

Je suis né d'un grand malaise
On pourrait dire d'un froid
Entre les gloires anglaises
Et celles du pays français
Ah ah ah depuis ce temps-là, depuis ce temps-là
Ah ah ah je suis un Québécois errant au Canada

Le Québécois
(J. Lemay) (1970)

La chanson québécoise a remis une substance à notre identité: elle nous a fait découvrir de nouveaux rôles dont celui de rester conscients, dont celui de combattre notre colonialisme culturel entre autres. La question nationale, tant qu'elle ne sera pas réglée, aura, comme première tâche, une tâche de résistance. La chanson québécoise nous a entraînés à soutenir notre caractère québécois jusqu'à la compétition. La chanson québécoise a témoigné d'une libre appropriation de soi. Elle a remporté l'adhésion intérieure de chacun. On a souvent dit que la chanson québécoise des années 1960 était un discours de jeunesse. Or, celle-ci s'apprête à découvrir le visage réel du Québec pour affirmer ce qu'elle est maintenant devenue et ce qu'elle sera, ce qu'elle veut être surtout.

> «Vigneault est arrivé, il avait une tâche à accomplir: rendre aux Québécois leur identité nationale, leur restituer des ancêtres honorables, leur apprendre qu'ils étaient admirables, dignes d'être aimés, qu'ils formaient un vrai peuple, courageux, patient, tenace, dont l'existence même était un hommage rendu à la poésie[23].»

La chanson québécoise reflète la partie consciente du changement identitaire qui s'opère et qui a pour cadre sociopolitique la révolution tranquille. Dès ses débuts, notre chanson référait à l'histoire ayant fondé notre identité collective qui ne demandait qu'à s'exprimer.

Au départ, d'aucuns l'ont souligné, notre identité s'est définie par une privation. Cette privation trouve ses causes dans la structure politique du fédéralisme:

23. Lucien Rioux. *Gilles Vigneault*, Paris, Seghers, 1969, p. 19.

«Les francophones à travers leur histoire ont toujours eu un problème d'identité. Leur sentiment d'appartenance à une communauté nationale a été incertain, d'où les nombreuses variations dans leur autodéfinition: Canayens, Canadiens français, Québécois. Cette appartenance ambiguë s'est traduite par deux formes de nationalisme qui se sont côtoyées et entremêlées, l'un plus canadien, l'autre plus québécois. Cette ambivalence chronique de notre sens de la communauté reflète notre statut de nation minoritaire et notre volonté d'affirmation collective à l'intérieur d'une structure politique que nous ne contrôlons pas et dont nous dépendons[24].»

C'est au fond le même drame personnel, et partant le même drame collectif, les mêmes inquiétudes: il faut survivre, batailler, se défendre.

Ici l'on se bagarre
Depuis trois cents ans
Déportations
Grand-mère
N'avez-vous rien dit?
Je sais que la vie d'antan
N'était pas bien rose!
Faut croire que les enfants
Ça réclame autre chose
Autre chose que des canons
Liberté de presse
Autre chose que des canons
Liberté française
Autre chose que des canons
Liberté chez soi
Autre chose que des canons
C'est fini les rois

Les patriotes
(C. Léveillée) (1964)

24. Denis Monière. «Deux discours pour le choix d'un pays», dans *Un pays incertain*, Montréal, Québec-Amérique, 1980, p. 92.

En même temps, d'un même souffle, son caractère national se déploie avec ampleur, révélant des traits suffisamment particularisés qui permettent de le distinguer des autres. Car ce qu'il faut entendre par conscience collective, c'est cette espèce de prise de possession de l'image que l'on se fait du «nous». Une culture nationale est constituée de forces affectives qui modèlent un sentiment d'appartenance et de continuité. C'est de ça qu'est faite une identité. C'est cela qui intéresse Claude Gauthier: la ténacité de la race québécoise, c'est-à-dire cette question du milieu d'origine. L'homme québécois, par la chanson, commence à reconnaître sa propre valeur, sa propre noblesse. La motivation politique, pour Tex, c'est la redécouverte de son histoire collective, où prend source son anticléricalisme.

> «La fausse histoire. Mais j'ai découvert la vraie maintenant. Heureusement cela commence à sortir dans les livres, un peu partout actuellement. Cela m'avait révolté. C'est pour cela que je suis séparatiste, un vrai, avec de bonnes raisons[25].»

Poussé donc par les interrogations personnelles de nos chansonniers, le peuple prend conscience de ses difficultés économiques, sociales et politiques. Il découvre par elles combien les structures de la société dans laquelle il évolue sont inadéquates. Le chansonnier tente d'établir une continuité. La chanson québécoise a toujours stimulé l'éveil de la conscience des gens, d'où l'importance du phénomène social et culturel qu'elle constitue. Mais cette continuité est en relation avec d'autres identités. En effet, les chansonniers ont parlé d'un horizon québécois accompagné d'un pluralisme québécois. Stéphane Venne, dans *Quand chez toi sera vraiment chez toi* que chante Renée Claude, expose le problème de l'appartenance quand, au même carrefour interculturel, s'affirment différentes identités: Cuba, Viêt-nam, États-Unis, Québec. Il y a, dans cette chanson, une dimension profondément politique, comme dans cette autre chanson de Venne:

---

25. Monique Bernard. *Ceux de chez nous: auteurs-compositeurs*, Montréal, Éditions Agence de Presse artistique enrg., 1969, p. 24.

Tu es noire, qu'est-ce que tu fais dans ce pays
Tu es noire, c'est bien trop froid pour toi ici
Tu es noire, ne te l'a-t-on pas assez dit
Tu es noire, noire, noire...

Tu es noire
(Stéphane Venne) (1966)

À propos de cette dernière chanson, la poétesse Michèle Lalonde constate ce rapport colonial:

> «C'est une chanson que je qualifie de nationaliste et qui pourtant n'a rien à voir avec les mouvements pour l'indépendance. Mais elle s'inspire d'une profonde intuition de l'identité d'un être et de son paysage et aussi, elle renverse en la projetant amoureusement sur autrui, une sensibilité de colonisé[26].»

Il n'y a donc pas que l'impérialisme économique; il y a l'impérialisme blanc. On le sait, aux États-Unis, les chansons d'actualité blanche se ferment aux problèmes des Noirs. Mais ici, quand Ferland fait la description des ghettos noirs de Harlem ou de Chicago, cela peut nous sembler bien loin de notre réalité.

Et les filles aux lèvres opaques
Se défrisent un peu
Pour un Blanc de Syracuse
Ou de Seabring
Qu'elles n'auront jamais.

Les négresses
(J.-P. Ferland) (1967)

Dans *La peau noire* de Jacques Blanchet, cette réalité sociale est traitée avec beaucoup d'intelligence et de sensibilité. Nous partageons avec bien des humains d'autres latitudes les problèmes comme celui des amours interraciales:

26. Michèle Lalonde. *Liberté*, juillet-août 1966, vol. 8, nº 4, p. 15.

Et si le monde blême
Veut blâmer nos amours
Ta peau valant la sienne
Je crierai en plein jour
Que j'ai vu ta peau rose
Dans le creux de ces mains
Où les miennes se posent
Liant mon cœur au tien.

La peau noire
(Jacques Blanchet)
(1965)

De telles chansons ne sont pas sans rappeler qu'il y a une histoire du racisme au Québec. Vigneault est explicite:

«Jacques Monoloy, c'est un personnage réel, mais c'est surtout une réalité, si je peux employer ce pléonasme; réel, c'est-à-dire qu'il y a là, comme partout ailleurs dans le monde, tous les éléments de l'humanité, toutes les qualités et tous les défauts. Eh bien chez nous aussi, il y a du racisme, un racisme qui ne s'exprime pas de la même façon qu'au Viêt-nam ou qu'en Alabama, mais un racisme très ancré[27].»

Jack Monoloy aimait une Blanche
Jack Monoloy était indien
Il la voyait tous les dimanches
Mais les parents n'en savaient rien
[...]
Jack Monoloy est à sa peine
La Mariouche est au couvent
[...]
Depuis que Monoloy a sacré le camp
[...]
La Mariouche est pour un Blanc

Jack Monoloy
(Gilles Vigneault) (1961)

27. *Fernand Seguin rencontre Gilles Vigneault*, Montréal, Éditions Radio-Canada/Éditions de l'Homme, 1968, p. 25. (Coll. Le Sel de la semaine.)

L'autre identité reste une dimension constitutive de l'identité québécoise. C'est pourquoi la différence ne doit pas se réduire en un foyer de résistance. Il faut cesser de croire à notre identité comme une universalité abstraite, hors l'histoire, ce qui n'empêche pas de placer notre identité sous le triple signe de la fidélité, de la reconnaissance et de l'aventure collectives. Des chansons de Vigneault, par exemple, établissent des liens de sang qui sont un véritable acte d'amour avec les gens.

Est-ce vous que j'appelle
Ou vous qui m'appelez
Langage de mon père
Et patois dix-septième
Vous me faites voyage
Mal et mélancolie
Vous me faites plaisir
Et sagesse et folie
Il n'est coin de la terre
Où je ne vous entende
Il n'est coin de ma vie
À l'abri de vos bruits
Il n'est chanson de moi
Qui ne soit toute faite
Avec vos mots vos pas
Avec votre musique

Les gens de mon pays
(G. Vigneault) (1965)

Cette chanson est peut-être la plus profonde entreprise de la parole, dont le mérite particulier est de rejoindre tous les Québécois. Elle suppose une redéfinition et, par sa valeur d'exemplarité, donne du poids aux thèses libératrices et décolonisatrices, lui conférant du même souffle un caractère révolutionnaire. Encore aujourd'hui, la chanson québécoise réorganise et recommence, ailleurs et autrement, la culture française dont nous sommes les tenants. Car notre chanson situe la communauté des êtres et des lieux dans un temps et un espace enfin reconsidérés.

Si nous voulons former un maillon de la chaîne
Non rien ne peut plus nous retenir
La plus belle aventure est d'aller au bout de nous-mêmes
Dans le grand mouvement de tous les peuples de la terre
Notre tour est venu de dire aux autres notre nom
Le moment est venu de décider qui nous serons

Ma patrie
(Luc Plamondon) (1972)[28]

Et cette Amérique chante en québécois[29]

La langue est un des points saillants du mouvement de contestation au Québec et constitue le noyau autour duquel gravite ce qu'il conviendrait d'appeler le parti culturel: artistes, intellectuels, romanciers, dramaturges, poètes, chansonniers. Il s'est agi pour eux de mettre la conscience à vif en décapant l'histoire, mais aussi d'amener cette conscience à maturité.

Or, la fin des années 1950 a indiqué un glissement de la culture française. Un renouveau passionnant mais d'une extrême lenteur, comme un choc culturel à rebours, s'est imposé. Il a fallu réapprendre à parler de soi. Les Québécois ont mis beaucoup de temps à comprendre cette exigence.

Que la chanson québécoise soit apparue dans ce contexte de changement social prouve bien qu'elle devait posséder un caractère de nécessité. Là-dessus, Gilles Vigneault est

28. Cette chanson, peu connue, est interprétée par Monique Leyrac. Inspirée d'un texte du même titre (d'après la Moldeau), Luc Plamondon en a fait une adaptation. (Disque: *Monique Leyrac 1678-1972*, nº ZOX6003.)

29. Cette partie reprend, pour l'essentiel, une communication qui portait le titre «Qui chante pour qui?» et qui avait été donnée dans le cadre du congrès Langue et société au Québec tenu en 1982. On peut trouver ce texte chez l'Éditeur officiel du Québec qui a publié les actes du congrès: *Les œuvres de création et le français*, 1984, tome 3, p. 37-52.

explicite: «Six millions d'individus parlant presque français en Amérique sont par eux-mêmes une anarchie qui réclame qu'on le dise[30].» Il y a qu'au Québec, la langue ne cesse de faire allusion à la question nationale. En même temps que le roman ou le théâtre, la chanson québécoise est devenue le lieu public d'un débat sur le langage pour, comme dit encore Vigneault, situer les choses de la même façon. Le peuple a besoin de son langage pour accéder à sa propre existence, même précaire. «C'était l'époque, écrit Robert Charlebois, où quand on prononçait le mot 'québécois' on avait les yeux ronds des enfants qui prononcent le mot 'cul' pour la première fois[31].»

> Toutes ces chansons préfabriquées
> Que personne n'a habitées
> Radotent les mêmes clichés
> Pour flatter la majorité
> En faussant son identité
>
> *Urgence*
> (Réjean Ducharme/
> Robert Charlebois) (1974)

L'écart entre la parole et la réalité reposait sur l'absence d'une identité collective spécifique assumée. À leurs débuts, Diane Dufresne et Pauline Julien s'efforçaient de parler un français correct et toutes deux se sentaient ridicules d'avoir un accent québécois. Quand Pauline Julien chantait *Bozo-les-culottes*, elle était incapable de dire «toué»:

> De peur qu'en aurait d'autres comme toué
> qu'auraient l'goût de r'commencer
>
> *Bozo-les-culottes*
> (Raymond Lévesque) (1964)

30. Marc Gagné. *Propos de Gilles Vigneault*, Montréal, Nouvelles Éditions de l'Arc, 1974, p. 26.

31. Préface de Robert Charlebois dans *Chansons*, de Marcel Sabourin, Montréal, VLB Éditeur, 1974, p. 12.

Elle aura mis deux ans à le prononcer. Cette anecdote est fort révélatrice d'une forme de découverte de sa propre spécificité, que trop souvent l'on se refusait de reconnaître. Mais cela vint. Voici qu'un petit peuple d'origine française vivant en Amérique du Nord — c'était la définition même des Canadiens français — décida de se rebaptiser québécois. Voilà comment notre chanson, qui a rendu compte de nous-mêmes en québécois, fut le premier véritable espace culturel de notre conscience collective.

Il reste que dans la chanson québécoise, la question nationale est étroitement liée, par son contraire, à l'américanisation du pays. La prise de conscience de notre identité n'a pu éviter de passer par le mode de vie américain. Je sais une chose, avait déjà dit Gilles Vigneault, que *Mon pays*, ce n'est pas une chanson américaine. «Je chante le Québec avec ses données sociologiques, démographiques et géographiques. — ...Appartenez-vous à l'*american way of life*? — Non. Pas à l'*american way of life*, mais à l'Amérique. C'est très différent![32]»

Le sociologue Guy Rocher reconnaît d'emblée que la culture québécoise est profondément inscrite dans la réalité américaine. Par elle, les premières valeurs de survivance et de résistance céderont aux dernières, plus actuelles, de la liberté, de l'affirmation du tempérament québécois. «Non, pas de doute, le Québec n'est pas l'Amérique, chante Charlebois. Il y a des ressemblances, des similitudes, il faudrait peu de choses pour que les différences disparaissent; mais voilà, les différences demeurent[33].» La chanson *Presqu'Amérique*, chanson-manifeste, pose à juste titre l'acuité de toute la dimension politique à travers les contradictions permanentes:

> Et pouvoir tout nu crier à la terre
> Qu'on n'est ni de France ni d'Angleterre
> Et que nos Indiens travaillent
> En usine ou dans les mines
> Un pouce et demi en haut des États-Unis

32. Marc Gagné. *Propos de Gilles Vigneault*, p. 93 et p. 89.

33. Lucien Rioux. *Robert Charlebois*, Paris, Seghers, 1973, p. 21.

Quand je reviendrai par l'autre chemin
Vous serez anglais ou américains
Ou vous serez morts pour deux pas de folklore
Et quelques promesses d'or
Un pouce et demi en haut des États-Unis

Presqu'Amérique
(Robert Charlebois) (1967)

Ne pouvant tout simplement pas s'inscrire en dehors de son temps et de son lieu, l'abandon d'une langue littéraire réelle caractérisée par l'arrivée, dans la chanson québécoise, d'une langue populaire, moderne autant qu'urbaine, est vue par les uns comme une dérive et par les autres comme une libération. Ce phénomène a rejoint un courant culturel plus prononcé qu'a, par exemple, symbolisé la thèse de *Parti Pris*: le joual, c'est une libération publique, la première car la parole est à tous, ce que ne peut être la langue littéraire.

Avec *Le Cassé* de Jacques Renaud (roman), *Les Belles-Sœurs* de Michel Tremblay (théâtre) et *L'Osstidcho* de Robert Charlebois (chanson), les créateurs québécois auront, selon certains, glorifié, en le transcrivant, un langage fait d'élisions, de simplifications, de relâchements syntaxiques et grammaticaux, de consonnes escamotées; le sens des mots est trahi. On est devant un langage truffé d'anglicismes, d'archaïsmes, de barbarismes, de sacres, de diphtongaisons, un langage dont la prononciation reste négligée et le vocabulaire réduit. Il y a pourtant dans le parler joual des faits de langage qui attestent le caractère historique, sociologique ou géographique d'une variété linguistique précise: celle appartenant à la langue populaire. De plus, les réalisations phoniques du joual, par exemple, même si elles ne respectent pas les catégories grammaticales, appartiennent au système phonétique de la langue française. Et même si *L'Osstidcho* a volontairement perturbé les convenances syntaxiques, nombre d'analystes n'ont pas su voir dans ce spectacle collectif la crise et de la chanson et de la société. Certes, ce spectacle n'est pas venu seul, il est inséré, comme à l'époque les *Belles-Sœurs* ou *Le Cassé*, dans un contexte culturel et social soutenu de discours pluralistes et multiples. La chanson québécoise est apparue à une époque de rupture: elle est contemporaine des grands bouleversements sociaux qu'a amenés la révolution tranquille. Quant à lui, *L'Osstidcho* a mis la chanson d'ici en relation avec l'histoire de celle-ci et aussi, peut-on le penser, avec l'histoire de certains concepts liés à leur évolution: concepts littéraires, linguistiques et musicaux. La chanson ne fait plus l'unanimité.

> Chaqu'fois qu'tu m'dis je t'aime
> Ch'trouv' don qu'ça fait kétaine
> Moué ch'trouve ç'a beau être vrai
> Moué ch'trouve qu'çé trop français
>
> T'a beau m'dire que çé normal
> M'jurer que çé pas du joual
> Comme langue sentimentale
> Moué ch'trouve qu'ça fait local
>
> Y m'semble qu'un *I love you*
> C't'un bag tell'ment plus doux
> Qui m'rouve lé-deux z-oreilles
> Sus l'*beat* universel
>
> *L'Américaine*
> (Pauline Julien) (1974)

Ce qui fut perçu comme un excès de langage dans *L'Osstidcho* (perçu aussi comme une provocation) et des chansons qui suivirent (celles du capitaine Nô, de Plume, d'Aut'Chose), c'est d'abord la manière de traiter le texte poétique. L'on rompait avec les normes de la chanson dite à texte. Le changement mis en évidence est essentiellement linguistique et musical. En fait, ces chanteurs donnent à voir ce changement sans avoir recours à d'autres moyens que ceux de la chanson et du spectacle. Leurs chansons expriment de la manière la plus directe le changement qui s'opère sur le plan de l'écriture et de la musique. Leurs chansons annoncent mieux que n'importe quel commentaire métalinguistique les chansons futures, celles, par exemple, des groupes québécois: Beau Dommage, Harmonium, Les Séguin, Jim et Bertrand, sans oublier Octobre et Offenbach. Cette chanson désigne, avec les moyens les plus appropriés, ce qui fait basculer les paroles et la musique dans une autre époque, un autre style. Robert-Guy Scully avait déjà noté cette exigence: «Les paroles de nos chansonniers sont également intéressantes: mais le propre de la chanson bourgeoise, c'est de faire passer les paroles d'abord et ce n'est pas de ce bois que l'on bâtit un art populaire durable, en Amérique du Nord[34].»

Le linéarité des textes, la simplicité des paroles, la pauvreté du vocabulaire, l'imprécision des termes, la naïveté des idées, tout cela a créé, il faut bien le reconnaître, une espèce de conformisme du mal parler:

Aujourd'hui j'me décide
À chanter en joual
Je suis *cool*, je suis *cool*
Je suis *cool*

Je suis cool
(Gilles Valiquette) (1973)

J'savais pas quoi faire
avec c'maudite musique-là
Qui couraillait dans ma voix
J'y ai mis queq mots d'même
en mélangeant dans l'même l'plat
un p'tit peu d'bossa-mota avec

Bossa-mota
(Plume) (1974)

Le joual qu'on trouve dans nos chansons, pensera Doris Lussier, escamote la nuance, la précision. Il écrira que cette langue c'est «du franglais infect qui se parle dans la rue et dans les usines[35]». Vigneault lui-même considérait que le joual, c'est une mauvaise expérience que le français a vécue

34. Robert-Guy Scully, *Le Devoir*, 17 mai 1975, p. 9.

35. Doris Lussier. «Veut-on faire du Québec un pays indépendant pour le transformer en république du joual?», dans *L'Action nationale*, vol. LXV, nº 8, avril 1976.

au Québec: «Le joual est le résultat tangible de l'aliénation politique et commerciale d'une langue par une autre. Si c'est devenu la langue d'un grand nombre de gens de chez nous, c'est qu'il y avait un grand nombre de gens aliénés politiquement et commercialement par d'autres[36].»

La question était là: où commence et où s'arrête le joual? Quand Ferland écrit «ousque», écrit-il en joual? Et quand il écrit «poubelle», écrit-il en français ou en québécois? L'opportunité est là de confondre langue et chanson, langue et œuvre. Martinet, que cite Jean Marcel, dit ceci: «On aurait tort d'attribuer à la langue ce qui n'est qu'une réussite personnelle à partir de matériaux qui étaient à la disposition de tous. C'est l'œuvre qui est belle en son unicité, ce n'est pas la langue[37].» Dans cette logique, ce sont les chansons de Vigneault, Charlebois, Dufresne, qui sont belles et non la langue que chacun emploie.

Certes, la langue du joual est plus urbaine, plus dialectale. Par l'outrance de leur langage, certains chanteurs (Charlebois, Dufresne, Plume, Francœur) ont-ils compromis l'affirmation d'une identité distincte en Amérique du Nord? Ont-ils cessé le combat collectif de notre survivance? Mais est-ce que tout cela est la bonne question?

> À porte de mes chansons
> Chu le Elvis du Faubourg à m'lasse
> Chu pas icitte pour faire la piasse
>
> J'me force pas pour chanter en joual
> J'chante comme le monde parle
>
> *Ambulance Francœur*
> (Lucien Francœur) (1975)

Le Québec, commente Gilles Vigneault, c'est un langage toujours changeant. Et à travers toutes ces questions de langue, de langage, c'est le colonialisme culturel qui subit son

36. Gilles Vigneault, *Le Devoir*, 14 mai 1977, p. 20.

37. Jean Marcel. *Le Joual de Troie*, Montréal, Éditions du Jour, 1973, p. 212.

procès. L'histoire nous donne les points d'ancrage de ce procès: ailleurs qu'en Amérique, le français est une langue de prestige; en Louisiane, en Acadie, au Québec, le français fut perçu comme une langue de défaite. Notre langue nous identifiait comme vaincus. «Nous sommes intéressants, déclare Vigneault, à titre de symbole du cri de liberté poussé par l'Amérique, et, dans le sens exactement contraire, par les peuples qu'elle opprime[38].»

À sa manière, dans tous les milieux d'expression, le joual était devenu un instrument linguistique et culturel de combat. Il ne voulait que souligner que nous parlions une langue diminuée. Idéologiquement, le joual devait permettre l'expression viscérale de ceux qui n'ont jamais parlé. Dans la chanson, l'emploi systématique du joual a servi de forme à la composante qu'est le message. Chez Charlebois, par exemple, l'onomatopée règle le *beat* car les mots, en français correct, sont inaptes à remplir les exigences du rythme. Le joual lui sert de rythme comme le piano de musique. Depuis Charlebois, le son des mots importe davantage que le sens des mots. Bien sûr, il ne faut pas éliminer qu'il s'est agi, dans la chanson québécoise, d'un rejet grossier de la langue académique comme forme de domination et de contrainte.

Dans l'temps qu'faisais peur aux Français
D'autres qui trouvent que l'joual c'est ben laid
Pi qui chialent quand j'chante en anglais

Qué-Can Blues
(Robert Charlebois) (1974)

Quand tu viens près de môn côeur et me tôuche là
dans ma peau pôpôpôpôlitique
Quand tu dônnes môn côrps au Pig et me viôles
dans ma peau pôpôpôpôétique
dans ma peau quéquéquéquébécoise
je suis dans mes étatats désunis

Q-BEC my lôve
(R. Duguay)

38. Marc Gagné. *Propos de Gilles Vigneault*, p. 88.

Charlebois dira que c'est le propre de la chanson intéressante d'être politique comme elle est poétique sans en avoir l'air. En creusant, dans notre chanson, une tranchée à ce que Gérard Bergeron[39] appelle l'invasion américaine, Robert Charlebois fera une autre chanson nord-américaine qui, non seulement va renverser la notion du chansonnier, mais va provoquer (*L'Osstidcho* en sera à la fois le signe et le reflet) un renversement spectaculaire des valeurs.

La chanson québécoise nous a fait passer des images folkloriques aux images contemporaines. Robert Charlebois, pour un, identifie l'homme américain à l'homme de la ville. Or, dans ce sentiment américain qui nous habite, il y a la reconnaissance d'un dynamisme culturel présent dans la chanson, laquelle a intégré l'expérience intellectuelle à l'expérience quotidienne, c'est-à-dire cette opposition de la culture avec le quotidien.

> Parleront-ils français?
> parleront-ils chinois
> parleront anglais
> nos enfants québécois
> Parleront-ils terrien
> parleront-ils toujours
> parleront-ils martien
> nos enfants de l'amour
>
> *Dans l'île d'Orléans*
> (C. Gauthier) (1972)

> Je ne veux pas savoir pourquoi
> Pas plus loin qu'en mil neuf cent vingt
> Un bon million de Québécois
> Sont devenus américains
> Je ne veux pas savoir non plus
> Je l'imagine et c'est assez
> Pour quelle raison t'as jamais pu
> Terminer ton livre en français
>
> *Kérouac*
> (S. Lelièvre) (1978)

39. Sous le pseudonyme d'Alain Sylvain.

La chanson québécoise a instauré un territoire imaginaire de la parole qui, de française ou américaine, est devenue québécoise. L'identité originelle, trop longtemps occultée par l'occupant *canadian,* est désormais réappropriée par la parole. Depuis Charlebois, ce qui a changé, ce sont les conditions mêmes du langage. Le virage dans le sens du rythme a bouleversé les rapports entre la chanson d'inspiration folklorique et la chanson québécoise moderne. La première faisait de la langue populaire un usage usuel et fréquent alors que la deuxième voulait traduire un enracinement plus prononcé dans la réalité d'ici. L'évolution de la langue s'est donc inscrite dans la volonté des auteurs de chansons d'écrire ce que nous sommes comme nous sommes.

Depuis, le Québec a suivi le reste du monde et, peut-être, par son aspect linguistique, à une certaine époque, l'a-t-il devancé. Nos auteurs de chansons n'ont-ils pas été les premiers de toute la francophonie, malgré certaines maladresses, à faire du rock avec des paroles françaises? «Les inventions francophones d'un groupe comme Offenbach, écrit Pierre Voyer dans *Le Rock et le Rôle,* ont rejoint l'ensemble de la production rock et blues sans jamais altérer le noyau mythologique. Malgré certaines finesses comme *Câline de blues,* les textes rock en français sont généralement restés fidèles au canon esthétique d'un phénomène universel dont la langue est l'anglais[40].»

L'avènement du rock moderne a bouleversé certaines notions de la chanson traditionnelle. La musique rock entre dans le corps, la musique française passe par l'intellect. Beau Dommage, par exemple, a employé une langue populaire qui reflète une certaine jeunesse des quartiers de l'est de Montréal. Moins excessif qu'Aut'Chose, le contenu de leur langue est plutôt affectif, sans véritable souci d'intellectualisation. Chez d'autres, des textes et des mélodies simples ont servi d'indicateurs pour une recherche musicale qui dépasse la structure simple. Certaines pièces de certains groupes québécois, Harmonium par exemple, sont devenues des portes

40. Pierre Voyer. *Le Rock et le Rôle,* Montréal, Éditions Leméac, 1981, p. 119.

ouvertes à de longs développements musicaux. Avec une certaine distance, on voit mieux maintenant que leurs paroles, au détriment du texte, ont servi de fond sonore au rythme qui s'exprimait. Leurs paroles étaient sans exigences internes et leur efficacité dépendait de leur environnement musical contrairement au groupe Octobre dont la qualité des textes les rapprochait de l'écriture des premiers chansonniers. Heureusement, toutefois, les groupes québécois ne nous ont jamais ramenés à l'époque, pas si lointaine, du yéyé où des paroles insignifiantes voisinaient des rythmes écervelés commandés par la mode. Chez des groupes comme Beau Dommage, comme Les Séguin, comme Jim et Bertrand, on y constate un réel et long travail de poétisation des chansons pop. À l'inverse, il y aura chez Sylvain Lelièvre une actualisation plus moderne de sa musique combinée à une utilisation plus populaire de la langue de ses chansons.

> Prends pas ça mal, j'aime encore tes poèmes
> Mais c'est fini le trip des boîtes à chansons
> Faut penser gros pour détruire le système
> Pi les Anglais y'a rien à faire ils l'ont
> [...]
> Mon seul pays maintenant c'est la musique
> Pi la musique c'est les États-Unis
> Viens faire un tour avant d'être folklorique
> Tu verras ben si c'est vrai c'que j'dis
>
> *Lettre de Toronto*
> (Sylvain Lelièvre) (1978)

Bien sûr, on ne peut nier que les comportements linguistiques constituent aussi un des éléments de la conscience linguistique. On peut comprendre le Conseil de la langue de se demander quel impact peuvent avoir les habitudes linguistiques des jeunes francophones sur les jugements qu'ils portent quant à la situation linguistique du Québec et aux idéaux collectifs reliés à la sauvegarde de la culture française québécoise[41]. Ici, le point de vue du créateur, en l'occurrence Lucien Francœur, viendra éclairer nos positions. Pour notre rockeur montréalais, qui l'a toujours ressenti, le décalage social et culturel entre Montréal et l'ensemble de la province a déterminé sa démarche créatrice tant du côté de la poésie que de la chanson: «Dès le départ, j'ai voulu rendre compte de l'expérience qui avait été la mienne dans la réalité nord-américaine du rock'n'roll et des mille et une nuits montréalaises. J'ai vécu mon évolution créatrice dans les multiples expériences de l'éclatement rock et de l'errance urbaine. [...] J'avais préféré la thématique du continent à celle du pays, trouvant dans la première une mythologie fidèle à la réalité nord-américaine, celle d'un Québec moderne, montréalais plutôt que québécois, c'est-à-dire urbain plutôt que rural[42].»

Ce que dit Francœur, et avant lui Charlebois, c'est qu'une telle démarche n'a pas comme point de départ leur différence ontologique mais bien tout ce qui les relie à leur environnement. Les Québécois devront un jour se guérir d'être seulement différents. La spécificité de notre identité passe aussi par ce qui la compose dans ses ressemblances avec notre environnement culturel. La chanson a fait la preuve que nous n'avons rien perdu de notre différence.

La chanson québécoise a rendu concrète notre identité, habitués que nous étions à une culture abstraite, c'est-à-dire exclusivement française et rarement américaine. Pourtant, bien avant l'Exposition universelle de 1967, Stéphane Venne, alors chanteur, avait bien cerné l'impact moderne de la chanson québécoise: «Ça été notre moyen de pénétration des cultures étrangères.» Notre chanson ne peut plus être l'expression de nos survivances folkloriques sinon elle cesserait d'être culturelle, au sens vivant du terme. L'espace nord-américain fait désormais partie de notre conscience collective.

À cet égard, la chanson nous a donné l'exemple. Elle a conquis le terrain de son propre langage en assumant, à ce niveau, les démarches de ce processus historique de la chanson folklorique d'expression canadienne-française, la faisant

41. Édith Bédard et Daniel Monnier. *Conscience linguistique des jeunes Québécois*, dossiers du Conseil de la langue française, études et recherches, Québec, Éditeur officiel du Québec, 1981.

42. Lucien Francœur. *Arcade*, printemps 1982, nº 1, p. 22.

devenir tout simplement québécoise. N'ayant plus à nous demander qui nous sommes, pour reprendre Gaston Miron, nous explorons toutes les directions et tous les niveaux de langue de notre être au monde en québécois. La chanson nous a guéris de la gêne de ce que nous sommes. Elle a renouvelé notre langage. En fait, on refuse maintenant de parler une langue et d'en chanter une autre. En affirmant son langage, la chanson n'a pas seulement défendu des valeurs collectives, elle les a perfectionnées. Voilà ce qu'elle a permis: le réajustement de notre conscience devant une conscience plus large. Comme elle n'a plus à postuler son homogénéité, la chanson en français n'a plus à être un discours de légitimation. Au Québec, la langue qui se chante est la conscience de notre situation en Amérique du Nord. Elle hausse, à n'en plus douter, la singularité de notre parole à un dialogue universel. C'était avant le Référendum de mai 1980.

Éléments de conclusion

Au milieu des autres, la chanson nous a situés, enclenchant du même coup le processus de décolonisation qu'annonçaient implicitement l'anticléricalisme de Tex, la révolte de Ferland, la conscience de Lévesque, la parole de Vigneault. Le nationalisme clérical a fissuré — et ce fut là son effet — la double identité langue/religion. Le cléricalisme ne pouvant plus soutenir l'autoritarisme de l'État, la société éclatait de toutes parts: le nationalisme clérical se vidait de sa culture devant l'actualisation du présent. La chanson québécoise, depuis 1960, inspire des valeurs universelles dans une société précise et en mutation. En fait, le mouvement chansonnier a redonné un sens, tout en l'enrichissant, à la chanson populaire d'ici, désormais appelée québécoise.

Les chansonniers ont institué un climat de libre expression et, partant, de libre pensée, permettant de véhiculer un projet collectif dont la participation culturelle recouvre de près les structures de la participation sociale. Ne s'agissait-il pas une fois pour toutes de rétablir l'unité entre le pays et sa conscience?

> «Cette vision de la libération collective est concomitante à l'importance que cette époque accorde à la chanson en particulier. La quête d'enracinement qu'on trouve chez Gilles Vigneault, par exemple, n'est pas étrangère à cette manière de vivre l'émancipation que la revue (*Parti pris*) propose aux Québécois[43].»

> «À vrai dire, notre chanson aura été une sorte de catalyseur activant des réactions qui se faisaient attendre. Aussi nos chansonniers peuvent-ils être en quelque sorte considérés comme des agitateurs ou comme des libérateurs, selon l'œil avec lequel on les regarde. (C'est drôle un Québec qui bouge[44].)»

Les chansonniers, en liant besoin et désir, dans cette idée que l'on se fait du passé et de l'avenir, inscrivent dans le présent cet héritage reçu et transmis et que chacun porte comme une responsabilité collective. Du thème de la survivance des Canadiens français, on passe à celui plus affirmatif de la repossession de soi. Le constat d'une démission historique ne tient plus. Le programme se précise: lutter au grand jour pour le droit à l'histoire. Lutter au présent. Vigneault est explicite:

> «Voilà des travaux admirables et des preuves admirables de notre capacité d'être, de notre talent d'être, de notre vouloir et de notre envie d'être sur le monde. Je pense qu'il faut chanter ça aussi, mais sans jamais oublier de mentionner l'envers de la médaille et ce que ça a coûté dans tous les sens. Bien sûr, il y a une manière de ne pas se tromper, fort efficace et fort reconnue, c'est de ne pas être et de ne pas faire[45]...»

Par ailleurs, le nouvel éclairage qu'apportait Charlebois à la chanson québécoise pouvait nous faire comprendre collectivement que le système dans lequel nous étions avait

---

43. André J. Bélanger. «Le nationalisme au Québec», dans *Critère*, printemps 1980, nº 28, p. 56-57.

44. Pierre Jobin. «Québec se chante» dans *Relations*, décembre 1969, nº 344, p. 347.

45. Gilles Vigneault, *Actualité*, septembre 1979, p. 12.

fait de nous des êtres diminués. Depuis, toute la chanson chante notre mal d'être québécois. Car les mythes du langage folklorique et du français international ont été démasqués. Faire abstraction des origines géographiques ou culturelles, ou linguistiques, ce pourrait bien être une forme de colonialisme.

En combattant l'ordre normatif, les chansonniers ont combattu notre infériorité chronique[46]. Autre difficulté, précise Georges Dor:

> «Ici on demande aux gens un héroïsme unique, celui de s'identifier à la grande fraternité humaine sans passer par l'étape essentielle de la nation. Ah! les grands mythes de la fraternité humaine[47]...»

Le pays intérieur de Vigneault recoupe la notion même de l'identité, nommément l'identité québécoise. Le pays s'installe au foyer de la différence. Ce vouloir collectif est aussi politique dans la mesure même où le sens du mot «nation» n'est plus rattaché à sa spécificité ethnique, mais débouche sur une entité politique autonome.

Sorte de manifeste, la chanson se fait le promoteur d'une conscientisation qui mène à la prise en charge de l'individu par lui-même, d'une collectivité par elle-même. Il ne suffit pas de médicamenter les problèmes. Qu'il suffise de dire que les implications se retrouvent au niveau de l'économie et de la culture québécoises.

---

46. En dix ans, cette idée aura évolué. En 1976, au regard du problème de l'identité québécoise, Jim et Bertrand acceptent de regarder l'autre versant: celui du problème de l'anglophone québécois immergé dans un milieu francophone. S'il veut s'assimiler à la culture française, le problème reste entier, car très souvent, l'Anglais rencontre une résistance farouche. Pour le duo:

> «Ce problème est le contrepoids de l'affranchissement du Québécois. Problème qui demandait souvent une plus grande ouverture d'esprit de la part des Québécois nationalistes acharnés: il faudrait qu'on se rende compte que certains de nos soi-disant ennemis anglais voudraient se joindre à nous.»

(Jim et Bertrand, *Mainmise*, mai 1976, p. 14.)

47. Brigitte Morissette. «Flash sur Georges Dor, deux ans ont suffi pour créer ce nouveau Vigneault», *La Presse*, 22 janvier 1967, p. 62-63.

Les chansonniers, dont on a dit qu'ils étaient des philosophes sans théorie, ont proposé une vision du monde inséparable d'une appartenance à la réalité québécoise. Leurs chansons se réclament à la fois d'une identité et d'un pays singuliers. Les chansonniers n'ont cessé de nous parler de notre identité collective, c'est-à-dire de cette conscience que nous avons de former un groupe humain distinct.

On aura constaté, il ne faut pas voir là une contradiction, que dans la chanson-passeport par excellence de Gilles Vigneault, *Mon pays*, le mot «Québec» n'apparaît pas. Vigneault lui-même explique qu'il n'a jamais voulu arrêter ce pays à quelque frontière que ce fut. Sa chanson, comme *50 000 000 d'hommes* (R. Charlebois), *Trois milliards d'hommes* (Raymond Lévesque), ne réduit pas la totalité québécoise humaine ou nationale. Bien au contraire, elles témoignent d'une image singulière de cette totalité, qui n'est rien d'autre que l'universel. Ces chansons, et bien d'autres, situent l'état de la conscience nationale dans celui d'une conscience mondiale par la solidarité. Notre manière particulière de vivre les idées universelles, c'est ce qu'il faut apporter au monde.

CHAPITRE 5

Le droit au pays

> Le Québec est un pays divisé, excepté quand il chante.
>
> FÉLIX LECLERC

La conscience collective est une prise de possession de l'image qu'on se fait de notre nationalité. Dans la chanson québécoise, les gens se sont reconnus et, par elle, la conscience s'est réveillée et est devenue volonté collective. Nous n'ignorons pas que l'idéologie concerne le fonctionnement matériel de l'imaginaire et la production des codes: dans n'importe quelle société, c'est le code qui autorise les images et les concepts. Avec Fernand Dumont, «on pourrait dire que l'idéologie concerne ces conceptions que des collectivités se donnent de la situation historique où elles se trouvent et des objectifs qu'elles veulent y poursuivre[1]».

Les premières chansons ont proposé la patience historique. À les relire, le message est explicite: l'État national ne peut être que l'État du Québec. Le nationalisme a rejoint le discours des chansonniers devenus des revendicateurs de

1. Fernand Dumont. *Chantiers*, Montréal, HMH, 1973, p. 254.

pays. Ceux-ci, par ailleurs, ne sont pas apparus comme par enchantement. Leur apparition et celle des différents phénomènes culturels reflètent une mutation qui s'est effectuée au sein de la conscience populaire québécoise, dont le coup d'envoi pourrait remonter en 1948, l'année du *Refus Global*[2].

Il nous faut donc poser ici — c'est l'un des reflets de cette mutation — le problème de la chanson comme forme culturelle entretenant des rapports nouveaux et privilégiés avec le public. Car ce qui intéresse, à l'analyse, c'est bien de savoir si le chansonnier procède d'une subjectivité marginale ou s'il se donne pour fonction de formuler la force spécifique d'une parole collective. «Si la différence est minime entre un paysage et un autre, aurait dit Ralph Waldo Emerson, elle est considérable entre les spectateurs[3].» Il n'est pas exagéré de penser que dans le cours de cette mutation sociale, la voix des artistes, et principalement des chansonniers, s'est fait entendre de façon privilégiée. Non point que toute la chanson ait été engagée, mais chaque chanson continuait à jeter dans la bataille le poids d'une nouvelle identité. L'effervescence chansonnière concourait à cristalliser un nationalisme qui pourrait servir de base à un changement social réel.

La réponse massive que les gens ont accordée à la parole des chansonniers québécois donne un sens concret à la notion de pays. Nous le savons, le pays à découvrir constitua en 1960 le démarrage spontané et nécessaire du phénomène social de la chanson québécoise. Grâce aux chansonniers, les gens ont acquis la certitude d'une culture qui leur est propre. Comme on l'a vu, c'est moins autour des idées que des symboles qu'ils se sont réunis. Au-delà de l'expression culturelle qui est à la fois la conscience d'un individu et le reflet d'une collectivité proprement québécoise, l'évolution de la conscience politique chez nos chansonniers s'inscrit à l'inté-

2. La même année, le gouvernement du Québec adopta le fleurdelisé comme drapeau national.

3. Ralph Waldo Emerson, cité dans *Between Friends/Entre amis*, production de l'Office national du film du Canada, Service de la photographie, McClelland and Stewart Limited, Canada, 1976, p. 89.

rieur même d'une démarche consentie et vouée à la cause du Québec. Reprenons ces propos de Lysiane Gagnon tenus en 1966:

> «Ce n'est pas par hasard si la chanson devint rapidement le mode d'expression privilégié d'un peuple qui n'avait aucune prise sur la réalité la plus déterminante: celle du pouvoir politique et économique et qui était, globalement, aculturé[4].»

L'émergence d'une chanson québécoise indépendante, libérée de ses anciennes moutures, témoigne du refus de l'enlisement culturel autant que politique. Le danger était grand de faire dévier la revendication politique sur le seul plan culturel. Mais, de par sa situation coloniale de départ, la chanson québécoise portait le germe politique d'une signification collective. «Était-ce une coïncidence, se demande Jean Préfontaine, si le premier groupe canadien et, à notre connaissance, le premier groupe de Blancs réellement engagés dans le jazz libre, est composé de Canadiens français séparatistes, à tendance socialiste plus ou moins radicale selon les individus[5]?» Ici, le rapport est plus suggéré qu'analysé. Nous sommes en 1971. Un an après les événements d'Octobre. Souvent, ce sont les situations qui nous définissent le mieux. Lorsqu'une minorité culturelle, linguistique et économique prend conscience qu'elle est exploitée et que les moyens de contrôler son développement lui échappent, on ne se surprend pas qu'elle se pose des questions et qu'elle fasse des comparaisons.

Ainsi, pour Patrick Straram, le «cri du Québec fut analogue à celui de la négritude[6]». Pour lui, la chanson québécoise différencie nettement la communauté exploitée de l'ensemble où elle s'acharne à ne pas être assimilée. Ce besoin d'une politique comprise dans la dialectique historique, après

4. Lysiane Gagnon. «La chanson québécoise» dans *Liberté*, juillet-août 1966, n° 46, p. 36.

5. Jean Préfontaine. «Jazz libre: musique-action» dans *Musique du Kébek*, Montréal, Éditions du Jour, 1971, p. 164.

6. Patrick Straram, *Tea for one 2, Hypojazz* dans *Musique du Kébek*, Montréal, Éditions du Jour, 1971, p. 223.

trois cents ans de non-existence, se dessine par une prise de conscience de l'identité linguistique. Comme pour les Noirs d'Amérique, ségrégation raciale et ségrégation linguistique se joignent dans la nostalgie de l'être national.

> «Il est exact que, dans la mesure où les Québécois jouent le rôle de nègres du Canada, on ne doit pas s'étonner de la vivacité de leur chanson[7].»

L'analogie, malgré son manque de nuance, reste utile. Au Québec, dans les années 1965, l'argumentation n'était pas au début politique, mais culturelle. La renaissance folklorique aux États-Unis a mobilisé toute une faction de l'opinion à la faveur des revendications des Noirs. C'est au même moment, un peu avant les années 1965, que cette renaissance tourne au mouvement politique. Le *Soul*, dérivé du *rythm and blues*, développera une conscience orgueilleuse de la race qui sortira le noir de son autodéfense:

> Noir est le velours du ciel à minuit
> Noir si beau qu'il fait pleurer
> [...]
> Le noir est magnifique
> ne le vois-tu pas[8]?

La chanson québécoise, où se tient le plus clair de notre conscience, envisage la culture dans son milieu naturel, où géographie, histoire et institutions jouent un rôle bien particulier. Ainsi, notre chanson a confirmé que notre identité est

---

7. Jacques Vassal. *Folksong*, Paris, Albin Michel, 1971, p. 262.

8. Chanson citée par Marie-Hélène Fraïssé qui croit que c'est la conscience de leur identité raciale qui a fait naître, aux États-Unis, le mouvement noir.

> «D'une part, le nationalisme culturel basé sur la race; d'autre part, la perspective révolutionnaire *Black Panther* qui déborde le cadre strictement afro-américain. Les *Panthers* identifient leur combat aux luttes de classes internationales et aux mouvements de libération du Tiers-Monde.»

(Marie-Hélène Fraïssé. *Protest Song*, Paris, Seghers, 1973, p. 87 et p. 89.)

inassimilable, même si les événements politiques (Octobre 1970, élection du P.Q. en 1976, Référendum de 1980, réélection du P.Q. en 1981, la même année, le rapatriement de la Constitution) ont bouleversé les données habituelles de l'évolution de notre conscience collective.

Pourtant, l'analyse de l'évolution de cette conscience démontre des coïncidences idéologiques. «J'ai la même conviction politique que René Lévesque», confirme Gilles Vigneault[9]. L'orientation politique des chansonniers croise celle de certains politiciens. Certes, il y a eu l'assainissement politique avec «l'équipe du tonnerre» (Lesage-Lajoie-Lévesque), mais lorsque Pauline Julien, avec une force de conviction peu commune, a lancé, à la première Conférence de la francophonie qui se tenait à Niamey, en Afrique, son «Vive le Québec libre!», son cri faisait écho à une question vitale pour le Québec: qu'est-ce qu'une identité où langue et culture sont absentes? Qualifiée de «Pasionaria québécoise», l'interprète des Vigneault et Lévesque indiquait une voie que bien des chansonniers allaient prendre. Un rôle de porte-parole leur incombait désormais.

Pour Jean-Pierre Ferland, au début les chansonniers ont participé au renouveau du nationalisme de façon bien involontaire. Ce renouveau provenait, selon lui, d'une conjoncture historique particulière et non de quelques refrains. Le mot «chansonnier» était employé «au moment où le Québec avait besoin de s'identifier, de se personnaliser[10]». Claude Léveillée voit les choses d'un autre œil: «Quelqu'un, reconnaît-il, nous a déjà qualifiés de commandos de la chanson, et je trouve l'image fort exacte. Nous participions tous à un débarquement[11].» Au début de la chanson québécoise, le nationalisme tenait du discours secret, latent, mais susceptible

9. Gilles Vigneault. *Échos-Vedettes*, 19 avril 1969, p. 12.

10. Jean-Pierre Ferland, dans *Ceux de chez nous*, de Marie Bernard, coll. Auteurs-compositeurs, Éditions Agence de presse artistique enrg., 1969, p. 120.

11. Claude Léveillée, cité par Benoît L'Herbier, dans *La Chanson québécoise*, Montréal, Éditions de l'Homme, 1974, p. 107.

d'éclater au grand jour à n'importe quel moment. Par la chanson, l'identité et le pays font exister une conscience populaire proprement québécoise. Les premiers chansonniers ont tous chanté gratuitement aux galas du RIN en même temps qu'ils ont refusé de chanter devant la reine. On dira d'eux qu'ils participent très imprudemment aux différentes manifestations pour la reconnaissance de l'autodétermination du pays. Tout s'orientait vers cette intention globale d'un projet d'autodétermination. La chanson québécoise était ce par quoi se manifestait ouvertement la spécificité québécoise.

Parce que les chansonniers prennent de plus en plus parti, le nationalisme québécois est de plus en plus explicité. Les deux élections de 1969 et 1973 illustrent parfaitement cette dimension de leur engagement: «Je vais parler des élections comme tout chansonnier doit le faire», disait Tex lors de son passage à «Appelez-moi Lise[12]». À l'ouverture d'un local du Parti québécois (1972), les Séguin participent au spectacle «Québec chaud 2». Des vedettes établies vont accompagner René Lévesque en tournée politique: Tex, Doris Lussier, Stéphane Venne et Pauline Julien. Les spectacles au profit du Parti québécois vont rassembler les grands noms de la chanson québécoise: Gilles Vigneault, Georges Dor, Raymond Lévesque, Jean-Pierre Ferland, Pauline Julien, Claude Léveillée, Yvon Deschamps, Jacques Michel, Tex, Robert Charlebois et bien d'autres.

> «Quand Robert Charlebois revêtait sur scène le chandail de hockey tricolore des Canadiens, il affichait mine de rien son option politique. 'Je ne suis pas habitué de parler dans un *meeting* politique, disait-il en présence d'un candidat péquiste. Mon métier, c'est de faire de la musique et je m'en vais (le) pratiquer.' Et de souhaiter un joyeux anniversaire de naissance au jeune député sortant de Saint-Jacques en lui glissant une enveloppe contenant un chèque de mille dollars, enveloppe sur laquelle il avait griffonné: 'Moi aussi, j'ai le goût du Québec.'[13]»

12. Tex à «*Appelez-moi Lise*», 6 décembre 1973.

13. Robert Charlebois. *La Presse*, 24 octobre 1973, section A, p. 13.

Parler pour se comprendre: «faire comprendre au monde un projet de pays[14]». Et Georges Dor d'ajouter: «Je suis séparatiste. Je ne suis pas un activiste politique ou de quelque autre nature que ce soit, mais je suis profondément québécois[15].»

D'aucuns ont longtemps pensé que la chanson québécoise, en 1975, ressemblait étrangement à une vision poétique du programme du Parti québécois. Les deux d'ailleurs ne véhiculent-ils pas le droit à une langue et à un pays? «Si mes chansons ressemblent au programme du PQ, déclare Félix Leclerc, c'est peut- être parce que le PQ a un bon programme[16].»

En 1975, le nationalisme des libéraux est identifié à l'isolement culturel et politique. Le discours idéologique se précise: puisque majoritaires de façon culturelle, pourquoi ne pas devenir majeurs sur le plan politique d'abord, puis économique?

> «Écoutez ce que chantent nos chansonniers depuis quinze ans: le pays. Pour moi (Michel Cartier, fondateur des Feux-Follets), ils annoncent, sans l'ombre d'un doute, la victoire du Parti québécois. Je ne sais pas si ce sera cette fois-ci (le 15 novembre) ou dans quatre ans, mais c'est sûr: quand autant d'artistes chantent et disent une même chose, il n'y a pas d'erreur possible. Le Parti québécois prendra le pouvoir[17].»

Toujours est-il que lors des élections de 1976, sur 147 artistes qui se sont prononcés, 142 accordent leur faveur au Parti québécois[18]. Or, on se souviendra du 15 novembre 1976 qui suivit. Ce matin-là, certains journaux ont titré leur première page: «Les poètes sont au pouvoir.» Cette conviction a

14. Gilles Vigneault. *La Presse*, 6 septembre 1973, p. C-1.

15. Georges Dor. *Dimensions*, Digest Éclair, avril 1969, p. 37.

16. Félix Leclerc. *Le Soleil*, 2 août 1975, p. C-2.

17. Michel Cartier, cité par Denis Tremblay, *Le Dimanche*, 10 avril 1977, p. 8.

18. *Journal de Montréal*, supplément du samedi, 13 novembre 1976, p. 2.

trouvé son expression dans l'élection du Parti québécois mais elle n'avait jamais échappé à la parole des chansonniers, justement parce qu'ils ont imaginé un possible pensable. «Dans le match de la vie, on fait partie de la même équipe, s'exclame Diane Dufresne. Quand Lise est au pouvoir, nous le sommes toutes[19].»

Ce que les chansonniers ont privilégié en appuyant ouvertement le Parti québécois, c'est un nationalisme majoritaire, s'appuyant en cela sur un univers social et culturel francophone s'accompagnant d'une ouverture sur le monde. Le trajet est celui d'une affirmation nationale dont on croyait qu'elle était sans équivoque.

Chansons neuves pour un pays reconsidéré

Le rapport à l'histoire s'inscrit d'abord dans la continuité. Il s'agit du même coup d'éclairer une conscience collective sur la notion de pays s'élaborant en même temps qu'une action quotidienne de décolonisation.

> Alors portez très haut vos oripeaux
> Ceux que vous aurez au prix d'une guerre

La fin est corrigée en 1971:

> Alors portez très haut votre pays
> Celui que nous sommes en train de faire
>
> *Les patriotes*
> (C. Léveillée) (1964)[20]

Du pays glorifié au pays colonisé, du pays évoqué au projet de pays, d'autres parlent de l'espérance du pays à

19. Diane Dufresne. *Le Dimanche*, 13 mars 1977, p. 9.

20. Claude Léveillée. *L'Étoile d'Amérique*, Montréal, Éditions Leméac, coll. Mon pays mes chansons, 1971, p. 133.

l'absence du pays. Dans les années 1960, le caractère de la chanson québécoise, c'est le pays. Plusieurs chansons sont des constats de son existence. Combien ne parlent carrément plus de province, mais disent plutôt Québec ou pays. Chaque chanson est un pays intérieur.

L'homme d'ici ne peut plus se contenter d'un demi-pays, pour reprendre l'expression de Georges Dor. Ce pays, au début de notre chanson, avait un sens très romain: là où je suis, là est mon lopin de terre, là est ma patrie. *Mon pays* (Vigneault), *Tu te lèveras tôt* (Leclerc), *Mon pays* (Léveillée), *Pays et paysages* (Dor), etc.

La chanson poétique des années 1960 a magnifié, en nommant le pays, un sentiment d'appartenance s'enracinant dans un sol et dans une communauté fraternelle.

> J'ai harnaché les fleuves
> Et couché les bouleaux
> Dans cette terre neuve
> Une fleur, un drapeau
>
> *L'hymne au pays*
> (Jacques Blanchet)
> (1963)

Le public écoutait ces chansons avec beaucoup de disponibilité mais aussi avec une certaine passivité; il ne faisait qu'écouter et il se regardait à travers les héros légendaires mais caricaturaux de ces chansons. Ainsi le culte du héros n'a pas échappé aux Leclerc, Vigneault, Filion, Labrecque, Tex, Ferland. «Un chansonnier, constate Robert Toupin, c'est quelqu'un qui greffe un cœur à une foule[21].» Or, justement, les héros de nos chansons ont été les premières palpitations de notre conscience collective.

Au plan thématique, la chanson témoigne des quatre coins du pays. Elle a nommé la vastitude du pays à connaître, à construire, à finir. Elle a pris «le rendez-vous fatal de naître

21. Robert Toupin. *Blow up des grands de la chanson* de Michèle Maillé, Montréal, Éditions de l'Homme, 1969.

en ce pays natal[22]» (G. Dor). Elle est un regard constant entre le passé et l'avenir. La formule de Roger Fournier, même lapidaire, reste convaincante: «Les chansonniers sont tout ce qu'il est possible d'imaginer pour sauver un pays[23].» Ils sont devenus, sans le vouloir, les porte-parole d'un pays qui aspire à son affirmation, à la liberté; ils sont devenus le témoin et la conscience d'une société aux prises avec ses énormes difficultés d'être. Les chansonniers ont donné un sens, ici, au mot pays qui veut dire: puissance sociale des Québécois. En somme, la chanson québécoise devient le signe et le reflet de la reconsidération du pays.

Entre le pays à faire
Et le pays déjà fait
Je m'en accuse mon père
Je choisis celui qu'on fera
Cent ans n'ont pas fait l'affaire
Cent ans ne la feront pas
Et plutôt que de me taire
J'ai chanson sur cet air-là

Pays et paysages
(G. Dor) (1975)

Félix Leclerc, au début des années 1960, n'était pas rendu à cette définition concrète du pays, lequel n'avait droit qu'au salut sincère mais ancestral:

Quand mon amie viendra par la rivière
Au mois de mai, après le dur hiver
Je sortirai, bras nus, dans la lumière
Et lui dirai le salut, le salut de la terre

Hymne au printemps
(Félix Leclerc) (1949)

22. Georges Dor. *Le pays natal,* chanson, 1968.

23. Roger Fournier. «Pour la chanson», *Liberté,* nº 46, 1966, vol. 8, nº 4, p. 54.

L'*Hymne au printemps* investit la qualité du pays dans une quête tellurique très ancienne. Voilà comment les premiers chansonniers sont dans la lignée des auteurs de chansons patriotiques qui ne cessaient de proclamer la fécondité de la terre. L'avenir du pays, l'ampleur de son existence, tiennent à la prodigalité de ses fruits.

> Les connaisseurs les fins gourmets
> Voyant nos fruits si pleins d'attraits
> Disent qu'Adam fut mis sur terre
> Au Canada près Saint-Hilaire
> [...]
> Rien n'est si beau que son pays
> Le Canada vrai paradis
> Paré de neige ou de verdure
> C'est un bijou de la nature
>
> *Mon pays*
> (Ernest Desjardins, s.j.)
> (non daté)

Les bienfaits de la terre apportent à ses habitants les denrées nécessaires à sa subsistance. Le renom du pays tient à son agriculture. Cette notion de pays reste très étroite. Le pays est statique. Le pays est parure, presque ahistorique. Le pays est abstrait. Aussi, au début des années 1960, le pays se veut concret, réel. Le grand pays seul et tragique de Léveillée enchaîne avec la fatalité des vents, des neiges et des forêts. Ce pays sans écho réel évoque le repli, le piétinement, c'est-à-dire le recul historique.

> Dans mon pays les gens se taisent
> Endurent apprennent
> Et se cramponnent aux dures semaines
> Mon pays quand il te parle
> Tu n'entends rien
> Tellement c'est loin... loin... loin... loin...
> Mon pays c'est grand à se taire

C'est froid c'est seul
C'est long à finir à mourir

Mon pays
(Claude Léveillée) (1964)

Dans la chanson québécoise, ce qui va dominer les années 1965 et suivantes, c'est la notion de pays, mais alors une notion toute littéraire. En effet, l'univers sémantique du mot «pays» porte en lui trois dimensions que la chanson de Vigneault, *Mon pays,* résume à elle seule: la dimension affective, la dimension politique, la dimension universelle.

La dimension affective, c'est le pays en tant que source et racines, en tant que lieu des rapports humains. Le nom propre du pays, c'est Natashquan, c'est l'espace, la nature. Le village, c'est l'identité sociale, l'appartenance aux traditions, c'est-à-dire au passé, mais à un passé qui stimule le présent. Natashquan, c'est en quelque sorte un concentré de pays. Mon pays, c'est un territoire.

Dans la blanche cérémonie
Où la neige au vent se marie
Dans ce pays de poudrerie
Mon père a fait bâtir maison
Et je m'en vais être fidèle
À sa manière à son modèle

Mon pays
(G. Vigneault) (1964)

Le deuxième niveau que l'on retrouve dans cette chanson, c'est le niveau politique, c'est-à-dire la question nationale faisant pression pour l'obtention du pays réel. C'est dans son rapport politique, et non à celui du territoire, que Gilles Vigneault affirme qu'il n'a pas de pays. Pays, mot contradictoire par excellence au Québec, mot douteux parce que le présent change, que l'évolution amène des questions, et les réponses des choix. S'enclenche alors le processus de décolonisation.

Mon pays ce n'est pas un pays c'est l'envers
D'un pays qui n'était ni pays ni patrie
Ma chanson ce n'est pas ma chanson c'est ma vie
C'est pour toi que je veux posséder mes hivers

Mon pays
(G. Vigneault) (1964)

Quant à la dimension universelle, elle fait part de cette disponibilité à l'ouverture et à l'accueil. Tout en témoignant de chacun de nous, la chanson de Vigneault témoigne de sentiments communs aux hommes, et en expérimentant ainsi notre sensibilité, excelle dans l'ordre universel.

Je mets mon temps et mon espace
À préparer le feu la place
Pour les humains de l'horizon
Et les humains sont de ma race

Mon pays
(G. Vigneault) (1964)

Le pays, c'est le passage intérieur de soi à l'autre, de l'autre à soi. La notion de pays suppose la notion de réciprocité dans la mémoire comme dans l'avenir. Le pays, c'est aussi le présent de l'autre, cette dimension du pays à comprendre.

Au fond des autres
il y a un peu
un peu de chacun d'entre nous
Au fond des autres
il y a aussi
quelque chose comme un pays

Au fond des autres
(G. Dor) (1975)

Au spectacle d'ouverture de la Superfrancofête, à Québec, en 1975, Gilles Vigneault déclarait: «La notion de pays, cela se porte à l'intérieur de chacun comme la conscience.» Il n'a ni président ni roi. C'est dans sa chanson *Il me reste un pays* que la notion de pays intérieur, chère à Vigneault, trouve non pas seulement sa justification, mais aussi ses racines:

Il me reste un pays à te dire
Il me reste un pays à semer

Il me reste un pays à prédire
Il me reste un pays à nommer

Il me reste un pays à connaître
Il te reste un pays à donner

Il nous reste un pays à surprendre
Il nous reste un pays à manger

Il nous reste un pays à comprendre
Il nous reste un pays à changer

Il me reste un pays
(G. Vigneault) (1973)

Gilles Vigneault, en travaillant à une prise de conscience nationale, force l'individu québécois à prendre conscience de l'ensemble de ses conditions existentielles, concrètes, hors desquelles nous serions des hommes et des femmes sans racines. On retrouve cette même vision chez Raoul Duguay, comprenant les trois dimensions dont nous avons parlé: affective, politique et universelle. «Notre pays, dira-t-il, tente de restituer le KÉBEK comme continent retrouvé de l'intérieur[24].»

Je viens d'l'Abitibi
C'est mon premier pays
Je suis né à Val d'Or
Je me souviens encore
[...]
Et je suis le KÉBEK
Et c'est là ma devise
Je suis un KÉBÉKOIS

24. Raoul Duguay. *Le Pôete à la voix d'ô*, Montréal, L'Aurore, 1979, p. 177.

Que rien ne me divise
[...]
Je viens de l'Amérik
Et de la terre entière
Je suis dans l'Univers
Un atome galaxik

La Bittt à Tibi
(Raoul Duguay) (1972)

Raoul Duguay, comme Claude Péloquin dans *Les Chants de l'éternité,* pose l'univers dans sa totalité. La recherche du pays, c'est aussi la recherche de l'universel. Entre le particulier et l'universel, une sorte de nationalisme cosmique qui, loin d'être abstrait, s'enracine dans l'expérience humaine. C'est par le don que le pays est universel.

Chanter liberté
Chanter la beauté

pôur prendre racines
et nôus rappeler

que le pays, c'est nôus
en terre KÉBEK

Les racines
(Raoul Duguay) (1977)

L'attachement au pays, c'est en dedans de soi, c'est intime. Les chansonniers conçoivent bien ce que c'est que d'aimer une patrie. Ils conçoivent le mal du pays.

Je rapporte avec mes bagages
Un goût qui m'était étranger
Moitié dompté, moitié sauvage
C'est l'amour de mon potager

Fais du feu dans la cheminée
Je reviens chez nous

Je reviens chez nous
(J.-P. Ferland) (1967)

Il a neigé hier sur mon pays
J'm'ennuie déjà d'un hiver à peine entamé
où se trouvent mes racines et mes amours
On a beau dire, on a beau faire on y revient toujours

Il a neigé hier
(Bertrand Gosselin) (1979)

Être du même pays. Tel Vigneault. Tel *Fer et titane* qui nous présente des visions autant épiques que prophétiques des richesses naturelles du Québec. S'identifier, sous l'angle de l'économie, au pays réel.

Fer et titane
Sous les savanes
Du nickel et du cuivre
Et tout ce qui doit suivre
Capital et métal
Les milliards et les parts
Nous avons la jeunesse
Et les bras pour bâtir
Nous avons le temps presse
Un travail à finir
Nous avons la promesse
Du plus brillant avenir

Fer et titane
(G. Vigneault) (1961)

Avoir un pays, c'est d'abord ne rien vendre de ce qui appartient à la mémoire. C'est avoir cette volonté de vivre ensemble en notre langue et conscience...

Je suis prévu pour l'an deux mille
je suis notre libération
Comme des millions de gens fragiles
à des promesses d'élection

Je suis l'énergie qui s'empile
d'Ungava à Manicouagan

Je suis Québec mort ou vivant

Le plus beau voyage
(Maurice Couture/
C. Gauthier) (1972)

Mettre la conscience à vif en décapant l'histoire, mais aussi amener cette conscience à maturité. «Mon cri doit devenir *jam session*, dira Raoul Duguay, pour déjammer la conscience québécoise, [...] mais le plus grand pays de l'homme, poursuit-il, c'est l'homme lui-même et que c'est dans cette direction-là qu'il faut faire notre souveraineté[25].» Son nationalisme, tout comme celui de Vigneault, amène les gens à une prise de conscience collective: ce dont ils parlent constamment, c'est du pays. Chaque corps est constitutif du pays. La chanson n'a pas d'autre témoignage à rendre que celui de notre appartenance au pays qui appelle l'identité.

Le pays est fait à la main
Les forêts de noms et prénoms
que pôrtent les habitants du fleuve
sônt les côuplets et refrains de cette chansôn

Fait à la main
(R. Duguay) (1971)

Mais ce pays intérieur doit trouver son expression politique. Chanter ne suffit plus.

> «Chanter ici, c'est un acte politique [...] Mais voter, c'est un acte politique bien plus fort encore. Ça, trop peu s'en rendent compte. Et je commence à craindre qu'il ne devienne dangereux de voter[26]...»

Mais à toujours maintenir le *statu quo* politique, Gilles Vigneault se demande bien «quel pays aurons-nous demain?» L'un des pièges de la chanson québécoise fut peut-être de

25. *Ibid.*, p. 182.

26. Gilles Vigneault. *La Presse*, 28 janvier 1971, section F, p. 7.

prendre ses revendications pour des changements. À eux seuls, les symboles ne suffisent pas à construire un pays réel. Il reste qu'un nationalisme ouvert ne peut s'appuyer sur un nationalisme minoritaire, c'est-à-dire replié sur une conscience ethnique qui n'intégrerait pas les autres ethnies.

Dépayser la culture, c'est l'intérioriser et non pas l'arracher au confinement territorial et identitaire dont l'individu est naturellement imparti. Vigneault ne cherche-t-il pas l'avenir collectif du côté de ce mouvement d'intériorisation? Chez lui, la nationalité s'atteint à travers une conscience singulière qui n'est rien d'autre que cette disponibilité également singulière par laquelle il se sent et se met en communication avec l'autre. Son mode d'être particulier détermine ses rapports dans une plus grande ouverture au monde. Réécouter sa chanson *Mon pays,* c'est comprendre que son esprit prend sa source autant à la conscience de soi qu'à la nation elle-même.

Il me reste un pays à surprendre
Il me reste un pays à manger
Tous ces pays rassemblés
Feront l'homme un champ de blé
Chacun sème sa seconde
Sous l'amour qu'il faut peler
Voilà le pays du monde
Il me reste un pays à comprendre
Il me reste un pays à changer

Il me reste un pays
(Gilles Vigneault) (1973)

L'œuvre de culture, la chanson par exemple, n'est pas exclusivement le produit d'un individu, et cela, même dans son rapport au monde. L'individu n'est pas qu'individu. Son œuvre ne peut être détachée du peuple auquel il appartient, ce que dit la chanson de Duguay:

Notre pays est en dedans
un sôleil blanc dans nôtre sang
la chair et tous les ôs de la terre des ancêtres

un pays de mônde heureux
qui se regarde dans les yeux

Notre pays
(R. Duguay) (1977)

En «paysant» la culture, la chanson a nationalisé la parole de tout un peuple — ce qui ne fut pas sans conséquence dans l'analyse de la mémoire collective.

Une sensibilité de colonisé

Entrer dans l'histoire, c'est prendre sa place selon des modalités dont il faut se souvenir. Il y a une nécessité dans la mémoire. La Corriveau est là pour nous en convaincre, qui fut pendue pour un meurtre qu'elle n'a jamais commis[27] La chanson de Vigneault est la chronique amère d'un procès expédié et profondément injuste.

C'était du temps que tout ce pays
Était trahi envahi conquis
L'Anglais vainqueur était maître et roi
Était juge et faisait la loi
[...]
Le colonel et le gouverneur
Et les témoins de ce grand malheur
Ont prononcé même jugement
Ont demandé même châtiment
Dans les barreaux d'une cage en fer
Mise vivante et pendue en l'air

27. «*La Corriveau*, enfin, chronique d'un injuste procès, qui nous raconte comment mourut une femme du peuple au XVIIIe siècle, est pour moi la plus belle chanson consacrée au système colonial qui n'avait jamais été écrite.» (Louis-Jean Calvet. *Pauline Julien*, Paris, Seghers, 1974, p. 20.)

La Corriveau devait expier
De faim de froid devait expirer

La Corriveau
(G. Vigneault) (1966)

Par la chanson, l'effort de décolonisation et de désaliénation tranchait avec les habitudes de passivité que la valorisation excessive du passé avait entretenues. Un nouveau nationalisme politique, lié à la dénonciation du colonialisme culturel et économique, contribua au développement de ce mouvement pour l'autodétermination du Québec.

Sans trop le formuler, les chansons nous précisent ceci: la révolution au Québec sera forcément nationale. C'est l'aspect très «partipriste» des premiers chansonniers. À l'inverse du phénomène *Parti pris*, par ailleurs (même si Raymond Lévesque et Clémence Desrochers y publieront un ou deux livres), le phénomène chansonnier ne découle pas d'un enracinement idéologique formalisé. Ce que les chansonniers ont expérimenté, à leurs débuts, c'est de ne pouvoir éviter le creuset social. Cependant, le phénomène chansonnier, comme *Parti pris*, est un authentique phénomène des années 1960. Les chansonniers ne se concevaient pas comme un outil de la révolution ou comme un instrument révolutionnaire puisqu'ils n'avaient pas de prétentions idéologiques. Il n'y avait pas chez eux d'articulation théorique soutenue, et encore moins une théorie de la décolonisation québécoise dont les perspectives sont la lutte des classes et la décolonisation, ce que Chamberland appelait un socialisme décolonisateur. L'analyse partait du constat:

Le père de ton père
Y s'laissait faire
Y faisait semblant
qu'y pouvait rien
Y faisait semblant
qu'y pouvait rien
comme une grenouille
qui voit pas loin

mais tu diras rien
tu t'laisseras faire
t'essayeras de croire
qu'tu y peux rien

Tant pis pour moé
mais ça f'ra pas mal d'essayer
Comme des grenouilles
changées en loups
comme un peuple à genoux
qui se lève debout

Y diront rien
(Claude Dubois) (1974)

La volonté de rupture est partout présente. Connaître, affirme Régis Debray[28], c'est refuser. De plus, au Québec, le Canadien français, même devenu québécois, a longtemps été présumé inférieur. C'est bien là, aussi, un aspect important de sa colonisation. Parce que cela a trop fait l'unanimité, à savoir qu'on est «nés pour un p'tit pain», cela était suspect.

Je suis chômeur de mon état
J'm'appelle Ti-cul Lachance
pogné, marié, trois filles, deux gars
Merci pour l'assistance
Comme on a un pays loin d'l'eau
Ils ont fermé l'chantier d'bateaux
Tu les as laissés faire
Comme j'ai pas posé d'bombes par là
Pis qu'ça faisait p't'être ton affaire
Tu penses que j'm'en aperçois pas

Lettre de Ti-cul Lachance
à son premier sous-ministre
(G. Vigneault) (1973)

28. Lire Régis Debray. *Le Scribe*, Grasset, 1980.

Et même si la domination économique est l'aspect privilégié et le plus populaire de l'analyse du colonialisme, les chansonniers ont mené un combat sur un autre plan: celui de l'histoire dont le processus accéléré a modifié le cours de notre conscience collective.

> Ici l'on se bagarre depuis trois cents ans
> Déportation grand-mère n'avez-vous rien dit
> Je sais que la vie d'antan n'était pas bien rose
> Faut croire que les enfants
> ça réclame autre chose
> Autre chose que des canons liberté de presse
> Autre chose que des canons liberté française
> Autre chose que des canons liberté chez soi
> Autre chose que des canons c'est fini les rois
>
> *Les patriotes*
> (C. Léveillée) (1964)

Il en ressort un complexe historique encore mal défini. Qui n'a pas écouté *Le grand six pieds* en pensant que la révolution était en marche? La chanson québécoise restait une voie d'évitement et de refuge confortable. Les héros de nos chansons projetaient dans notre inconscient collectif notre refus de la réalité quotidienne, notre fuite dans la nature, l'absence de la femme comme être réel, la constante de l'échec, etc.

Le Québécois était colonisé, politiquement spolié et culturellement dominé. Pour la plupart des chansonniers, voire les créateurs en général, ce qu'ils ont dû d'abord surmonter dans l'expression de leur art, c'est la domination coloniale. Quand Claude Léveillée remet à Édith Piaf sa chanson *Les vieux pianos*, il en expérimente l'ampleur. Henri Contet l'avait modifiée en ne conservant qu'une phrase de sa chanson, «On se saoulait l'dedans d'pathétique». Danielle Odéra aurait-elle pu changer un vers d'une chanson de Jacques Brel ou Pauline Julien, un vers d'une chanson de Boris Vian ou de Bertolt Brecht? L'artiste, ici, devait vaincre, d'abord pour lui-même, le phénomène colonial, la victoire individuelle précédant la victoire collective, ce que Fernand Robidoux rappelle:

> «J'avais appris depuis mes débuts dans le monde de la radio, que notre québécitude culturelle était de plus en plus à la remorque des grands opérateurs anglo-saxons. Cette situation avait fait de moi le nationaliste que vous connaissez[29].»

Le discours de justification des chansonniers est fondé sur la décolonisation. Faut-il s'en surprendre? Sur la pochette de l'un des tout premiers disques de Jean-Pierre Ferland, on lit cette phrase:

> «Le Canada français a changé, et si ce changement a influencé l'inspiration de Jean-Pierre Ferland, je suis convaincu que l'inspiration de Jean-Pierre Ferland changera également les vieux complexes de notre pays.»

Parc' que not' seule révolution
c'était celle de Maurice Richard
au Forum des années cinquante
en ce temps-là j'te dis mon *chum*
qu'on chantait maudit faut qu'ça change

La valse à mon oncle
(Claude Gauthier) (1976)

Le hockey et la chanson ne sont-ils pas les traits majeurs du Québécois comme le noir est celui des plus grands chanteurs et des plus grands sportifs américains? Qui, de Maurice Richard ou de Gilles Vigneault, est le moins représentatif? Mais est-ce reconnaître également que le sport et la chanson appartiennent à des sphères d'activités inoffensives? *Le grand six pieds* (C. Gauthier), *Les drapeaux* (P. Létourneau), *Les patriotes* (C. Léveillée), *Bozo-les-culottes* (R. Lévesque), *Mon pays* (G. Vigneault) ne sont-elles pas devenues des symboles de libération nationale?

29. Fernand Robidoux, *Si ma chanson...*, Montréal, Éditions populaires, 1974, p. 55.

On a souvent parlé de la défense des valeurs traditionnelles comme manifestation d'un repli sur soi. Ces valeurs refuges s'ordonnent autour de la survivance de la famille colonisée, à la fois modèle et victoire de la tradition. Memmi l'a noté: tôt ou tard, le colonisé se rabat sur des positions de repli, c'est-à-dire sur les valeurs traditionnelles dont le poids abusif force l'individu colonisé même jeune à s'accepter comme être d'oppression. De plus, cette autre valeur refuge qu'est la religion s'offre à lui comme un rempart qui le protège de son existence originale dont le folklore était la plus éloquente expression.

Notre beau passé historique
Madeleine de Verchères et sa clique
Ti-Jean Talon et Maisonneuve
Les missionnaires et les Peaux-Rouges
Il était temps de faire peau neuve

Notre passé dépassé
(Georges Dor) (1975)

Historiquement, pour des raisons objectives (retard économique, retard culturel, mentalité hostile au changement), les Canadiens français n'ont pas assumé la révolte de Bozo-les-culottes. La question est pertinente autant que réaliste: est-ce que la chanson québécoise a véritablement réalisé la mise en veilleuse du fatalisme et de la soumission des vaincus et des minoritaires?

Le chanteur indigène a sorti son violon
Son gazou sa bombarde et son accordéon
Enfin la panoplie des accessoires ethniques
Qui pâment les Français et réveillent nos critiques

[...]

Mais sous les projecteurs il est seul à savoir
Qu'il en met d'autant plus que c'est son dernier soir

Depuis qu'il a compris le commerce exotique
Où l'on vend en bibelots son peuple et sa musique

Le chanteur indigène
(S. Lelièvre) (1978)

Être québécois, c'est être absent et anonyme. Le colonisé est souvent hors de l'histoire. Il est un exclu. Aussi, quand la chanson le fait accéder à son passé, bouleverse-t-elle profondément une des règles du jeu de la colonisation: le colonisé, pour le rester, doit progressivement perdre la mémoire.

Mais où sont-ils ces Indiens
où les a-t-on enfermés
qu'ont-ils dit, qu'ont-ils fait
pourquoi les a-t-on cachés

Un Indien
(Monique Brunet) (1967)

Beaucoup de chansons nous rappellent cette idée que le passé est promu au rang de symbole: *Ma province* (G. Dor), *Les drapeaux* (P. Létourneau), *Les patriotes* (C. Léveillée), *Quand nous partirons pour la Louisiane* (G. Vigneault), *Presqu'Amérique* (R. Charlebois), *Mammy* (P. Julien), *Tu vas voter* (S. Lelièvre), etc. Ces chansons véhiculent le même message qu'André D'Allemagne: «Le colonialisme réduit la culture du colonisé aux dimensions du folklore et de la propagande.»

Nous sommes tous
À fleur de lys
À fleur de peau
À fleur de mots
Vienne le temps d'une parole
Nous revoilà tous bûcherons
Porteurs d'eau et dansant
Autour du feu de la Saint-Jean

Ma province
(G. Dor) (1968)

Quand Pauline Julien chante *Mammy,* il y a un drame individuel qui sert de prémonition à un drame collectif: une petite fille québécoise de langue française demande — en anglais — à sa mère quel était son nom français. À qui la faute? Trop tard?

Mammy mammy I love you dearly
please tell me once again
that beautiful story
un jour ils partirent de France
bâtir ici quelques villages
une ville un pays

Mammy
(Marc Gélinas/P. Julien)
(1976)

Même constat de l'état amnésique de notre mémoire collective dans *Quand nous partirons pour la Louisiane*: aurions-nous perdu la bataille de la survivance collective? Ce n'est pas dans notre absence à nous-mêmes que nous pourrons nous définir.

Anne, ma sœur
Anne quand nous partirons...
nos enfants sauront déjà mieux que nous
la langue des gens de la Louisiane
Ils vont nous l'apprendre, nous la parlerons...
Passant par le pont de la Louisiane
Anne, ma sœur Anne
nous leur chanterons un cantique ancien
en français parlant...
Puis quand nous vivrons dans la Louisiane
nous nous parlerons
de ces grands pays perdus par ici...
Adieu mes amis. Adieu mes pays...

Quand nous partirons pour la Louisiane
(G. Vigneault) (1973)

Albert Memmi l'a déjà noté: les peuples colonisés sont les derniers à naître à la conscience d'eux-mêmes. Combien de nos chansons tracent les schémas de notre colonisation, définissant ainsi nos rapports avec les autres? Certains refrains nous placent au centre du problème colonial.

> Un jour quelqu'un lui avait dit
> Qu'on l'exploitait dans son pays
> Bozo-les-culottes
> N'a pas cherché à connaître
> Le vrai fond de toute cette affaire
> Bozo-les-culottes
> Si son élite, si son clergé
> Depuis toujours l'avaient trompé
> Bozo-les-culottes

Bozo-les-culottes
(R. Lévesque) (1964)

Notre évolution collective, depuis ladite révolution tranquille, suit une trajectoire opposée à son évolution économique et politique.

> C'est ben beau parler d'politique
> d'l'Année d'la femme d'l'année sabbatique
> des Olympiques pis du système métrique
> mais fais-moé rire fais-moé d'la musique
> j'ai pris une bière pis ma guitare
> une bière deux bières trois bières...
> pis on s'est couchés tard

Le retour du grand six pieds
(Claude Gauthier) (1975)

Dans une autre chanson, Claude Gauthier attaque ce qui, précisément, a retardé l'évolution du Québec. Sa lutte à lui, dans cette chanson, déborde le côté national pour voir plus haut et plus loin: c'est le colonisé en nous qu'il cherche à identifier.

De la nation mise en ballant
Sur deux patries, deux slogans
Ad mari usque ad mare
Ad clocher *usque ad* clocher
[...]
Chanson qu'ont fait pleurer nos mères
Ô carillon, Vierge Marie
Chanson qu'ont fait pleurer nos mères
God Save the Queen, Gloire soit au père
Je me souviens
Je me souviens
Je me souviens
De quoi?

Je me souviens
(C. Gauthier) (1966)

On était loin du fleuve
On était loin de la mer
On était dans les concessions
On était des concessionnaires
Du bout d'la terre

Saint-Germain
(Georges Dor) (1967)

Notre chanson a tenté de faire voir et de faire comprendre les rapports sociaux de domination: *Attends-moé, ti-gars* (Félix Leclerc), *Ti-Jean Québec* (Jean-Paul Filion), *Le grand six pieds* (Claude Gauthier), *Bozo-les-culottes* (Raymond Lévesque), *Le Québécois* (J. Lemay), *T'appelles ça vivre toé Jos* (J.-P. Ferland), *Vivre en ce pays* (P. Calvé), *Tu es noire* (S. Venne), *La Corriveau* (G. Vigneault), *La Bossa nova des Esquimaux* (R. Charlebois), *Le jardinier* (J. Michel), *L'encan* (F. Leclerc), *Y diront rien* (Claude Dubois), *Lettre de Toronto* (S. Lelièvre), *Réjean Pesant* (P. Piché), etc.

Les chansons, de plus en plus, font le procès de la naïveté des Québécois qui se sont laissés dominer. De plus en plus, elles font comprendre que l'oppression nationale amène la dépendance politique et économique. Dans sa préface au

Portrait du colonisé, Jean-Paul Sartre écrit que «c'est le colonialisme qui crée le patriotisme des colonisés[30]». Le patriotisme porte en lui la destruction du système colonial.

Dans *Y diront rien,* Claude Dubois parle des Québécois présumés peureux comme des grenouilles qui pourraient bien finir par se changer en loups, à force de se faire manger la laine sur le dos.

> J'pense bien d'mourir
> une fois comme toé
> juste avant de s'en aller
> On va semer des p'tites grenouilles
> Si y prennent le bord
> Tant pis pour moé
> mais ça f'ra pas mal d'essayer
>
> Comme des grenouilles
> changées en loups
> Comme un peuple à genoux
> Qui se lève debout
>
> *Y dironț rien*
> (C. Dubois) (1974)

> On n'est plus comme l'on était Victor
> On se tient droit comme le nord
> On n'est plus de ceux qu'on endort
> De ceux qui se taisent toujours plus fort
> Car aujourd'hui n'est pas hier mais aujourd'hui
>
> *Victor*
> (Jacques Michel) (1971)

Exploités dans nos biens, nos emplois et notre langue, les mêmes chansonniers l'ont éloquemment démontré. «L'existence d'un pays est bien la première condition d'une écriture», affirme Régis Debray[31]. Quand Gilles Vigneault

30. Jean-Paul Sartre, dans *Le Portrait du colonisé,* p. 25.

31. Régis Debray. *Le Scribe,* Paris, Grasset, 1980, p. 58.

remplace le traditionnel chant d'anniversaire *Happy Birthday* par *Gens du pays,* il convoque la collectivité à un changement d'attitude personnelle pour que cesse la référence d'un ailleurs et, conséquemment, cette mentalité de minoritaire qui en découle.

> Le temps qu'on a pris pour dire: Je t'aime
> C'est le seul qui reste au bout de nos jours
> Les vœux que l'on fait, les fleurs que l'on sème
> Chacun les récolte en soi-même
> Aux beaux jardins du temps qui court
> Gens du pays c'est votre tour
> De vous laisser parler d'amour.
>
> *Gens du pays*
> (G. Vigneault) (1975)

Même une chanson comme *Le monde aime mieux Mireille Mathieu* fait la description d'un esprit colonisé. Les chansons de Clémence véhiculent un message précis, celui de notre bêtise. Ce poète de la quotidienneté alinéante, pour reprendre l'expression de Robert Major, développe le thème de la décolonisation par la repossession de soi. Raymond Lévesque et Clémence Desrochers sont, en ce sens, très «partipristes»:

> «Cette thématique de la repossession (de soi, d'un espace) est l'incarnation réussie d'une idéologie de la décolonisation. Qu'est-ce que la décolonisation, en effet, sinon la marche vers la libération, la destruction de l'être aliéné, l'exorcisation des démons intérieurs, la dépossession? L'homme colonisé entreprend une quête difficile dont le premier mouvement est de rejeter tout ce qui l'écrase et l'aboutissement, l'assomption de soi dans ses contradictions et la création d'un être et d'un pays nouveaux[32].»

Les personnages de notre chanson sont souvent orphelins, de famille comme de pays. L'absence de racines familiales et telluriques définit un trait majeur du colonisé

32. Robert Major. *Parti pris: idéologies et littérature,* Montréal, HMH, 1979, coll. Littérature, p. 258.

québécois. La dimension coloniale y surgit de toutes parts entraînant d'autres dépendances: économiques, linguistiques, culturelles, nationales, etc. Ainsi, *Bozo-les-culottes*, Québécois type, reste historiquement significatif tout comme *Le Cassé* de Jacques Renaud, dont Bozo pourrait bien être l'équivalent romanesque.

> «En somme, si l'on tentait d'élaborer une typologie des personnages partipristes, la fiche du personnage exemplaire présenterait les éléments suivants: pauvre, prolétaire, vivant dans un milieu misérable et violent, orphelin ou bâtard, sans racines familiales et nationales, dépossédé de son identité[33].»

Dans *Bozo-les-culottes* ou *Le grand six pieds*, par exemple, est décrite l'exploitation coloniale. Précisons que c'est éloignés de la rhétorique révolutionnaire que les chansonniers ont fourni un langage de la décolonisation. Leurs chansons comportent une réelle conscience sociale sans toutefois user de l'artillerie lexicale à la mode. En fait, les chansonniers ont dévoilé une réalité coloniale dont le vocabulaire et la problématique n'ont pas été empruntés au marxisme, de sorte que dans *Bozo* et *Le grand six pieds*, les concepts tels que lutte des classes, l'oppression nationale, le nationalisme décolonisateur, le pouvoir bourgeois, l'aliénation culturelle, l'exploitation capitaliste, etc. sont utilisés sans référence à une grille d'analyse théorique. Lorsqu'ils sont employés, ils le sont comme un métalangage que leur prêtent certains analystes dits de gauche. Certes, ayant décelé la nature exacte de l'exploitation, la pensée des chansonniers relève de la problématique décolonisatrice.

Raoul Duguay, de par sa participation à la revue *Parti pris*, est le seul de nos chansonniers avec Paul Piché à tenir un discours dont les termes appartiennent à la rhétorique marxiste.

---

33. *Ibid.*, p. 242.

On est ôbligé de jôuer multinationale
parce qu'ôn n'a jamais été qu'une succursale
d'un système qui ne veut que nôtre capital
et qui fait fi de nôtre liberté nationale

On n'a pas le choix de jôuer
avec qui l'on veut se libérer
Ce qu'ôn veut c'est libérer
la musique du KÉBEK entier

Musique en liberté
(R. Duguay) (1977)

L'idée essentielle du marxisme se trouve incarnée dans nombre de chansons québécoises: de *Bozo-les-culottes* à *Réjean Pesant*, du *Grand six pieds* à *Lettre de Toronto*. Ce que ces chansons démontrent essentiellement, c'est que la conscience de l'oppression rend l'oppression davantage insoutenable. Dans nos chansons comme dans les discours, cette idée sous-tend toute la thématique de l'aliénation coloniale:

Y'a volé de la dynamite
Et dans un quartier plein d'hypocrites
Bozo-les-culottes
A fait sauter un monument
À la mémoire des conquérants
Bozo-les-culottes
Tout le pays s'est réveillé
Et puis la police l'a poigné
Bozo-les-culottes
On l'a vite entré en dedans
On l'a oublié depuis ce temps
Bozo-les-culottes

Bozo-les-culottes
(Raymond Lévesque) (1964)

Le mois prochain on part pour Los Angeles
Vu que not' gérant est en Californie
On a compris qui c'qui tire les ficelles
Et si des soirs je m'ennuie de mes amis

Mon seul pays maintenant, c'est la musique
Pi la musique c'est les États-Unis
Viens faire un tour avant d'être folklorique
Tu verras ben si c'est vrai c'que j'te dis

Lettre de Toronto
(S. Lelièvre) (1978)

Ici, comme dans plusieurs chansons, la problématique coloniale ne se sépare pas du projet québécois de libération nationale. La musique sert d'illustration de nos dépendances: domination étrangère, invasion des techniques et des capitaux étrangers, etc. La musique est le symbole de notre libération nationale en même temps qu'elle illustre nos difficultés. Libérer la musique, ce pourrait bien être libérer le pays, car il n'y a pas de conscience sans «Maintenant, je sais...»

Le reel d'Octobre

Octobre 1970! L'impact des mesures de guerre reste insoupçonné. Les moyens de répression employés par les gouvernements (fédéral, provincial, municipal) supposaient une situation révolutionnaire. «L'expérience générale de l'humanité, constate Jean Roy, nous montre que les États se font et se défont ordinairement dans la violence[34].» Les événements d'Octobre ont marqué une rupture. Certains commentateurs de la scène politique ont vu là les indices d'un divorce entre les intellectuels et la population. Vigneault lui-même a ressenti cette rupture:

34. Jean Roy, «Historicité et trans-historicité de la souveraineté» dans *Critère*, printemps 1980, vol. 2, nº 28, p. 41.

«Il y a eu des mesures de guerre?

— Oui, ce qui a profondément choqué la population. Pendant ces temps-là, il m'est arrivé de me retrouver seul sur la route. Je me suis arrêté et je n'ai pas pu avoir de secours. Les gens ne me reconnaissaient pas, en 1970. Les gens me connaissaient, mais ne me reconnaissaient pas.

— À cause de ce que tu représentais? À cause de leurs préoccupations dans le moment qu'ils vivaient?

— Je ne le sais pas. À cause des deux sans doute. Pourtant ils étaient moins accueillants. Les gens étaient devenus méfiants. Ils avaient peur et je le comprends. 'Mesures de guerre', quand il n'y a pas de guerre, ça effraie. Et si 'posséder ses hivers' devait mener à la guerre, eh bien, ils n'étaient plus d'accord, en 1970[35]...»

La chanson de Claude Dubois, *Y diront rien*, est encore plus explicite. Elle parle des Québécois présumés peureux comme des «grenouilles» qui pourraient bien être ces anciens moutons qui se sont fait longtemps manger la laine sur le dos. Ce n'est pas un hasard si Dubois, en s'adressant à la foule, dédie cette chanson aux «camarades, ces grenouilles changées en loups»: aux felquistes et aux patriotes, tout en lançant des appels à la libération du Québec. Que dit Jacques Michel en 1973? Rien de moins que le Québec n'a pas de leader. Ainsi, avant de présenter sa chanson *Soleil*, il fait volontairement cette allusion politique:

«Moïse conduisait son peuple à la Terre promise en tenant un bâton. Ca n'a pas tellement changé aujourd'hui. Cependant, Moïse marchait devant son peuple, lui[36].»

À force de n'être pas entendu, on apprend à hausser le ton. Chanter fort peut être un droit démocratique. Yvon Deschamps croit, à cet effet, que la démocratie est un privilège qui crée des devoirs, dont celui de s'exprimer librement:

35. François-Régis Barbry. *Passer l'hiver*, Paris, Centurion, 1978, p. 101-102.

36. Jacques Michel. *La Presse*, 27 septembre 1973, section B, p. 1.

> «Gaston Miron et Pierre Elliott Trudeau se rencontrent à Paris en 1965. Miron est indépendantiste. Trudeau n'est pas encore en politique. Au cours du repas, Trudeau dit à Miron: 'Si jamais le Québec se sépare, ce sera un État policier, une dictature politique. Vous allez perdre tous vos droits individuels, on va venir vous arrêter chez vous sans mandat...'
>
> En octobre 1970, à 4 h 00 du matin, des policiers enfoncent la porte chez Gaston Miron: 'Attendez, avez-vous un mandat? Mais qu'est-ce que j'ai fait, moi?'
>
> Et un policier de faire asseoir Miron sur une chaise: 'Nous n'avons pas de mandat, monsieur, vous avez perdu tous vos droits individuels.'
>
> 'C...!, de s'écrier Miron, on est séparés'[37]!»

Octobre 1970 hante les chansonniers. Le groupe Octobre, parmi tous les groupes québécois, est peut-être celui qui reflète le plus la démarche politique des chansonniers. Ce groupe en adoptant son nom[38] faisait un choix volontaire: on ne peut pas être québécois, foncer en avant à cœur de jour sans se souvenir d'un certain mois d'octobre. Les lettres d'un rouge feu sur le premier microsillon s'inspirent de ce sentiment et décrivent bien leur intention:

> «D'abord rouge de l'agonie des feuilles sacrifiées à la survie de l'arbre, le dixième mois de l'année s'est gonflé d'événements historiques qui donnent à la route de l'utopie la même coloration imaginaire, associée à la même saison.»

La chanson, qui a jusque-là joué principalement un rôle de définition sociale des individus, sans proposer une violence d'inspiration directement politique, pourrait bien être, par ailleurs, un délit d'opinion. Avec le recul, on voit mieux que les thèmes dominants du premier manifeste du FLQ sont

---

37. Yvon Deschamps. *La Presse,* 14 mai 1980, section A, p. 10.

38. En France, «le groupe Octobre, fondé en 1930, travaillait dans l'anonymat. Se produisant surtout lors des manifestations populaires, il mettait en scène sur des canevas de l'auteur de *Paroles* des sujets qu'il puisait dans l'actualité la plus immédiate». (Serge Dilaz. *La Chanson française de contestation,* Paris, Seghers, 1973, p. 82)

l'oppression, l'exploitation et la colonisation. À cet égard, *Le grand six pieds* ou *Bozo-les-culottes* correspondent à une analyse semblable de la situation québécoise; ainsi, incapable de procéder par la voie légale, Bozo-les-culottes utilise la violence. Prémonition? La chanson de Raymond Lévesque conduit-elle à une inspiration susceptible d'amener un changement politique par la force? Si, pour les membres du FLQ, la violence est intégrée à l'idéologie marxiste, chez Raymond Lévesque, elle ne s'articule pas ainsi. Sa révolte est l'effet d'un débordement plutôt qu'un choix stratégique des moyens.

Pour Pauline Julien, les événements d'Octobre 1970 «ont marqué la fin d'une incertitude où le Dieu de la mythologie canadienne fut éliminé [...] les masques sont tombés[39]». Claude Léveillée, pour sa part, rassemblera tous les événements d'Octobre depuis 1837 jusqu'à aujourd'hui dans un spectacle qu'il a intitulé *Ce matin un homme*. Il offrira au public un empan historique de près de cent cinquante ans; les mois d'octobre, y compris celui de sa naissance, se télescopent depuis l'insurrection jusqu'aux événements d'Octobre. Léveillée illustre, peut-être à son insu, la mentalité d'état de siège qui accompagne le nationalisme québécois dès qu'apparaît un affrontement politique.

Pourtant, en 1970, la chanson québécoise, écrit Gérard Bergeron, est optimiste. Voilà son caractère premier, affirme-t-il: «... elle n'a à peu près rien des *protest songs*». Peut-être! La production chansonnière, il est vrai, avait oublié la colère de *Bozo-les-culottes*, chanson prophétique parmi toutes pourtant. Ce sont les événements d'Octobre 1970 qui vont ramener la conscience collective à sa dimension dramatique. L'un des premiers à le faire fut celui qu'on a appelé le père de la chanson québécoise: Félix Leclerc.

Félix disait autrement les choses, mais, semble-t-il, il les a toujours dites[40], c'est la manière et la soudaine intensité qui

39. Pauline Julien. *Nous*, vol. 1, nº 5, octobre 1973, p. 16.

40. Rappelons quelques titres parmi les premiers: *Attends-moé ti-gars, MacPherson, Le loup, Oh, mon maître, Les cinq millionnaires, Chanson du retraité, La danse la moins jolie, Coutumace.*

étonnent. Félix, fatigué de tant de passivité autour de lui, découvre en même temps notre dépendance collective. Ses chansons ont quitté le «tendre parler des jours heureux» pour devenir *L'alouette en colère, L'encan, My Neighbour Is Rich, Un soir de février, Les 100 000 façons de tuer un homme, Race de monde, Chant du patriote, Un an déjà, Le tour de l'île, Fatalité.*

> «Je me suis attardé dans les sentiers parfumés de la poésie. Ce fut ma faiblesse, je pense. Mais c'était ma nature aussi, c'était notre nature dans ce temps-là. Aujourd'hui, j'ai changé, parce que le monde a changé. Après la mort de Laporte et les événements d'Octobre 1970, après surtout qu'un pur étranger d'un autre pays ait eu le front d'envoyer son armée aux Québécois qui s'étaient révoltés, j'ai eu honte. Et j'ai écrit *L'alouette en colère,* parce que je n'étais plus capable de me taire[41].»

Félix a changé parce que sa conscience a une nouvelle prise sur la réalité sociale. Bien avant, certes, elle existait et la présence du thème des rapports de force, dans ses premières chansons, en témoigne. Depuis Octobre 1970, il y a plus, il y a un choix qu'appuie une conscience directement politique de tous les instants et sur tous les plans: économique, social, politique, culturel.

La honte des événements d'Octobre, Félix la partage avec les jeunes. Ses chansons directement politiques — il a soixante ans et plus au moment de leur écriture — fondent une nouvelle espérance et nous rappellent à une constante vigilance. Le Québec n'a pas de fusils, déclare-t-il, il a la chanson: «On a fait des chansons comme d'autres des canons. Ici, on pouvait faire un pays avec des mots[42].» Cette chanson, dont parle Leclerc, fait-elle entendre le tic-tac d'une bombe entre les mains d'un sourd?

Tout le disque de Félix Leclerc, *Mon fils,* comme d'ultimes propos, exploite la même ligne thématique de *Ce matin, un homme.* On y trouve la même filiation spirituelle et patriotique. Ce disque de mobilisation situe chaque chanson

---

41. Félix Leclerc. *La Presse,* 13 septembre 1975, section D, p. 4.

42. Félix Leclerc. *La Presse,* 30 décembre 1978, p. C-1.

dans un lieu et une époque donnés: du Québec rural d'antan au Québec moderne du 15 novembre 1976. Tout un passé se trouve ainsi reconsidéré dans une dynamique «rétrospective du présent». Dans ce disque, la souveraineté, avant d'être une question de loi ou de vote, est une question d'appartenance et de dignité.

> «Le prochain pays libre et indépendant, c'est le nôtre, Québec, que des architectes sont à façonner. Éclairage nouveau, portes repeintes, chaises neuves, de l'air dans les chambres, des lits propres, du français sur les ruines et on verra la mer. Cette vieille maison d'amour qui s'appelle la province, on la retape à neuf[43].»

Une parole de femme naîtra, également, de la crise d'Octobre: Marie Savard. En réponse à la déclaration de la Loi des mesures de guerre, Marie Savard opposera son *Reel d'Octobre* et *La blonde du chômeur*.

> Vous êtes beaux, eux autres y l'savent
> Eux qui pensent que vos amours demi pactées
> Leur donneront un *scab* à tous les neuf mois
> Y aura pu de *cheap labor*
> [...]
> Pis, si on veut descendre dans rue
> Juste pour dire qu'on est pas des culs
> J'voudrais ben voir comment c'qui f'ront
> Pour mettre tout l'Québec en prison
>
> *Le reel d'Octobre*
> (Marie Savard) (1971)

Dans son disque *Québékiss*, Marie Savard met en parallèle les événements d'Octobre et ceux de 1837-1838. Ici, l'histoire intervient comme mémoire. Pour expliquer les événements d'Octobre à sa fille Julie, Marie Savard utilise, sur un mode narratif, l'actualité politique qui l'a profondément marquée:

43. Félix Leclerc. *Le Devoir*, 23 décembre 1978, p. 13.

Il était une fois
Aux marches du palais
Un triste oiseau de cage
Une fleur de prison
Pour les soldats du roi
Les soldats ont vendu
L'oiseau devenu sage
Les soldats ont vendu
La fleur devenue cage

Berceuse
(Marie Savard) (1971)

Tuer la peur, tuer la honte, en finir de survivre: *Québékiss* reste un témoignage très éloquent de ce combat qui, une fois sous l'empire de la Loi des mesures de guerre prend sa véritable dimension. Marie Savard, avec Jacques Michel, demeure l'une des rares artistes à avoir écrit directement sur le sujet, les thèmes s'élargissant toujours au profit d'une prise de conscience des rapports de domination.

On a fini de s'trouver fins
D'être nés pour un petit pain
Ça prend rien qu'des niaiseux
Pour dire qu'on est ben chanceux
C'est pas un grand malheur
Il faut tuer la peur

Le paradis même aux Anglais
Quand on aura la paix
On est des amoureux
On est pas rien qu'des jobbeux
On paiera plus leurs comptes
Fini nos aïeux
Il faut tuer la honte

Ce n'est qu'un début
Continuons le combat! (15 fois)

Québékiss
(Marie Savard) (1971)

Nombre de chansons tiennent le même discours sans toutefois traiter directement des mesures de guerre qui ont marqué cette période sombre de notre histoire. Il y a bien eu *Complainte à mon frère* de Jean Lapointe, qui a servi pour *Les Ordres*, le film de Michel Brault. Il y a eu aussi *Poèmes et chansons de la résistance II*, dont le thème, *Québec territoire occupé*, nous parle d'un territoire à libérer. Depuis dix générations, de 1760 à 1970[44], le peuple est prisonnier et tenu volontairement en marge de l'histoire. Si *Eille* de Pauline Julien fait directement allusion aux événements d'Octobre 1970, mises à part les transitions entre les chansons ou les monologues, les chansons de Jacques Michel, de Gilles Vigneault ou de Raymond Lévesque ne sont pas, en tant que telles, des chants répressifs. On y suggère plutôt une adhésion morale en provoquant la conscience des individus.

eille les pacifistes
eille les silencieux
eille la majorité où êtes-vous donc

du fond des prisons
du fond de l'injustice
ils crient vers vous

eille seriez-vous si aveugles
eille seriez-vous à plat ventre
eille seriez-vous si peureux

que vous ne verriez pas
votre frère emmuré
votre sœur emprisonnée

Eille
(Pauline Julien) (1970)

44. Cela peut sembler rapide et faire croire que les années 1960 n'ont pas eu lieu. L'éveil collectif a connu les accents de la violence des premières bombes du FLQ (1964), mais il n'en est pas moins le point de départ d'une réorganisation des forces québécoises articulées, depuis 1968, par le Parti québécois.

Cette chanson de Pauline Julien, qui s'inspire des événements d'Octobre 1970, fut écrite pendant son emprisonnement. Québec 1970: territoire occupé. Le vocabulaire se renouvelle: enragé, dépouillé, chômeur, révolté, colère, humilié, assassin, combat, debout, etc.

C'est Jacques Michel toutefois qui sera le plus impliqué dans ce genre de chanson engagée. François Piazza, en parlant de sa chanson *J'débarque*, dira de lui qu'il est un «poète de combat, même qu'il est dangereux». Jacques Michel, dans *La nuit où tu reviendras*, imagine le Christ qui, à son retour, aurait envie lui aussi de poser des bombes. Les allusions seront nombreuses, et Octobre 1970 fera naître une nouvelle conscience sociale.

La nuit où tu nous reviendras
Amène aussi tes anges
Le système porte des coups bas
Aux esprits qui dérangent
La nuit où tu nous reviendras
Toi le sauveur du monde
Ne perds plus ton temps sur une croix
Viens faire sauter des bombes

La nuit où tu reviendras
(J. Michel) (1978)

Quant à *Victor*, il parle du coup de la Brinks et de la Loi des mesures de guerre:

Quand la démocratie
s'est habillée d'hypocrisie
dans notre moitié de pays
au mois d'octobre (bis)
on n'était pas d'accord Victor

Victor
(J. Michel) (1971)

Les titres sont nombreux à mettre en liaison les événements de notre histoire collective. Les chansons circonstancielles de Jacques Michel sont résolument agressives. Les coups de poing accompagnent les notes. Michel veut mobiliser, éveiller. Sa chanson *S.O.S.* est un cri d'alarme: «On va couler». Sa lucidité est montée comme un haut-parleur.

On automatise mes pensées
On électrolyse mes idées
Je suis un cerveau téléguidé

On électrocute ma volonté
On électrifie mes facultés
Je suis un cerveau court-circuité

Je suis un truc électronique
On dit que je suis heureux comme ça
Je suis citoyen d'Amérique
On me dirige à l'œil et au doigt

Citoyen d'Amérique
(J. Michel) (1973)

S.O.S., Dieu ne se mange plus, S'il reste encore des hommes, Le paysan, Debout, Rose Laliberté[45]: autant de chansons de Jacques Michel qui ont parlé de la crise et qui l'ont débordée aussi. Comme ce fut le cas avec Félix Leclerc, les chansons politiques vont déborder les événements d'Octobre 1970 pour s'inscrire dans une critique plus large de la société. Les événements d'Octobre auront enclenché un processus de révolte qui, de l'insoumission à la violence, trouve dans la chanson

45. *Je vois la vie en rose* de Gilles Valiquette était, à l'origine, une chanson pour Paul Rose.

> «Le titre qu'on voulait donner au disque était Pierre Blais et Rose Laliberté. Pierre Blais est le nom que se donnait Paul Rose pendant les événements d'Octobre 1970. Le thème aurait été Pierre Blais à la recherche de la liberté. Ça a donné une chanson dans laquelle Valiquette parle de «rose»: *Je vois la vie en rose...* Et pour moi, ça a donné la chanson *Rose Laliberté.*»

(Pascal Normand, *La Chanson québécoise, miroir d'un peuple,* Montréal, France-Amérique, 1981, p. 119.)

une inscription sociale qui rappelle *Bozo-les-culottes* dix ans après.

> J'ai un fils dépouillé
> comme le fut son père
> porteur d'eau, scieur de bois, locataire et chômeur
> en son propre pays
> il ne lui reste plus que la belle vue sur le fleuve
> et sa langue maternelle qu'on ne reconnaît pas
>
> *L'alouette en colère*
> (F. Leclerc) (1973)

Bozo-les-culottes fut certes une compréhension anticipée des rapports de force marqués par la violence et la répression, comme le *Chant d'un patriote* est une sorte d'imploration spirituelle invoquant les fils qui viendront un jour gagner la guerre.

> Demain je pars pour la guerre...
> Je me prépare à cette guerre
> Depuis l'esclavage de mon père
>
> *Chant d'un patriote*
> (F. Leclerc) (1975)

Les chansons politiques rappellent les événements et les hommes. Souvent, il y a des parentés: ainsi Bozo-les-culottes et Paul Rose. Les affinités entre les deux restent étonnamment précises. À l'été 1970, le maire de Percé voulait expulser tous les *hippies* qui se réunissaient dans la boîte à chansons *La maison du pêcheur*.

La première auberge de jeunesse populaire au Québec, implantée par des jeunes, dont Paul Rose, devient le symbole d'une lutte nationale dont l'objectif immédiat est de permettre l'accès de Percé aux jeunes de la Gaspésie et du Québec. «La Gaspésie doit appartenir aux pêcheurs, aux Gaspésiens, aux gens du peuple, pas aux riches touristes américains de passage», clamait déjà Paul Rose[46]. L'appui des pêcheurs de Percé et des environs (pêche non touristique) enracine la lutte et lui donne sa dimension collective. Paul Rose est vite devenu le frère de Bozo.

Un jour quelqu'un lui avait dit
Qu'on l'exploitait dans son pays
Bozo-les-culottes
Qu'les Anglais avaient les bonnes places
Et qu'ils lui riaient en pleine face
Bozo-les-culottes
[...]
Y'a volé de la dynamite
Dans un quartier plein d'hypocrites
Bozo-les-culottes
Y'a fait sauter un monument
À la mémoire des conquérants
Bozo-les-culottes
[...]
On l'a vite entré en dedans
On l'a oublié depuis ce temps
Bozo-les-culottes

Bozo-les-culottes
(Raymond Lévesque) (1964)

Paul Rose est devenu un prisonnier politique: plus de dix ans de prison. Depuis 1970, le chansonnier se sent concerné par les autres. L'autre n'est plus une idée, fût-elle généreuse; l'autre, ce sont les exclus, les prisonniers politiques, ce sont aussi les travailleurs exploités.

Plus de quatre cents personnalités ont signé une pétition en mars 1978 réclamant la libération des prisonniers politiques québécois, et parmi elles, près de trente-cinq artistes que la chanson concerne[47].

En avril 1980, le Comité pour information sur les prisonniers politiques (CIPP) organise un spectacle bénéfice

46. *Dossier Paul Rose*, Éditions du CIPP (Comité d'information sur les prisonniers politiques), 1981, p. 19.

47. Voir pétition parue dans *Le Devoir* du 30 mars 1978, p. 12.

s'inscrivant dans le cadre d'une soirée de solidarité où paroles et chansons exprimaient leur appui et leur solidarité aux prisonniers politiques québécois et à la lutte pour l'indépendance. Les représentants de la chanson étaient nombreux à se réunir autour de ce cri de liberté qu'était «Au nom de la justice et de l'histoire[48]». Par leurs gestes, paroles et musique, les chansonniers, et les artistes en général, répondent fort bien de cette définition que Louis Festeau, en 1841, donnait du chansonnier:

> «Le chansonnier est l'écho, le pétitionnaire du peuple. Il rit de sa joie, pleure de sa souffrance, et menace de sa colère[49].»

Du fou au maître de l'île

Cet éclairage de la conscience collective sur la notion de pays, nous l'avons dit, s'élabore en même temps que le processus de décolonisation. Voilà ce qui donne tout son sens et toute sa dimension d'analyse politique.

> «Parce que les organisations colonisées ont des revendications nationalistes, on conclut souvent que le colonisé est chauvin. Rien n'est moins certain. Il s'agit, au contraire, d'une ambition, et d'une technique de rassemblement qui fait appel à des motifs passionnels[50].»

L'un de ces motifs, particulièrement depuis Octobre 1970, est repris sous toutes ses facettes: l'étranger. L'autre, c'est l'Anglais, l'autre, c'est le voleur de pays.

---

48. Il existe un vidéo de cette soirée intitulé *Nous sommes tous des prisonniers politiques,* produit par le Vidéographe de Montréal. Il complète le vidéo précédent: *Mémoire d'Octobre.*

49. J. Charpenteau et France Vernillat. *La Chanson française,* Paris, PUF, 1977, coll. Que sais-je?, 2e éd., p. 36.

50. Albert Memmi. *Le Portrait du colonisé,* Montréal, L'Étincelle, 1972, p. 95.

Combien de chansons de Leclerc se révoltent contre l'étranger: *Race de monde, My Neighbour Is Rich, L'encan, Chant d'un patriote, Le tour de l'île*, etc. Ici, la présence anglaise détermine un paradoxe qui est aussi l'expression juste du drame fondamental et permanent de la collectivité québécoise: habiter un pays qui ne nous appartient pas.

André Surprenant, dans *Relations*, nous apprend que ce thème du pays fut lancé par un texte de Félix Leclerc dont le titre, *Petite histoire des Canadiens français*, nous rappelle l'histoire de notre dépossession.

L'étranger a tout pris... oui, mais on a une belle vue
nous restent l'artisanat, le chômage, la politiquerie et la prière
nous restent les *hot-dogs*, nous restent les barbotes
un vieil alambic dont on n'a pas le droit de se servir

Petite histoire des Canadiens français
(F. Leclerc)[51]

Dès le départ, et la comparaison mérite d'être établie, l'idée de Félix Leclerc c'est, trente ans plus tôt, l'idée de Menaud dont la volonté d'action en fait un rebelle. Cette idée, c'est que le pays est vendu. Le roman de Félix-Antoine Savard et les chansons de Félix Leclerc nous apprennent à ne pas nous exiler, non pas du sol, mais de nous-mêmes. Ils nous apprennent la vie collective par le refus de se laisser dépouiller. La signification du pays commence par le refus à l'ordre des choses qui n'est rien d'autre qu'une authentique prise de conscience de notre servitude.

> «Autour de nous des étrangers sont venus, qu'il nous plaît d'appeler des barbares! Ils ont pris presque tout le pouvoir; ils ont acquis presque tout l'argent; mais au pays du Québec...
>
> [...]
>
> Rien ne changera, parce que nous sommes un témoignage. De nous-mêmes et de nos destinées, nous n'avons compris clairement que ce devoir-là: persister et nous maintenir...

51. André Surprenant. «Quand l'alouette se fâche», dans *Relations*, octobre 1973, p. 285.

[...]

Ces gens sont d'une race qui ne sait pas mourir[52].»

Dans son livre, Félix-Antoine Savard a exprimé la dépossession d'un peuple, son exploitation. Félix y a ajouté, avec plus de mordant et d'ironie, sa naïveté et son ignorance:

«Approchez, messieurs dames, une belle p'tite rivière à saumons à vendre pleine de beaux p'tits poissons qui viennent frayer ici depuis des siècles, à vendre, avec des îles, du bois, des chutes sus une centaine de milles sans compter les croches, laissons pas aller ça nous autres...

(Une voix assez lointaine — *I'll take it!*)

Tiens, un Américain, c'est légal, il est dans son droit, une fois, deux fois, trois fois vendu! Installez-vous, monsieur.

Approchez, messieurs dames, une belle p'tite université française à vendre, six étages d'instruction, latin et grec compris, avec fermes expérimentales, laboratoires, bibliothèques, l'article rêvé pour les fils d'immigrants qui veulent parler français au Canada. Laissons pas aller ça nous autres...

Une voix pas trop lointaine — *I'll take it!*

Une fois, deux fois, trois fois vendu!»

L'encan
(Félix Leclerc) (1975)

Depuis *L'alouette en colère,* tel un rebelle, tel Menaud, Félix raconte le Québec se dépossédant; il décrit un Québec pillé, un Québec vendu. Dans *L'encan,* il dénonce l'achat du Québec par les Américains; dans le *Chant d'un patriote,* démuni de ses terres, le patriote part en guerre.

Les chansons de Félix ne sont pas des souhaits, mais une volonté d'action. Ne termine-t-il pas sa chanson *Le tour de l'île* par: «Si t'as compris»? Comprendre précisément, par exemple, que le vrai maître du pays c'est l'ITT-Rayonnier. Son occupation de la Côte-Nord empêche les scieries déjà

52. Félix-Antoine Savard. *Menaud, maître-draveur,* Montréal/Paris, Éditions Fides, 1973, p. 32-33.

existantes d'augmenter toute production éventuelle. L'entente du 21 juin 1971, sous le régime Bourassa, garantit formellement à l'ITT le droit exclusif d'exploitation de toute la forêt domaniale de la Côte-Nord.

> Tu penses que j'm'en aperçois pas
> Quand tu mets ta pancarte
> À vendre, à vendre, avec en bas
> Indiqué sur les cartes
> Si vous aimez mon Labrador
> Ajoutez-y donc ma Côte-Nord
> Le bois y est hors d'âge
> Quand tu descends nous voir dans l'bas
> On sait qui c'qui paye ton voyage
> Tu penses qu'on s'en aperçoit pas
>
> *Lettre de Ti-cul Lachance*
> (G. Vigneault) (1973)

> Là-haut vers le nord
> Y'a des grosses montagnes de fer
> Elles disparaissent, tu perds ton bien
> Tu te fais prendre le butin
> Tu perds, tu donnes pour rien
> Tu laisses partir même ton bien
>
> *Y diront rien*
> (Claude Dubois) (1974)

> L'empereur prend tout
> Le fou vend tout pour presque rien
> Pas moyen d'dire rien
> De toute façon ça changerait rien
> Pis tout l'monde dort encore
> Le pays va d'travers
> Faudrait le remettre à l'endroit
>
> *Le roi d'à l'envers*
> (Les Séguin) (1975)

Vendre le pays à l'étranger, c'est une trahison nationale.

De Félix Leclerc à Paul Piché, de Gilles Vigneault à Sylvain Lelièvre, de Claude Gauthier aux Séguin, les chansons ne parlent que de cette constante dépossession. Ce que tous et toutes constatent et tentent de dire publiquement, c'est que les honnêtes gens ne se méfient pas assez du *statu quo.*

> Ailleurs on dit *Yankee go home*
> Mais pas ici
> Ici, l'*Yankee* sort du Chili comme l'ITT
> On l'paye pour venir voler not'bois sur la Côte-Nord
> Se faire des bras
> Des fois qu'on serait devenus trop forts

Drôle de pays
(S. Lelièvre) (1976)

> Avoir un pays à bout d'bras
> Même quand y nous appartient pas
> C'est un peu fort pour un seul gars
> Mais à vingt ans, on voit pas ça

La complainte de Valmore
(Normand Caron/
C. Gauthier) (1976)

> Viarge, viarge, viarge d'argent
> Tout c'qu'y veulent, c'est que j'fasse un encan
> Visse et visse et vice et versa
> Tombe, tombe ce pays-là
> On est pas maîtres dans nos maisons
> Car vous y êtes

Réjean Pesant
(Paul Piché) (1977)

Quant à *La bittt à Tibi* de Raoul Duguay, elle dénonce violemment l'exploitation du milieu par les puissantes mines d'or.

> Dans môn pays qu'ôn dit hôrs de la carte
> môn ôncle Edmônd travaillait sôus la terre

mais il creusait dans l'ôr sa prôpre môrt
môn ôncle Edmônd nôus a mis sur la carte
Dans môn pays qui a grandi
il paraît qu'aux tôuttt premiers temps
ôn y gagnait beaucôup d'argent
[...]
En mille neuf cent tôuttt
en Abitibi
dans môn pays
côlônisé
à libérer

La bittt à Tibi
(Raoul Duguay) (1972)

Plusieurs chansons chantent le pays avec une arrière-pensée politique et sociale. La critique, sous le mode de l'humour, passe par la description satirique plutôt que par l'accusation directe ou l'invective spectaculaire.

Drôle de pays comme un grand jeu de *monopoly*
Sauf qu'on joue pas, on r'garde les *boss* faire la partie
Y ont eu du *fun* dans l'hydraulique pi l'olympique
Mais c'est nous autres astheure qui payent pour leur colique
Drôle de pays où la charogne te garde en vie
Où le mercure assure la cure des Indiens cris
Où l'amiantose pousse comme la rose mais en plus gris
Où l'écœurement finit quand même par faire des p'tits
Entre l'avenir et le souvenir
Y a comme un trou
Un trou d'égout

Drôle de pays
(Sylvain Lelièvre) (1976)

Le pays, c'est la condition de l'homme québécois: condition économique, condition culturelle, condition morale, condition ouvrière, condition historique, condition politique, et depuis peu, condition écologique:

Vivre en ce pays
C'est comme vivre aux États
La pollution les mêmes autos
Les mêmes patrons les mêmes impôts
Les petits les gros
Dans un même bateau
Vivre en ce pays
C'est comme vivre aux États
C'est la violence, la répression
La loi du plus fort qui l'emporte encore
Sur ceux qui voudraient
Briser les conventions

Vivre en ce pays
(Pierre Calvé) (1973)

Le pays, lieu d'abrutissement, d'écrasement, entraîne la désillusion, mais aussi le regard lucide. *Ti-cul Lachance* (G. Vigneault), *Drôle de pays* (S. Lelièvre), *Parle-moué pu d'Matane* (P. Julien), *Maudit pays* (G. Dor), etc.: autant de chansons qui sont des satires sur les maux et les mots qui sévissent en ce pays.

Félix, encore, se demande avec humour et lucidité si le Québec doit devenir un *parking* indépendant, canadien ou américain? Que peut l'indépendance, autre aspect de la même question, pour empêcher que le Québec se transforme en *parking*? La question est politique. Elle est aussi écologique. Tout le disque de Félix est un programme de libération nationale. L'île, c'est le Québec.

... on veut la mettre
en minijupe
and speak english

... un dépotoir
un cimetière
parc à vidanges
boîte à déchets
US parking...

Pour célébrer l'indépendance...
L'heure est venue...
Les fruits sont mûrs
Dans les vergers
De mon pays...

Le tour de l'île
(Félix Leclerc) (1975)

Mais nous ne sommes pas encore prêts. Et puis toutes les questions ne sont pas épuisées. L'homme québécois fait-il partie intégrante du pays qu'il habite? Les frontières ne sont pas la seule limite. Passé la révolution tranquille, le pays, ce n'est plus seulement la terre.

Revenir à l'histoire, c'est reconsidérer le pays dans ses rapports avec le réel. Or, le réel n'est pas que le présent.

Ah! si tous les humains
voulaient s'donner la main
tu rêves en couleur
le Canada aux Canadiens
l'Amérique aux Amérequins
le Québec aux Québécois
pis quoi aux Iroquois

Le retour du grand six pieds
(C. Gauthier) (1975)

La notion de pays, revue et corrigée, s'éloigne de la conception traditionnelle et abstraite, et nous renvoie désormais aux origines.

Dans ma peau rôuge et pacifique
J'ai mal d'avoir été vendu
pôur quelques fôurrures histôriques
avec ma peau dessus mes ôs

Peau rôuge
(Raoul Duguay) (1981)

Le pays empêché est celui qui permet comme celui qui refuse. Se donner un pays peut-il être une façon de l'enlever à d'autres? Le pays, c'est la condition d'existence de l'être québécois. Il est un lieu léthargique, un lieu de torpeur, un lieu d'inconscience collective, un lieu de soumission et d'impuissance, mais aussi un lieu de naissance, de paroles et d'affirmation.

> S'il te fallait choisir nos chaînes
> Si tu préférais l'autre croix
> Tu me verrais partir sans haine
> Prendre racine loin du froid
> Quelque part en Californie
> Où l'anglais se fait moins sournois
> Mes fils n'auraient sans nostalgie
> Qu'un vague passé québécois
>
> *Tu vas voter*
> (S. Lelièvre) (1979)

> J'admets, bien entendu, certaines distinctions:
> C'est par non qu'on résiste à toute oppression!
> C'est par non qu'on refuse un travail suicidaire!
> C'est par non qu'on s'oppose au crime nucléaire!
> Mais, jusqu'en ses vertus, la sémantique est claire:
> Penser: non, c'est penser: rebuffade, refus
> Réprimande, rejet, impasse, accès rompu,
> Porte close et verrou, retraite et méfiance,
> Fin de non-recevoir, oubli, adieu, absence.
> Jamais reproductif, souvent contraceptif!
> J'en conclus comme vous: le non est... négatif!
>
> *Monologue du oui et du non*
> (G. Vigneault) (1980)

La perspective que «Mon non est québécois» — c'est Monière qui le souligne — peut devenir «le Canada, c'est mon pays». Cette double appartenance est l'effet d'une confusion sciemment entretenue. De la dépendance imposée à la dépendance volontaire, le processus de colonisation suit son cours. Comme l'explique encore Monière, toute relation de dépendance fonctionne à l'ambiguïté.

> «Ce choix est le prolongement de l'impact colonial et du nationalisme traditionnel qui, depuis deux siècles, a déployé des énergies considérables pour aménager le plus rentablement possible notre 'minorisation'. La politique coloniale a porté ses fruits: faire accepter l'inégalité politique comme source de liberté et de prospérité[53].»

Les résultats du Référendum de mai 1980 ont bien montré les ambiguïtés de l'affirmation de soi dont le contenu fut troublé. Une situation coloniale n'est jamais claire. Pour reprendre encore Memmi, relevant le défi de l'exclusion, le colonisé s'accepte comme séparé et différent, mais son originalité est celle délimitée, définie par le colonisateur, ici Ottawa. Adhérant à «Mon non est québécois», les supporteurs du NON ont continué à souscrire à la mystification colonisatrice. Or, 'le refus du colonisé ne peut qu'être absolu, c'est-à-dire non seulement révolte, mais dépassement de la révolte, c'est-à-dire révolution[54]». Avant de nous parler d'une libération nationale, la chanson nous a donc parlé d'une tentative de libération coloniale. L'une conduisait à l'autre. Le pays intérieur de Vigneault procède de cette double libération. Pour Ferland, s'impliquer politiquement devient une nécessité.

> «C'est pour ça que je m'en occupe. Le pays est tout croche. Il faut se décider d'ici peu de temps... Si jamais les Québécois votent 'non' au Référendum, ils vont avoir l'air fou... Et puis les Anglais, eux aussi, ne nous prendraient pas au sérieux. Ils nous mettraient dans un état d'infériorité encore plus grand. Ce serait désastreux. On ne peut pas passer pour des bouffons internationaux[55]!»

---

53. Denis Monière. *Pour la suite de l'histoire,* Montréal, Québec-Amérique, 1982), p. 77.

54. Albert Memmi. *Le Portrait du colonisé,* Montréal, L'Étincelle, 1972, p. 133.

55. Jean-Pierre Ferland. *La Patrie,* 11 février 1978, p. 9.

Pas plus que Ferland, Sylvain Lelièvre ne s'était jusque-là politiquement engagé dans ses chansons. L'urgence de chanter devient l'urgence de parler. Ainsi qu'il l'expliquait déjà, non seulement les chansons pressentaient le bouleversement politique, mais elles l'annonçaient depuis longtemps: *Lettre de Toronto* ou *Drôle de pays* annonçaient idéologiquement un Lelièvre deuxième manière, plus social, plus politique. Comme le Québec, son long-jeu *Intersection* est à un carrefour dont le Référendum pose les traces.

> «Il y a des choses qu'on ne peut pas cacher, des choses qu'on ne peut absolument pas ne pas voir. Le Référendum en est une. On ne peut pas éviter d'en parler. Il faudrait se cacher la vérité, s'enfouir la tête dans le sable. La chanson a aussi reflété les préoccupations sociales de tous les peuples. À toutes les époques. C'est inévitable. Nous parlons maintenant de notre identité, de l'avenir de notre peuple, de notre avenir[56].»

Là-dessus, les chansonniers veulent être clairs: leur participation à la campagne référendaire, c'est un parti pris dans le sens le moins partisan, dans le sens qu'il ne s'agit pas de faire les intérêts d'un parti, mais d'affirmer une volonté de libération d'un Québec moderne. C'est cette nécessité qui a obligé Félix Leclerc, lui qui n'avait jamais participé à une campagne de nature directement politique, à s'engager activement. Des artistes lyriques de renommée internationale comme Colette Boky, généralement tenus hors de ce mouvement, se prononcent aussi:

> «... parce que la confusion est actuellement semée par les partisans du NON, il faut alors me prononcer de façon directe et très clairement. [...] Je pense que la souveraineté-association est un phénomène logique qui suit le cours de l'histoire, de notre histoire[57].»

Pour les chansonniers, le OUI à la souveraineté-association a une allure de chant de ralliement. C'est un point

56. Sylvain Lelièvre. *La Presse*, 1er septembre 1979, section B, p. 3.

57. Colette Boky. *Le Journal de Montréal*, 30 avril 1980, p. 31.

concret de rencontre entre l'identité québécoise et la société québécoise. La marche des artistes, par exemple, quelques jours avant le Référendum, a fait devenir le Chemin du Roy (emprunté en 1967 par le général de Gaulle) le «Chemin du pays». La chanson circulait sur «une scène de trois cents kilomètres de long», selon l'expression même de Jean Duceppe. Plus de cent artistes ont voulu collaborer à cette maquette du pays à venir.

> «Les artistes ont fait leur devoir, en remettant aux politiques le soin de réaliser leurs rêves, disait Paul Hébert, ils savent qu'il leur faudra désormais en faire d'autres. Voilà pour nous tous un nouveau défi, un nouveau départ à la recherche de nous-mêmes. Nous nous sommes prononcés pour le OUI parce que nous croyons justement que l'idéal que nous poursuivons tous, depuis si longtemps, est mûr pour être vécu. Et nous faisons confiance, pour le moment, à ce gouvernement qui s'est engagé honnêtement, pacifiquement et démocratiquement à respecter la volonté souveraine du peuple québécois[58]...»

Au regard des résultats du Référendum de mai 1980, les chansonniers ont-ils échoué? Leur message était-il hors de portée des gens?

Vigneault dira que sa question était claire: ÊTES-VOUS D'ACCORD POUR ÊTRE? Vigneault avait pressenti certaines réponses: «Il y en a qui vont dire: Heuuu[59]...». Depuis, car le Référendum a été perdu, il n'y a pas que les gagnants qui peuvent et doivent interpréter les résultats du 20 mai 1980. L'hymne du pays a-t-il été remplacé par l'hymne de la peur? L'insoumis Raymond Lévesque le croit:

> «C'est regrettable d'avoir perdu le Référendum du 20 mai, mais l'avoir perdu avec une question peureuse, c'est encore pire. Il aurait mieux valu perdre debout que couchés[60].»

58. *La Presse*, 17 mai 1980, section A, p. 9.

59. Gilles Vigneault. *Actualité*, septembre 1979, p. 11.

60. Raymond Lévesque. *La Presse*, 17 novembre 1980, section B, p. 11.

En fait, les chansonniers ont voulu sans trop réussir empêcher que se tiennent deux discours sur un même pays: «Mon non est québécois.»

> «L'appel à la double appartenance a surtout réveillé la sensibilité nationaliste de ceux dont la socialisation politique s'est déroulée entre 1920 et 1960. Il ne faut pas oublier que dans le champ des idéologies au Québec, le nationalisme a contenu pendant longtemps une dimension messianique pancanadienne et que l'hymne *Ô Canada* a conservé pour beaucoup de gens une valeur de symbole[61].»

En définitive, la chanson québécoise porte une définition contemporaine de la souveraineté qui «signifie l'établissement d'un territoire d'accueil et de convergence terrestre», ainsi que le dit si bien Paul Chamberland à qui j'emprunte la formule, «pour tous les humains ralliés au même foyer de la resurgence anthropique[62]».

Éléments de conclusion

Provisoirement, la majorité des chansonniers se sont joints au Parti québécois. C'est depuis vingt ans, cependant, qu'ils appartiennent au mouvement nationalitaire. Les artistes et les intellectuels savent qu'il faut poursuivre le combat. Ils ont contesté la forme classique de l'injustice nationale (la plus évidente et la plus facile à ressentir), celle qui — est-ce un hasard? — prend la forme d'une amputation de territoires, d'une assimilation linguistique, d'un noyautage d'une culture, nommément la culture québécoise. Il a fallu une loi (la loi 101) pour défendre et maintenir ce qui est le plus légitime au monde: sa langue maternelle. Les chansonniers ont com-

61. Denis Monière. *Pour la suite de l'histoire.* Montréal, Québec-Amérique, 1982, p. 60.

62. Paul Chamberland. *Terre souveraine,* Montréal, L'Hexagone, 1980, p. 36.

battu le processus idéologique, c'est-à-dire cette infiltration lente de la pensée dont la fonction, au lieu de susciter un questionnement, fixe des réponses («Peu importe la question, votez NON» ou «Mon non est québécois») en voilant le champ des possibles, c'est-à-dire en simplifiant et en tronquant la réalité.

Tout compte fait, en Amérique du Nord, nous serons toujours «pendant» la question. Indépendance ou pas. Dans un rapport de dépendance, nous restons vulnérables. C'est bien possible qu'un jour, les chantres inconditionnels inspirent, dans certains cas, des actes. «Je chante, précise Gilles Vigneault, pour ne pas mourir.»

> «Il y a toujours dans notre culture des poètes venus de tous les horizons pour modeler notre sensibilité, et des Félix Leclerc pour signifier notre différence[63].»

Dès 1960, la pensée des chansonniers apparaissait comme un genre neuf de conscience sociale. L'on ne doit pas s'étonner que la chanson québécoise soit aussi au rendez-vous de la lutte politique, qui trouve son appui dans la «politique prophétique» des chansonniers. Par cette expression, Evelyn Dumas[64] entend une politique qui propose pour l'avenir des changements radicaux et qui accepte le risque qu'il faille beaucoup de temps pour les amener. Le lent travail des nouvelles consciences contribue à miner de l'intérieur les anciennes idéologies. La dissémination des anciens contenus accélère le processus de renouvellement des consciences. Ce mouvement s'accorde aux courants multiples dont les formes sont nouvelles, mais qui, au départ, restent insaisissables. Depuis le mouvement chansonnier, depuis l'Osstidcho, depuis les groupes québécois, dans la chanson québécoise, il ne s'est passé rien d'autre que ce mouvement de dissémination des anciennes consciences, c'est-à-dire de l'ancienne identité canadienne. Et Gilles Vigneault de renchérir:

---

63. André Ferretti. *Possibles*, hiver 1980, vol. 4, n° 2, p. 38.

64. Evelyn Dumas. «Projets du pays qui vient», *Possibles*, vol. 4, n° 2, hiver 1980, p. 32.

«Notre révolte est économique en surface et culturelle en profondeur. S'il y avait chez nous un changement de régime, violent ou autre, et peu de monde le souhaite violent, ce ne serait pas tellement à propos de la misère des pauvres gens que de la misère culturelle de tout le monde, bourgeois compris[65].»

En reconnaissant les ambiguïtés de leur pays, les chansonniers maintiennent à vif une conscience, non seulement historique, mais aussi politique. Au Québec, parce qu'il marque sa différence, le créateur agit comme si son pays était indépendant. Lorsqu'il écrit ou chante, il le rend tel. Tel est le sens du mot «créer»: rendre possible. Le chansonnier, de Charlebois à Vigneault, de Leclerc à Dufresne, de Julien à Thibault, de Forestier à Jacob, de Francœur à Lelièvre, de Gauthier à Dubois, de Lévesque à Desrochers, incarne une variété d'hommes et de femmes à l'image même de tous les possibles du pays qu'ils plaident depuis toujours. Notre chanson a provoqué le sens de notre évolution collective. Parce que chez le veilleur, la critique est ouverte. Le projet politique, ici, consiste à réduire l'écart entre l'identité québécoise et la société québécoise. La nationalité est dans la chronique d'un peuple. C'est cette chronique que la chanson a tenue, révélant ainsi son originalité autant que ses racines. Les chansonniers auraient été les éléments les plus populaires parmi les éléments les plus conscients qui ont incité le peuple à se tenir debout. Plus largement, peut-on penser, ainsi que d'aucuns le croient, que la culture a pris la place de la religion naguère influente? En fait, la chanson québécoise participe-t-elle à l'idéologie nationalitaire? Elle y participe de l'intérieur, et c'est ce qui probablement la distingue, par exemple, du discours traditionnel de l'élite cléricale.

Mais cette nouvelle parole créatrice, en plus de rompre, était-elle ravalée par une propagande partisane qui a tenté d'institutionnaliser et la chanson et la culture? Pour les chansonniers, il y avait désormais nécessité de distanciation à l'égard du pouvoir, conséquemment à l'égard du Parti québécois.

65. Marc Gagné. *Propos de Gilles Vigneault*, Montréal, Nouvelles Éditions de l'Arc, 1974, p. 91.

«Dans mon idée, dira Félix Leclerc, cela s'est fait non en étant responsable de la victoire du PQ, mais en mettant de l'ordre dans les consciences. J'avais conscience d'aider la cause de l'indépendance[66].»

Nous sommes tous, il est vrai, du 20 mai 1980, mais nous sommes aussi tout autant du 15 novembre 1976. «Je suis d'octobre et d'espérance», chante toujours Claude Gauthier. Pour plusieurs chansonniers, le Référendum, c'est ce qui a été mal fait. Mais la ligne de fond reste inchangée. Albert Memmi, dans *Relations* (octobre 1980), résume son impression en disant:

> «... dans les années 1960, les Québécois croyaient vivre une 'tragédie', alors qu'aujourd'hui en 1980, ils vivent des 'conflits'. Dans la tragédie, il y a risque de mort; on ne meurt pas d'un conflit[67].»

Raymond Lévesque (plus clairvoyant?) regrettera qu'une certaine idée de son pays se soit diluée dans le jargon des politiciens. Il donne ainsi raison à Gilles Vigneault qui sait déjà que tout ne viendra pas du Référendum. Pour lui, la conquête du pays n'est pas que l'amiante:

> «C'est beaucoup de choses. Les assurances, c'est intéressant aussi. La loi 101, c'est pas détestable. Enfin pas pour tous... Et il y a la Loi sur la protection des terres agricoles. Tout ça fait partie de la conquête du Québec, et l'amiante, c'est un élément dans un faisceau. Et je trouve que c'est plus ça qui est la conquête du Québec que le Oui ou le Non de formalité, de définition du fameux Référendum[68].»

Avant le 15 novembre 1976, l'on considérait, en certains milieux, que la chanson québécoise était la chanson de l'opposition officielle («Tu penses que je m'en aperçois pas»). Avec l'élection du Parti québécois, l'on a cru que la chanson avait perdu sa cause. Conséquemment, elle devait se

66. Félix Leclerc. *Le Dimanche*, 17 avril 1977, p. 9.

67. Albert Memmi. *Relations*, octobre 1980, nº 463, p. 274.

68. Gilles Vigneault. *Actualités*, septembre 1979, p. 9.

réorienter. Gilles Vigneault reconnaît qu'il y a encore des choses à dire dans le pays. On pourrait peut-être, suggère-t-il, parler d'écologie, par exemple. Pour l'essentiel, cependant, la victoire du Parti québécois n'a pas tout assuré.

> «Vois-tu, bien que le contexte change, je chanterai comme hier les mêmes chansons, et mon discours restera le même. On veut ici être chez nous. Va-t-on pouvoir l'être[69]?»

Et Félix Leclerc d'insister: «Aujourd'hui, il y a deux choses que je veux défendre: la langue et le pays[70].»

S'il est vrai de dire que le rejet de la souveraineté-association ne signifie pas le rejet du nationalisme québécois, on peut certes penser que les chansonniers ont été partiellement rejetés à la manière du nationalisme lui-même. Compte tenu des résultats du 20 mai 1980, peut-on alors conclure que le nationalisme des chansonniers s'enracinait dans une expérience collectivement non significative? En d'autres mots que signifient *Bozo-les- culottes, Le grand six pieds, Qué-can Blues, Lettre de Ti-cul Lachance à son sous-ministre, L'alouette en colère, La bittt à Tibi, Réjean Pesant*? La reconnaissance populaire de ces chansons appartient-elle à un effet de *marketing*? Il faut bien voir, écrit Louis Balthazar dans *Relations*, que le nationalisme au Québec n'est pas qu'un instrument du pouvoir.

> «Quand Gilles Vigneault chante le Québec, il traduit autre chose que des intérêts politiques ou économiques. Il exprime une véritable conscience collective qui plonge dans l'histoire[71].»

La fonction de prise de conscience est inhérente à la conception du chansonnier. Sa chanson engage plus que lui-même. Les chansonniers ont donné à la québécité une très grande efficacité idéologique, et c'est cette efficacité que les partisans du NON ont réussi à désamorcer.

---

69. François-Régis Barbry. *Passer l'hiver*, p. 109.

70. Félix Leclerc. *La Presse*, 13 septembre 1975, p. D-4.

71. Louis Balthazar. *Relations*, octobre 1980, nº 463, p. 268.

Or, s'il importe aux chansonniers de savoir si le peuple québécois accédera à l'existence nationale sur le plan politique, il reste qu'ils ne peuvent plus rien tant que le choix n'aura pas été fait. Pour eux, c'est ce qu'ils chantaient, survivre un peu est insuffisant. Il nous faut sortir de cette condition psychologique qui est le résultat d'une aliénation dont les mécanismes montés en nous appartiennent aux conditions culturelles, politiques et économiques de notre existence en ce territoire: *La froide Afrique* (Claude Léveillée), *Le Cessna* (Claude Gauthier), *Une fois pour toutes* (Sylvain Lelièvre), *Q-bec my love* (L'Infonie), etc.

Il a fallu sortir de l'espace ambigu dans lequel nous a maintenus le thème du pays pour embrasser l'homme entier, c'est-à- dire l'homme actuel avec son histoire, l'homme intérieur avec son avenir. Tout compte fait, la chanson moderne n'est pas éloignée du rêve de la communauté idéale, celui de l'adaptation du vieux mythe de la cité future où tous les maux sont résolus. Exploré dans les conditions de colonialisme historique que nous connaissons, le thème du pays évoluera et ne sera plus seul. Avec la contre-culture, la révolte prendra sur elle de défendre des valeurs fondamentales, dont la plus précieuse peut-être: la liberté.

CHAPITRE 6

L'affrontement des copies

On a mis quelqu'un au monde
On devrait peut-être l'écouter
Où est allé tout ce monde
Qui avait quelque chose à raconter

SERGE FIORI, HARMONIUM

Le cheminement allait être long. C'était une question de style et d'esthétique, peut-être même de morale. De 1965 à 1970, le mélange des genres s'est imposé. Ce mélange n'a pas échappé à Charlebois. Les chansonniers étaient dépassés. Ils n'avaient plus l'âme des jeunes. Leurs chansons étaient en dehors de la musique populaire. De son point de vue, Jean-Pierre Ferland croit qu'on a donné une fausse valeur aux chansonniers. On leur a donné, selon lui, une couleur nationaliste et c'est ce qui les a tués. Ce qui est sûr, c'est que depuis le spectacle de l'Osstidcho de Robert Charlebois en 1968, les chansonniers sont à la recherche d'un déclic commercial. La révélation s'est produite: le chanteur populaire peut donner à certaines chansons l'élan que certains chansonniers espèrent. Dorénavant, au Québec, la chanson populaire existe. Est venue une chanson tout court. Le mot «chansonnier», constate Ferland, n'existe plus.

La chanson des années 1970, depuis Charlebois, a déployé une musique plus explosive, plus globale. Sentir la musique, non plus la suivre: voilà l'exigence nouvelle. Ceux et celles que la musique intéresse allaient contribuer à mener la chanson québécoise à son état présent, précipitant la fin d'une époque, celle des chansonniers, et le début d'une autre, celle des groupes québécois.

Au Québec donc, la recherche musicale se fait en bandes et toutes les tendances ont droit d'expression. Nous assistons à l'invention d'une musique proprement québécoise par l'assimilation des musiques étrangères. Les groupes québécois transforment les données de la musique populaire: Beau Dommage, Harmonium, Octobre, Maneige, Ville-Émard Blues Band, Aut'Chose, Offenbach, les Séguin, etc. Chaque groupe instaure une musique là où il n'y avait rien, là où l'importation musicale existait. À tout prendre, le son québécois est une synthèse du folklore et du *rock*. La nouvelle musique populaire est l'expression d'un nouveau mode de vie, voire d'une mutation sociale profonde.

Le rapport indispensable du passé/futur vérifie ce que l'esthétique contemporaine a constaté: l'effondrement des genres, ce qui a donné lieu à une critique interne de la chanson, touchant non seulement le contenu mais aussi la forme. Car, au Québec, ce qui a commencé par des chansons a fini, en 1980, par des musiques.

En électrifiant sa guitare avec un humour sarcastique et des textes parfois surréalistes, Charlebois a créé au Québec une musique absolument moderne. Or, comme le pense Jacques Attali, la musique est là pour faire entendre des mutations.

> «En fait, l'expression tend à se substituer à l'explication. Le public préfère aux chansons 'édifiantes' un certain niveau d'exaltation capable de faire sauter les barrières entre le chanteur et le public. Un environnement sonore de plus en plus volumineux y concourt. On ne veut pas tant de la musique politique que de la musique subversive[1].»

1. Marie-Hélène Fraïssé. *Protest Song*, Paris, Seghers, 1973, p. 195.

Comme le dit encore Albert Raisnier, sans négliger l'apport du Tiers-Monde, qui se retrouve au niveau des thèmes, la musique *pop* reste une expression occidentale en montrant les grands refoulés de sa civilisation.

> «Tout ce qui a relent de soufre, la violence, l'érotisme, la drogue, la contre-culture, l'objection de conscience, le mysticisme, la révolte ou la subversion, tout cela se présente aujourd'hui sur un fond de musique *pop*[2].»

La pluralité de la musique *pop* en fait sa force et sa faiblesse. Par leur audience, Beau Dommage, Harmonium ou les Séguin, comme les Beatles en leur temps, jouèrent le rôle de vulgarisateurs d'une culture dite *underground* dont les rapports avec la musique *pop* s'établissent au grand jour. Ainsi, Beau Dommage répondait entièrement à l'esprit de la musique *pop*. Mélodie simple qui permet une communication facile et immédiate. Entre le texte et la musique, il n'y a pas de rupture, et la mélodie apparaît spontanée, légère, mais rapidement identifiable.

> «Pour la musique *pop*, la mélodie sert en premier lieu de support au texte: elle adopte donc souvent la forme simple de la chanson avec un refrain et des couplets[3].»

Et si, dans les années 1972-1974, la spontanéité de la créativité *pop*, combinée au retour en force du *rock and roll*, confirme la puissance industrielle des groupes, ici au Québec, nonobstant Charlebois, les groupes *pop* québécois n'ont pas encore pris leur élan véritable! Il faudra Beau Dommage en 1975. Puis les Séguin créeront un *folk rock* québécois qui sera leur apanage. Représentants d'un nouveau type d'existence — vivre en marge du développement technique — on a vu chez eux l'expression d'une rétro-culture plutôt que celle d'une contre-culture. Certains font un retour à la terre;

---

2. Albert Raisnier. *L'Aventure pop*, Paris, Robert Laffont/Éditions du Jour, 1973, p. 146.

3. Henry Skoff Torque. *La Pop music*, Paris, P.U.F., 1975, coll. Que sais-je?, p. 43.

d'autres s'enfoncent dans la culture du bruit; d'autres encore, comme Plume, abaissent les conventions sociales. Plume rappelle que sa carrière a commencé à une époque de désœuvrement généralisé: la fin du cours classique et les *fly-up* des cégeps. C'était l'apathie totale.

> «La création a jailli de la rue au milieu de ce désœuvrement, la création en tant que lutte contre l'écrasement d'une société de plus en plus bourgeoise[4].»

Où situer le noir Aut'Chose avec sa musique de gros char convertible dévoilant des images frottées à la ville et aux femmes, aux drogues et à l'existence nord-américaine? Francœur chante à coups de poing comme d'autres meurent à coups de chaîne.

La musique *pop*, ou ce qui pourrait lui appartenir, regroupe, à elle seule, beaucoup de traits caractérisant la contre-culture. Pour Albert Raisnier, dans *L'aventure pop*, la musique *pop* traduit et révèle le malaise de la nouvelle classe sociale issue de la montée démographique et du prolongement de l'adolescence.

Chansonnier, *folksong, pop-rock, pop music*, contre-culture: voilà bien des manifestations qui pourraient avoir en commun un même modèle psychologique: tuer le père. La musique, pour paraphraser Pierre Voyer, est à la fois le porte-parole et le détracteur de l'Amérique du succès.

Plus globalement, les groupes québécois sont apparus au moment où la jeunesse était moins farouchement nationaliste, en même temps que plus ambivalente. L'Infonie, les Séguin, Harmonium appartiennent à la contre-culture des années 1975, définissant la révolution comme la somme des libérations individuelles provoquées dans la conscience.

Les Séguin et Harmonium sont en affinité de pensée avec l'Infonie chez qui les éléments mystiques, philosophiques et politiques s'entremêlent. Ainsi que Walter Boudreau l'écrit, l'Infonie, ça fait partie d'un courant historique qui a voulu décrasser la culture:

---

4. Plume. *Le Devoir*, 5 février 1977, p. 20.

«Mais, notre entente remonte au temps de l'Infonie: à l'époque, les membres du groupe n'étaient pas des *drop-out*, mais on décrochait du système pogné de l'artiste qui arrive avec son petit costume bien coupé. On en avait trop vu, on s'est cassé la tête pour arriver avec des sièges de toilette sur la tête, avec des supports: essayer de craquer quelque chose. C'était peut-être pas verbalisé complètement, l'affinité qu'il y avait entre Raoul et moi, entre moi et tous les membres de l'Infonie; l'affinité qu'on avait n'était pas tellement dans ce qu'on avait à dire, mais dans le fait qu'on essayait de briser un tas de carcans dans lesquels on avait vécu longtemps. Ces carcans-là, ça allait de la nourriture au sexe, à la philo, à la musique[5].»

Il est clair que certaines questions doivent être situées dans le contexte de la contre-culture plutôt que dans celui de la question nationale. La jeune génération d'artistes n'a pu et ne pourra pas être politisée au sens où, par exemple, les péquistes l'auraient bien voulu. Les Séguin, Harmonium, Brault et Fréchette, Jim et Bertrand, Beau Dommage se sont trouvés sollicités par des idéaux autres: l'écologie, l'action communautaire, l'abolition du vedettariat, etc. Tout en étant d'accord avec le mouvement souverainiste, ils ne s'y sont pas engagés de façon partisane ou exclusive. Au Québec, les thèmes de ce qu'on peut appeler la renaissance folklorique sont certes d'actualité: le retour à la nature, la fête, la paix, la non-violence, le respect de l'environnement, etc. Les Séguin, Jim et Bertrand, Garoulou, Brault et Fréchette, Breton-Cyr, et combien d'autres...

Ici, le folklore rural semble s'inscrire à contre-courant des modes, car il prétend, avec les Séguin, retrouver une vie moins artificielle. Leur volonté de retour aux sources s'est déplacée. Aujourd'hui, la ville est moins plastique qu'à leurs débuts. On peut certes aimer la laine du pays, mais le folklore rural est-il la musique dont le mouvement écologique a besoin, même si cette musique liée au travail de la terre (*Prière à la terre*) exprime un besoin authentique de retrouver ses sources?

5. Collectif *Raôul Duguay ôu le pôète à la vôix d'ô*, Montréal, Éditions Univers, 1979, p. 107.

Il a donc suffi que le chansonnier reprenne les rythmes traditionnels pour faire de *La parenté* ou de *La danse à Saint-Dilon* des chants de ralliement national. Mais il allait, par la même occasion, faire naître d'innombrables questions, dont celle de son appartenance à la société moderne.

La musique *pop* est donc la formulation nouvelle d'une expression musicale violente. Comme l'écrit Henry Skoff Torque, la drogue, condition chimique du voyage, a trouvé une correspondance musicale en l'*acid-rock*, musique psychédélique et électronique par essence: Jefferson Airplane, Grateful Dead, Quicksilver Messenger Service ou Electric-Flag en sont les porte-parole. L'expérience psychédélique renvoie aux différentes attitudes face aux paradis artificiels entrevus. La mythologie des groupes *rock* est basée sur une atmosphère multi-médias: lumières stroboscopiques, scènes, films, diapositives, effets cinétiques. Tout pour rappeler les voyages... Spiritualité et chimie se mêlent pour le voyage intérieur. Le voyage psychédélique passe à travers la conscience. Au Québec, le groupe Harmonium a parfaitement incarné ce courant mystique, incontestablement présent dans la contre-culture. Gaétan Rochon affirme que la musique contient «une nouvelle esthétique, est moyen d'expression et dans certains cas aide à créer un milieu favorisant la quête de l'extase[6]».

Voilà comment leurs disques, comme leurs mots, furent au-dessus des concepts. L'expérience des drogues conduit à l'exploration du moi psychique. Si elle permet l'évasion, elle est aussi, parfois, essai de communication cosmique. L'*Heptade* d'Harmonium n'est rien d'autre que cette exploration de la conscience devant déboucher sur la communication.

Les groupes québécois, nés dans le sillage de la révolution individuelle, ont été inspirés par la réhabilitation du désir. L'association de Raoul Duguay avec les Séguin, par exemple, n'est rien d'autre que cette mise sur d'autres valeurs que le matérialisme.

Bref, à travers la musique *pop*, et plus globalement la contre-culture, un groupe culturel donné se parle d'un conti-

6. Gaétan Rochon. *Politique et Contre-culture*, Montréal, HMH, 1966, p. 29.

nent à l'autre. C'est tout à fait moderne, en effet. Et s'il faut situer les chansons de cette décennie contre-culturelle, c'est bien dans cette toile de fond qu'est le contexte mondial.

Le cri de l'angoisse

Nombre de chansons perçoivent avec beaucoup d'acuité les problèmes sociaux et politiques: *Y diront rien* (C. Dubois), *La marche du président* (Charlebois/Vigneault), *Macramé Power* (Jean Lapointe), etc. Raymond Lévesque reste le chansonnier pour qui la question sociale demeure primordiale. À travers ses chansons, il reconstitue la synthèse de ses observations: *Le système, Les militants, Grenouille, Le temps de parler, Les marchands, La main dans la poche, Politique, L'organisation, Ce n'est pas normal*, etc.[7]

L'Église a trahi
De n'avoir jamais condamné l'appel
du chrétien sous les armes
D'avoir ménagé les puissants
Au détriment de la parole
D'avoir joué du péché
à tout propos
Sauf là où il le fallait
Où cela aurait été si important
Elle avait comme mission
de changer le monde
Ne pas s'accorder avec l'argent
Les puissances

7. Toutes ces chansons et bien d'autres sont rassemblées dans un petit livre qu'il a appelé *Electro chocs* (Guérin, 1981) et qui rappelle simultanément son engagement social et son engagement chrétien. Il y est question d'argent, de pouvoir, d'injustice, de guerre, de foi, de cette part du cœur, de l'amour et de la conscience.

Et la guerre
L'Église a trahi.

Kommandantur
(R. Lévesque) (1968)

La vraie foi
c'est de dénoncer l'injustice,
les crimes contre la vie.
L'espoir n'existe pas
là où il n'y a que l'attente.

La vraie foi
(Raymond Lévesque) (1976)

Ces chansons politiques nous disent de nous méfier du pouvoir. Elles ne présentent pas le social contre le national, mais leur point de vue s'écarte d'une action partisane. Il n'est pas question, parce qu'elle serait inadéquate, d'une stratégie de soulèvement populaire. En ce sens, on est loin de *Bozo-les-culottes* dont l'action individuelle a amené l'action collective:

Mais depuis que tu t'es fâché
Dans le pays, ça a bien changé

Bozo-les-culottes
(R. Lévesque) (1964)

Que dit la chanson après 1970? Elle dit: méfiez-vous de ceux qui veulent défendre le peuple, les traîtres circulent. Par ailleurs, la chanson, de plus en plus, reflète l'individu marqué non seulement par la crainte que l'action conduise à l'échec, mais aussi par l'embrigadement idéologique.

Si le vin de table goûte un peu trop le sang
si les camarades en savent un peu moins qu'avant
si la faucille fauche ceux qui sortent du rang
si on oublie que l'homme
est avant tout un homme
si c'est ça le communisme (bis)
j'débarque

Si on remplit ses poches au nom de la piété
si on bénit les pauvres en leur mangeant au nez
si on vend son pardon comme on vend sa pitié
si par le fils de l'homme
on exploite les hommes
si c'est ça le christianisme (bis)
j'débarque

J'débarque
(J. Michel) (1971)

La chanson québécoise, après les années 1970, traverse une phase d'opposition et de condamnation de la société de destruction gérée par les maîtres de la guerre. Ces chansons nées d'une opposition de gauche s'intéressent à l'injustice sociale, à la bêtise humaine, à la lutte des femmes, etc. La causticité des chansonniers n'a pas toujours une prise directe sur l'actualité. Les chansons tendent vers la satire philosophique ou l'accusation, laquelle, comme dans *Poulapaix* de Pauline Julien, nous montre à quel point, de tous les côtés, l'homme est manipulé. La critique sociale passe par la dérision.

Poulapaix
Moi, j'suis pour la paix
Poulapaix, disait-il
On l'appelait monsieur Poulapaix
même quand la police défonce des portes à quatre heures
du matin
même quand les ministres rencontrent la mafia dans
des chambres d'hôtel
même quand on fait des procès en l'absence de l'accusé
même quand on coule dans l'ciment des gars
d'la construction

On l'appelait monsieur Poulapaix
même quand on cause des grèves à coups d'matraque
même quand on chasse de leur maison des familles entières
pour construire des autoroutes

même quand l'augmentation des salaires rejoint jamais l'inflation
même quand la police tire dans l'dos des jeunes en les traitant de maudits drogués

Poulapaix
(Gérald Godin/Pauline Julien) (1976)

La chanson dont il est question ici touche à un centre de revendication précis. L'indifférence des uns, la trahison des autres renforcent ce lieu de contradictions qu'est la société, dont la rareté spirituelle n'étonne guère. Cette rareté, pourtant, appelle à la solidarité: *Debout* (Jacques Michel), *Apprendre à se tenir debout* (Manuel Brault), *La gigue à Mitchounano* (Paul Piché), *Les militants* (Raymond Lévesque), etc. Pour cela, sortir de son indifférence.

Le monde peut crever de faim...
ça leur fait pas un pli
Les porcs, ils ont des usines...
Ils polluent l'air... l'eau...
ça les dérange pas pantoute
D'abord que ça paye,
le reste ils s'en sacrent
Que les ouvriers s'usent
sur des chaînes de montage,

Dans un travail inhumain,
c'est le dernier de leurs problèmes

Les porcs
(R. Lévesque) (1973)

Wo-wo... Macramé *power*
Les *rock*, les *freaks*, les céramiques
Les tricotés pis les granolas
Wo-wo... Macramé *power*
On est contr' tout tout tout

Une flûte à bec, un vieux poncho
Vive le Québec, *fuck* l'Ontario

Quand on est *stone* on fait pas d'stress
On tire un joint on *sniffe* d'la *coke*
Pis on joue aux fesses

Macramé Power
(J. Lapointe) (1980)

La chanson québécoise ressemble parfois à ces jeux de massacre des fêtes foraines, avec leurs pantins à abattre, toujours les mêmes: les politiciens, les exploiteurs, les pollueurs de tout acabit, etc. Certaines chansons, politiquement, tiennent compte de l'actualité, de l'information, et au sens plus large, de l'environnement. La question des Indiens, ici, le thème du Viêt-nam, ailleurs. L'homme est piégé de toutes parts.

Pas besoin de me dire qu'aujourd'hui
Le cri du cœur ça ne s'écrit plus
Qu'il vaut mieux chiâler sur la vie
Que de la porter jusqu'aux nues
Je le sais

Qu'il faut être un peu moins sincère
Les temps ont tellement changé
Qu'on ne peut même plus parler de sa mère
Sans passer pour un pédé
Je le sais

Je le sais
(Jean-Pierre Ferland) (1967)

Il faut hurler avec les loups
et bêler avec les moutons
comme ça on pass' inaperçu
on a moins d'chance d'être tondu

Polis gentils ravis soumis endormis aplatis

Litanie des gens gentils
(Pauline Julien) (1974)

Cela avait l'air de droite. Mais cela fut plus radical qu'on ne le croyait. Le jugement est lucide et direct: l'homme est un mauvais gestionnaire de la Terre. Il est même pillard.

> «De ce point de vue, écrit Marie-Hélène Fraïssé, les années 1960 marquent un tournant. Ce n'est pas une 'révolution silencieuse', c'est un pan d'histoire qui s'effondre. On ne peut plus négliger l'appel que toute une frange marginale de la jeunesse a lancé[8].»

Les années 1970 ressentent avec un sentiment d'urgence cet appel de la décennie précédente. Les chansons, plus nombreuses, déploient une nette conscience écologique. Peut-être usent-elles trop du cliché répandu que notre planète est un immense dépotoir, mais la chanson, principalement contre-culturelle, est un appel à une plus grande conscientisation du problème de l'environnement.

Ouvre les yeux de l'âme
Vois c'que devient notre planète
C'qui manque au peuple de la Terre
C'est une conscience universelle

L'air se raréfie
On est peut-être allé trop loin
L'eau ne se boit plus
Qu'à chacun sa part de risque

Hymne à la paix
(Bertrand Gosselin) (1980)

Attention la Terre
On va couper l'air

Attention la Terre
On va couper l'air

Attention la Terre
On va couper l'air

8. Marie-Hélène Fraïssé. *Protest Song*, Paris, Seghers, 1973, p. 242.

9. Les Séguin. *Nous*, février 1974, p. 46.

Attention la Terre
On va couper l'air

Attention la Terre
(Luc Plamondon/
Diane Dufresne) (1973)

Sur les crapets soleil
qui descendent en chaise roulante
les rapides de Saint-Jérôme
Parce que ça mord à Saint-Jérôme
Beau dommage
Et les poissons font pareil
quand y mangent
y ont pu d'dents
Ils sont à la mode chimique

Saint-Jérôme
(Réjean Ducharme/
Robert Charlebois) (1975)

Dans cette dénonciation, tout y passe: la civilisation de l'étiquette et de l'emballage, la société de consommation des technologies envahissantes, l'aliénation du quotidien, l'absence de la qualité de la vie. etc. Ici, la question de l'environnement prend des allures de questions politiques. Elle est globale.

La conscience la plus révolutionnaire, elle se trouve dans la nature même. Cette conscience doit être pour nous une leçon. La domination et les rapports de force sont au centre de cette conscience écologique. Ainsi, pour les Séguin, le problème en est un de proportion:

> «Prends la pollution, par exemple: tout le monde est contre, mais personne ne fait le lien entre les déchets qu'on met devant la porte les lundis et les jeudis, et la même pollution qu'on dénonce à grands cris. On sort sa grosse poubelle puis on va manifester en faveur des petits oiseaux. Quand on n'est plus capables de faire la relation entre des choses aussi simples — et c'est la même chose pour tous les gestes qu'on pose — c'est que le système a détruit notre capacité de réflexion[9].»

Bien sûr, les Séguin, par exemple, ont cru au *Green Power* (Pouvoir vert), dont le combat était tout indiqué: *Som Séguin, Génocide, Hé Noé, Le roi d'à l'envers, Prière à la Terre, Global Refus, J'avais oublié.*

> Si tu me dis de courir
> Je marcherai lentement
> en ne m'occupant que du vent
> et de l'azur que je respire
>
> Si tu me dis de détruire
> je prendrai le goût à fleurir
> je te répondrai par l'amour
> et rien d'inutile autour
>
> *Global Refus*
> (Francine Hamelin/
> Les Séguin) (1976)

La chanson des Séguin est très souvent une déclaration de principe (*Génocide, Som Séguin*) sur un fond de révolte. C'est la défense de la nature qu'ils exposent. Dans *Ce matin, un homme* de Claude Léveillée, on retrouve la même revendication et la même conscience écologique, comme chez Charlebois, chez Leclerc, chez Lévesque, chez Piché, chez Vigneault. Car le problème de l'environnement revient à la question de la dépossession du territoire réel. Vigneault et les Séguin ont en commun la même dénonciation de la bêtise des gouvernements:

> Des matins je me lève esquimau
> je te vois vider l'Arctique, l'eau
> les humains, les animaux à des prix électriques
> J'peux pas croire que tu sois si bas...
>
> *Lettre de Ti-cul Lachance*
> *à son premier sous-ministre*
> (G. Vigneault) (1973)

Des choses plus étranges encore
Bouleversent le nord
De Blanc Sablon à Port-Cartier
Jusqu'au Labrador
Des dragons de fer et d'acier
Ravagent nos forêts
On inonde un quart du royaume
Allez voir pourquoi

Le roi d'à l'envers
(Les Séguin) (1975)

Cette chanson de même que le passage de Vigneault ont pour cible le premier ministre d'alors, Robert Bourassa, et le projet de la baie James. Les mêmes préoccupations sont souvent reprises sur un registre plus large, celui de l'histoire et de la civilisation.

Ne plus braquer de fusils dedans nôs yeux
Ne plus avôir la bôuche cômme un canôn
Faire l'amôur nus sur les champs de bataille
Tômber de tendresse dans un champ de pômmes
Ne plus arrôser les fleurs des jardins
avec le sang des victimes innôcentes
La Terre est à Tôulmônd et tôuttt les hômmes
ônt le sang rôuge du Sôleil dans leurs veines

La parôle
(R. Duguay) (1976)

En chansons, la guerre est une dénonciation classique. Depuis quelques années, s'ajoute à celle-ci l'aliénation de la société moderne par la condamnation du péril atomique. Nombre de chansons dénoncent l'apocalypse nucléaire. En France, Boris Vian avec sa *Java des bombes atomiques*, et Guy Béart avec *Les temps étranges, Alphabet, Escalier B*, condamnent la déshumanisation de la planète. L'angoisse atomique n'échappe pas aux nôtres, et cela dès les années 1960:

Même que j'ai vu dans la gazette
Qu'on vend des abris pour la guerre,
Une garantie sur l'étiquette,
Argent remis si ça n'va guère
En tous les cas, si la bombe tombe,
La blague d'un abri nucléaire,
Ça peut toujours servir de tombe
Moi j'préfère mon paratonnerre

Le monde est un joli micmac,
J'ai l'air d'un vieux mélancolique,
Mais votre génération s'en sacre
C'est à cause de l'ère atomique.

L'ère atomique
(C. Gauthier) (1962)

Mais ton champignon atomique
qui explose
Mais ton champignon atomique
Ça explose pour quand?

Cerveau gelé
(C. Dubois) (1967)

Le refus du nucléaire constitue une sévère critique du progrès technique. Si celui-ci est perçu négativement, c'est qu'il n'est pas perçu comme un progrès humain. L'opposition au nucléaire, et plus largement à la pollution, ne se conçoit qu'au sein d'une critique globale de la société.

Alors, ils saccagent tout
Les forêts sont immolées
La nature piétinée
Le sol violé
Les mers empoisonnées
Et le peuple accepte tout cela
sans rien dire

Comme si c'était normal
Comme si c'était leur droit

Qui vous le rendra
(R. Lévesque) (1972)

Société sans conscience ou êtres sans conscience? Par ses revendications, la chanson est autant sociologique que politique: *Aubade à la lune* (C. Gauthier), *Bon voyage dans la lune* (F. Leclerc), *Pollution* (C. Dubois), *Global Refus* (Les Séguin), *Ce matin, un homme* (C. Léveillée)...

L'environnement est l'autre versant des conditions d'existence du territoire. Grâce à la chanson, le thème de l'écologie, qui dégage une belle motricité révolutionnaire, accompagne d'autres thèmes: la critique de la science qui ne débouche pas sur le progrès humain, le refus de la société technologique, l'ensemble des valeurs de remplacement, réunir la raison et l'émotion, etc.

Dans le ventre de ma mère
de ma mère l'univers
je m'en souviens encôre
et même jusqu'à ma môrt
j'étais une partie
de la grande symphônie
de la musique des sphères
j'étais lôin de la guerre
[...]
Je sentais vibrer la grôsse côrde
d'où venait le lait de vie
au diapasôn de l'énergie
qui à l'éternel nôus raccôrde

Tambôur et trômpette
(R. Duguay) (1977)

Gaétan Rochon, dans *Politique et Contre-culture*, montre bien comment le combat écologique en est un pour la survivance de l'homme:

> «Le mouvement écologique unifie toutes sortes d'éléments en voulant protéger la matrice originelle, la nature violée par la technique et empoisonnée chaque jour en un processus cumulatif de la société industrielle. La lutte, ici, est celle de la survie de l'espèce humaine. C'est l'être biologique contenant tous les autres qui est menacé: l'entreprise dépasse donc, tout en les englobant, l'être moral de la philosophie et l'être social des sciences humaines[10].»

Changer notre corps, le transformer, accorder ses émotions avec les autres, avec son environnement, cela commence par le respect de soi, de ce qu'il y a dans la tête. Voilà une attitude écologique. Dans *Trace et contraste* de Richard Séguin et Louky Bersianik, le même discours revient: la science doit être en unité avec l'individu qui la pratique. Réconcilier le cœur et la tête, la danse et le pas...

> Dans'-moi un' dans' qu'est l'contrair' de l'ennui
> Qu'est l'contrair' d'l'anémie
> L'contrair' d'l'anesthésie
> Dans'-moi la gigu' de la mer
> La bastringu' du torrent
> La débâcl' du printemps
> Un continent s'enfarge
> Les deux pieds dans l'asphalte
> La Terr' s'met à valser
> Toi fais-la donc tourner
>
> *La danse du monde*
> (Louky Bersianik/
> Richard Séguin) (1981)

On a troqué la compréhension pour le savoir. Or la révolution culturelle, c'est la révolte contre les aspects de la société qui déforment la culture, l'âme, la vie privée. Car l'aspiration au vrai peut-elle être complète sans cette union de l'individuel et du social, c'est-à-dire sans les luttes quotidiennes?

10. Gaétan Rochon. *Politique et Contre-culture*, p. 30.

Changer de société ou changer la société? L'engagement est souvent dans ce qui commence, mais il est tout aussi entier dans ce qui se poursuit.

Dénoncer le réel insoutenable parce qu'intransformable. Les priorités s'imposent, mais les premières n'interdisent pas l'existence des autres. Le fait humain, c'est la guerre, c'est l'exploitation de l'homme par l'homme. Ce fait n'empêche pas la conscience de son milieu, ici, de son pays. Il en situe seulement l'ampleur.

Vous vous devez de vous arrêter
Vous vous devez d'écouter
La rumeur des pays exploités
Des pays affamés
Par le grand capital
International

Conscience universelle
(R. Lévesque) (1973)

Or le journaliste Pierre Nadeau faisait remarquer à Gilles Vigneault que les gens qui font son métier donnent rarement l'impression de s'intéresser à ce qui se passe ailleurs: la guerre du Viêt-nam, à l'époque, le Chili, les Palestiniens...

«Ce n'est pas vrai. Je pense aux Indiens, par exemple. C'est plus près de nous et on trouve toujours ça plus difficile à voir et moins important. C'est pas mal de s'intéresser à ce qui se passe à côté de soi avant de prétendre sauver le Viêt-nam[11].»

Et les chansons sont nombreuses à souligner non seulement cette peur, mais cette lâcheté et cette injustice: du Viêt-nam au Chili, les cas de barbarie sont passés en revue. La dénonciation de l'actualité sociale et la lutte pour l'instauration d'un idéal, c'est-à-dire d'un nouvel ordre des choses, sont liées à une vision critique du pouvoir et de ses effets: *La marche du président* (Vigneault/Charlebois), *Les archipels*

11. Gilles Vigneault. *Actualité*, septembre 1979, vol. 4, n ° 9, p. 9.

(Raymond Lévesque), *Le petit soldat de chair* (Claude Léveillée), *Câble-T.V.* (Yvon Deschamps), *Le temps est responsable* (Claude Dubois), *Hiroshima* (Sylvain Lelièvre), *El Salvador* (Raoul Duguay), *Génocide* (Les Séguin), etc.

Pendant qu'on danse la cha-cha
Hanoi est bombardé vingt fois
Les soldats viennent des États
Leurs fusils sont fabriqués au Canada

50 000 000 d'hommes
(R. Charlebois) (1967)

... depuis quarante ans, le monde et sa misère
Ne m'atteint pas, je suis protégé
Par un pays qui ne fait pas la guerre
Mais qui en jouit en aidant à la faire

... je ne sais pas, il y a comme un malaise
Qui monte en moi depuis quelque temps
Je me rends compte qu'au creux de ce pays
Au creux de ma vie s'élève comme un cri...

Ne me parlez plus de vos chagrins
(Claude Léveillée) (1976)

L'inhumanité généralisée, ce sont les lieux d'emprisonnement en URSS, les lieux de torture au Chili, le génocide au Viêt- nam, la faim des Biafrais, l'assassinat des Arméniens, etc. Le danger est là, toujours présent:

Ce n'était rien qu'un coin de terre
Mais la carte était militaire
Et les crayons s'arrêtaient là
Hiroshima
[...]
Un jour en ouvrant ma fenêtre
C'est drôle j'ai cru reconnaître
Dans ma rue tout ce monde-là
Les enfants et les fonctionnaires

Il est tant de jours ordinaires
Et les cartes sont toujours là

Hiroshima
(Sylvain Lelièvre) (1978)

La chanson politique québécoise s'inscrit dans un courant international, ainsi en France:

> «De la chanson pacifiste de 1950 à la chanson sociologique de 1970, l'évolution du genre politique est très nette. Correspondant à une transformation progressive de la sensibilité, elle pourra demain renseigner utilement l'historien quant aux aspirations refoulées de nos contemporains[12].»

La guerre civile d'Espagne, la révolution russe, la libération de Cuba, le conflit indochinois, la guerre du Viêt-nam, le Chili, le Liban, autant d'événements qu'évoquent les chansons de tous les pays. Les malheurs du monde nous concernent donc aussi. *Quand chez toi sera vraiment chez toi,* chanson de Stéphane Venne, trace un parallèle entre la situation internationale et la nôtre. Cubains dans nos désirs, mais américains de naissance, socialistes dans nos rêves, capitalistes dans certains de nos comportements, les autres pays nous interpellent dans leur lutte pour la vie. Et, de poursuivre Raymond Lévesque:

Sous prétexte
de ne pas s'ingérer
dans les affaires intérieures des pays
des gouvernements laissent assassiner
des milliers, des millions de gens

Demain
quand ce sera votre tour
personne ne bougera

12. Serge Dillaz. *La Chanson française de contestation*, Paris, Seghers, 1973, p. 149.

parce que vous n'aurez
point bougé

Le silence
(Raymond Lévesque) (1976)

On peut toujours parler de faim, de guerre, de pauvreté sans manifester une conscience engagée dans l'analyse des problèmes sociaux. Il ne reste alors qu'à idéaliser l'amour comme solution aux vrais problèmes.

Voir des enfants qui souffrent et meurent de faim
Me rend malheureuse car je sais qu'on n'y peut rien
Ça me coupe l'appétit et me donne envie
De ne plus jamais faire d'épicerie
Si ce n'était pas de mon mari
Je ne mangerais que du riz
Quand je pense que je dois suivre un régime
Toute ma vie
Pour me garder bien *slim*
[...]
Parlez-nous d'amour pour un instant
Dites-nous qu'il viendra le jour
Où l'on n'embêtera plus les pauvres gens
Parlez de quelque chose qui touche les pauvres gens

Pauvres gens
(Diane Tell) (1980)

Pourtant, il y a loin de cette ironie morose à l'apathie de la jeunesse:

Assis sur mon *steak*, j'attends tout le temps l'extase
Excité dans le vide, avide, absent, je m'enivre
Radio morte, T.V. pétée, même toune cent fois
L'esprit délavé les jeans universels
Les souliers de soûlon percés sans voyager
Âgé déjà, jeune pourtant, bébé peut-être

Le sternum serré, gelé dur d'adrénaline
Plus le refrain dure, plus tout tourne en rond

La valse à onze temps
(Octobre) (1975)

Nombre de chansons prennent position à l'égard de la jeunesse québécoise, que l'on trouve apathique ou lucide:

Entr' deux joints
Tu pourrais faire quequ'chose
Entr' deux joints
Tu pourrais t'grouiller l'cul

T'as un gouvernement
Qui t'vole a tour de bras
Blâme pas l'gouvernement
Mais débarrasse-toi'z'en

Entr' deux joints
(Pierre Bourgault/
Robert Charlebois) (1973)

J'aurai toujours les yeux pleins d'eau
Mais j'les aurai toujours ouverts
J'ai pas choisi d'vous déranger
Mais c't'arrivé pis y est trop tard
Pour changer d'bord
J'pourrai jamais laisser tomber
On m'a montré à coups d'bâton
Que c'est mon cœur qui avait raison

J'aurai jamais dix-huit ans
(Paul Piché) (1980)

La chanson québécoise a eu cette lucidité et cette générosité de partager, malgré ses contradictions, une conscience sociale inscrite à la source même de l'humain.

Il n'y a pas trois milliards d'hommes
Il n'y en a qu'un
Qui souffre...

Trois milliards d'hommes
(R. Lévesque) (1973)

Mais un préjugé, n'importe quel préjugé, reste actif à travers les attitudes et les comportements qui nous définissent. Une guerre, n'importe quelle guerre, ne pourra jamais être sainte. Que peut-on attendre du système?

Vot' monde à vous est bien trop grand
Plein de Russes, de Chinois et d'Américains
Qui sont très méchants qui tuent les enfants noirs
Des Vietcongs drabes et des présidents blancs
Et qui fabriquent des bombes atomiques
Pour faire la guerre aux pauvres Soviétiques
J'trouve pas ça beau, j'trouve pas ça bien
J'aime pas ça du tout et je vous le crie
La tête *out of focus* dans la brume
Les deux pieds qui flottent et les oreilles qui fument
Sans politique et sans parti je suis déjà parti parti
Et je vous ferai des tatas sur une bombe en éclats

Le Protest Song
(R. Charlebois) (1967)

Il n'y a pas de solution
politique
La solution
est dans le cœur
vient du cœur
est en chacun de nous
Il n'y a pas de solution
politique
Il n'y a pas de système
Les systèmes ne peuvent rien

quand le cœur
n'y est pas

Politique
(R. Lévesque) (1970)

Cette abominable faillite est à l'image de la corruption, de la lâcheté, de la bêtise. Même le cri de l'angoisse... ne s'entend plus. La guerre est en nous comme en dehors...

Y'a des fois je r'commenc'rais tout ça
sans Ève et sans Adam
que des chiens et des chats
que des champs et des bois

God is an American
(J.-P. Ferland) (1971)

Chanter au féminin

Chanter l'humanité, c'est ce que disent toutes ces paroles nouvelles, c'est chanter l'homme et la femme reconsidérés. Crier contre le traitement fait aux femmes, contre le scandale des inégalités entre hommes et femmes, c'est forcer la conscience à s'ouvrir les yeux. Or, cette conscience, dans le milieu du *show- business* ne semble pas exister. On n'a qu'à constater, ici comme ailleurs, que le monde de la musique est dominé par les hommes. «L'homme crée, la femme exécute[13]», conclut Renée Claude. Et de renchérir Louise Forestier: «Les femmes chantent, les hommes empochent[14].» En France, selon une étude sur le sujet, une femme sur cinq fait du *show-business*[15]. Une femme doit dépenser plus d'énergie

---

13. Renée Claude. *La Presse,* 26 janvier 1980, p. B-17.

14. Louise Forestier. *La Presse,* 29 septembre 1979, p. C-1.

15. Pierre Beaulieu. *La Presse,* 22 décembre 1979, p. C-7.

et avoir plus de talent. L'interprète féminine est rarement vue comme une créatrice. Elle ne retire pas de droits d'auteur des chansons qu'elle crée. Une femme qui crée, ce n'est pas pris au sérieux.

> «Pouvez-vous imaginer, également, qu'on dit régulièrement aux interprètes féminines de ne pas écrire, commente Hélène Pedneault, qu'elles ne peuvent pas écrire et chanter en même temps, que c'est beaucoup trop difficile. On ne dit pourtant pas de choses semblables à Ferland, à Léveillée, ou à d'autres[16].»

Seules parmi les auteurs, les producteurs, les gérants, les compositeurs, les musiciens, les interprètes féminines manquent de support moral, artistique, technique, financier, professionnel. L'interprète féminine est noyée dans une écriture ou une musique masculines: Venne, Plamondon, Cousineau, Baillargeon, etc. Quand une interprète a du succès, elle le doit à son mâle parolier. Sans Stéphane Venne, Renée Claude aurait-elle connu la carrière que l'on sait? N'est-ce-pas Venne lui-même qui, en s'adressant à elle, écrivait que les interprètes sont choyés par le système? Est-ce ce même système qui sert de promotion sociale à l'artiste féminin?

> «Comment expliquer pourquoi les femmes (Renée Claude, Pauline Julien, Monique Leyrac, etc.) ont choisi majoritairement d'exercer le métier qui entraîne le plus de visibilité (l'interprétation) plutôt que celui d'arrière-plan (l'écriture)? On peut au moins présumer que les femmes, en leur for intérieur ou par stratégie, ont perçu la rampe et ses feux comme un moyen plus efficace à court terme de faire sentir leur présence[17].»

Or, c'est après la frustration de l'Osstidcho que Louise Forestier s'est mise à écrire. Marie-Michèle Desrosiers a pris deux ans, après la dissolution de Beau Dommage, à se présenter seule sur la scène. C'est à Clémence Desrochers qu'on a demandé de servir de M.C. («maître» de cérémonie) lors du spectacle des cinq grands (hommes)[18]. On sait qu'elle a

16. *Ibid.*, p. C-7.

17. Stéphane Venne. *La Presse*, 9 février 1980, p. C-20.

18. Léveillée, Deschamps, Ferland, Vigneault et Charlebois.

refusé. Le monde du spectacle québécois est un bel exemple pour bien saisir la difficulté pour une interprète d'être femme dans un milieu dominé par les hommes.

> «Bien sûr, nous ne nous sommes jamais suffisamment battues, mais on ne nous a jamais montré à nous battre, explique Renée Claude. On nous a montré à suivre et à nous taire. Ça fait partie de notre culture de femmes. J'ai ainsi réalisé, dernièrement, que j'avais toujours laissé à des hommes, à mes musiciens, le soin de choisir les couleurs musicales de mes chansons, que je les avais toujours laissés choisir à ma place. Tu me demandes pourquoi les femmes sont surtout interprètes. Ça fait aussi partie de notre culture. Nous sommes des reproductrices, dans la chanson comme ailleurs[19].»

Les stéréotypes de la culture sont unisexes et les règles du jeu masculines. C'est ce qui fera dire à Hélène Pedneault, dans sa conférence «Les femmes et le *show-business*», que «la chanson québécoise est marquée par le silence des femmes[20]». Complicité au système ou impuissance personnelle?

Et que disent nos chansons? Telle chanson, telle conscience, dirons-nous. Nous sommes loin, à la fin des années 1970, de la thématique du couple de nos premiers chansonniers. Le couple, maintenant, c'est l'individu qui rencontre son semblable, et non la famille comme chez Georges Dor dans *Chanson pour ma femme*.

Il est juste de penser, par ailleurs, que les chansons militantes ont permis aux femmes de s'imposer, soit par l'engagement (P. Julien), soit par la folie (D. Dufresne), soit par le refus du système (Marie Savard), soit par la prise en charge de son propre destin (Mouffe):

> «Cette jeune femme (Mouffe) a d'abord été connue comme la compagne de Robert Charlebois et elle se consacrait essentiellement à la carrière du chanteur. Ce n'est qu'après leur séparation qu'une autre Mouffe s'est révélée et celle-là était metteur

19. Renée Claude. *La Presse*, 22 décembre 1979, p. C-7.

20. Citée par Nicole Campeau, *Le Devoir*, 19 septembre 1981, p. 31.

en scène, compositeur et animatrice, et elle mit enfin tout ce talent au service de sa propre carrière[21].»

La toute première chansonnière, faut-il le rappeler (au sens d'auteur-compositeur-interprète), fut la Bolduc. Et Monique Leyrac, en parfaite administratrice de sa carrière, a su contrôler son destin professionnel. Les années 1960 nous avaient donné des chansonnières au talent durable: Germaine Dugas, Jacqueline Lemay, Monique Miville-Deschênes, Christine Charbonneau, Marie Savard, Monique Brunet, et bien sûr, Clémence Desrochers. Parmi une horde de chansonniers masculins, elles sont les rares femmes à écrire des chansons. Marie Savard dira qu'on la jugeait trop hermétique lui proposant, plutôt, d'interpréter du Pierre Nolin[22]...

Et quand la femme se met à écrire ses propres chansons, cela devient souvent une chanson de lutte, une forme à tout le moins subversive, parce qu'il y va justement d'un changement de rapport qui vise, pour l'artiste féminin, à faire reconnaître le droit d'écrire, c'est-à-dire le droit à la création intégrale. Cette histoire de solitude, car c'est de cela qu'il s'agit, celle des femmes dans la chanson, reste à être mieux comprise. Interdire le droit de parole aux femmes, c'est manipuler la culture.

Si chanter au féminin commence par des paroles de femmes, ces paroles doivent s'imposer à l'intérieur même du *show-business* québécois. Si dans l'imaginaire, des images de femmes échappent aux stéréotypes, ces mêmes images doivent trouver, dans la réalité même, leur prolongement. Des modèles existent. Cela est possible: Monique Leyrac, Mouffe, Diane Dufresne, Suzanne Jacob, Fabienne Thibault, Marie-Claire Séguin, Marie-Michèle Desrosiers, Louise Forestier, Clémence Desrochers, Marjo, etc. Toutes ces femmes ont joué et jouent encore un rôle de premier plan essentiel à l'évolution de cet art de la scène. Les qualités nécessaires à la création ne sont pas de droit masculin.

---

21. Lysiane Gagnon. *Vivre avec les hommes,* Montréal, Québec-Amérique, 1983, p. 100.

22. Citée par Nicole Campeau, *Le Devoir,* 19 septembre 1981, p. 31.

Or, pour Gil Courtemanche[23], c'est avec Pauline Julien que les femmes trouvent leur chronique dans la chanson québécoise. La thématique de la femme est mûre. Les chansons de Pauline Julien, mises à part celle de Tremblay, donnent la parole aux femmes. Son spectacle *Femmes de paroles* et le disque du même nom présentent des croquis de femmes à travers l'histoire, de 1870 à nos jours. Ces chansons ont été créées en collectif par des femmes: Madeleine Gagnon, Denise Boucher, Audette Gagnon et Pauline Julien. Très peu de chansons faites par des hommes mettaient ainsi l'accent sur la condition féminine.

À travers une redéfinition des rapports entre sexes, pour Pauline Julien, se précise une volonté irréversible de la femme d'accéder à l'égalité et à l'autonomie. Elle parle de toutes les femmes, en tant que femme, en parfaite solidarité avec elles et cela sans répudier l'homme puisque l'amour reste le moteur de sa vie et de la vie des femmes.

Mon Dieu que les femmes sont dev'nues exigeantes
Elles ne pleurent plus, ne veulent même plus attendre
En amour et partout, elles prennent ce qu'elles demandent
Mais demain, mon amour, nous serons plus heureux ensemble
Mais demain, mon amour, nous serons plus heureux ensemble

Les femmes
(P. Julien) (1971)

Dans ses chansons, il est question, essentiellement, des rapports renouvelés entre les hommes et les femmes:

> «Nous, les femmes, explique-t-elle, nous avons comme travail de supprimer en nous notre peur d'être femmes, d'oser dire que nous sommes les porteuses de la vie, d'essayer d'amener les hommes à prendre conscience de cette tendresse et de cette

23. Gil Courtemanche. «La vraie nature de Pauline Julien», dans *Nous*, vol. 1, nº 5, octobre 1973.

> douceur qui peuvent exister dans la vie de tous les jours et de refuser telle ou telle chose parce qu'elles ne vont pas dans le sens de la vie[24].»

Il faut être réaliste, expliquera Pauline Julien, et compter sur son époque. Elle-même constate que les femmes sortent à peine de l'ombre et se promet bien d'avoir des femmes musiciennes un jour. Huit chansons sur vingt-trois, de son spectacle *Femmes de paroles*, sont faites par Michel Tremblay. Quant à Luc Plamondon, il demeure le principal parolier des femmes même s'il y a eu avant lui, et parfois encore, Stéphane Venne. Quant à Jean-Pierre Ferland, celui de qui on a dit qu'il a le plus parlé des femmes, ce ne sont pas ses chansons qui proposent un changement de rapports entre hommes et femmes. Est-il trop occupé à l'amour pour découvrir la femme avec les problèmes qui sont si injustement les siens: le viol, l'égalité au travail, l'avortement, les injustices sociales, etc.?... Son répertoire, certes le plus homogène sur le sujet, demeure une vision masculine, subjective et restreinte de la femme. Il y a dans ses chansons une abstraction des réalités de la femme qui lui fait seulement parler de l'amour, du sentiment amoureux. Sa chronique sur les femmes s'adresse aux hommes. Ferland chante et célèbre les femmes qu'il a connues, mais il parle rarement de leurs conditions d'existence.

De Ferland à Claude Dubois, de Claude Léveillée à Jacques Michel, la notion de femme idéale persiste à travers des élans de tendresse, qui tout compte fait, définissent des rapports égoïstes et primaires:

> J'ai besoin pour vivre
> de chanter, d'aimer et d'être aimé
>
> Femmes de rêves
> Femmes d'espoirs heureux
> Comment puis-je faire

24. Pauline Julien. *Le Jour*, 28 octobre 1977, p. 23.

Pour vivre plus près de vous
En restant libre?

Femmes de rêves
(C. Dubois) (1973)

La femme rêvée visite la femme qu'on n'a pas. Mais quand donc une femme existe-t-elle? Seulement quand l'homme l'aime ou la cherche? Pauline Julien a renversé cette vieille thématique qui maintenait dans leur fonction de mère ou de putain les femmes que l'on connaissait. «Tout ce que je dis dans ce spectacle (*Femmes de paroles*), affirme lucidement P. Julien, je ne suis pas encore capable de tout le dire dans ma vie.» Elle a vécu et continue de vivre les difficultés des femmes de son temps. C'est pourquoi maintenir la communication sera pour elle presque exclusivement une responsabilité de femme. La sensibilité doit s'allier à la conscience, seule exigence d'épanouissement personnel et collectif.

Il est d'autres chanteuses, telle Marie Savard, qui refusent de se définir par rapport à la culture masculine. Dans le *show- business*, Savard veut prendre sa place. Le geste est certes idéologique, et dans ce milieu, il est subversif. «Après avoir rempli notre rôle de reproductrices, sommes-nous plus intégrées à la collectivité de nos mères[25]?» se demande-t-elle. «Les hommes nous courtisent-ils seulement comme instruments de reproduction, telles les Filles du Roy[26], ou nous courtisent-ils comme citoyennes à part entière?» Si Savard chante l'histoire des femmes en rapport avec le matriarcat, c'est que cette histoire est un non-lieu tout comme, pour les femmes, le mariage est une perte d'identité, un lieu d'exploitation. En cela, elle est près de la pensée populaire qu'exprime cette chanson d'Esther Beauchemin:

25. Marie Savard. *Le Devoir*, 8 mars 1980, p. 22.

26. Ces Filles du Roy qu'on a fait venir en neuve France pour peupler la colonie. «Comme une cargaison de marchandise», précise Marie Savard.

Mariée la maison devient une prison
Une réserve de main-d'œuvre pour les patrons
Mère de six enfants à qui j'ai tout donné
J'les ai pas tous voulus
Les femmes devraient pourtant décider (bis)
[...]
J'vous ai parlé de ma génération
Mais astheure ouvrez les portes des maisons
Vous y trouverez la même exploitation

Chanson du 8 mars
(Esther Beauchemin) (1977)[27]

Bien que ses positions soient nettes sans être fermées, Marie Savard est probablement la chanteuse qui se rapproche le plus du discours féministe dit radical. Elle vise à conscientiser les femmes pour qu'advienne le changement.

> «Selon moi, le féminisme implique la fin de la guerre des sexes. Non, ce n'est pas une réconciliation mais une confrontation. Parce qu'il est impossible de s'aimer si on ne se parle pas. Ni un homme et une femme. Ni deux hommes, ni deux femmes. Le féminisme, ce n'est pas les deux bras en l'air mais une recherche amoureuse. Les chansons de *La Jaserie* ne sont pas des chansons d'attente comme celles que les hommes écrivent pour les femmes. Ni des chansons de lutte. Ce sont des chansons de communication[28].»

Provoquer le changement et non l'espérer! Le constat est féministe et politique. Le féminisme ne débouche pas sur l'absence des rôles dans le couple, mais sur une reconsidération des rapports entre hommes et femmes, laquelle reconsidération commence par le langage du corps.

> «Le féminisme en moi, déclare Suzanne Jacob, pose comme absolu la permission de son corps et veut à tout prix posséder sa matérialité en dehors des modèles imposés et dépossédants. Je crois que l'intuition féministe est aujourd'hui l'intuition la

27. *Chansons de lutte et de turlute*, CSN-SMQ, 1981, p. 27.

28. Marie Savard. *Le Devoir*, 8 mars 1980, p. 22.

plus révolutionnaire au niveau politique et sociologique parce que la femme revendique la repossession de son corps et de son être[29].»

Laisse-moi
Tu es devenu un peu maladroit
Laisse-moi, laisse-moi
Pour m'avoir permis de vivre pour toi

Laisse-moi
Pour m'avoir donné qu'la moitié de toi
Laisse-moi, laisse-moi
Car c'est aujourd'hui que je pense à moi...

À moi le goût d'aimer, à moi d'être plus sage
À moi de t'oublier, d'oublier ton visage
Et même si j'y perdais mon cœur,
Je sauverai ma vie... ma vie sans toi

À moi le temps de vivre, à moi d'être une femme
À moi de me servir de mon corps, de mon âme
Et même si j'y perdais mon cœur
Je sauverai ma vie... ma vie sans toi

Laisse-moi
(Diane Juster) (1975)

Ici, la femme s'affirme comme être autonome dans ses rapports avec les autres, et principalement avec les hommes, avec son homme.

Pour que tu me regardes, j'ai tout essayé
J'ai changé de coiffure, j'ai voulu te parler
Mais tu n'écoutais pas, tu m'avais oubliée
Alors maintenant, je ne veux plus pleurer

Je te déclare la guerre
À toi mon soldat bien connu

29. Suzanne Jacob. *Le Compositeur*, juin 1979.

Pour qu'éclate une colère
Que j'ai trop longtemps contenue

Je te déclare la guerre
(Françoise Paupardin/Diane Juster)
(1975)

Bien que la sexualité soit un élément constitutif du système qui entretient les rapports homme/femme dans un moule idéologique, la distinction homme/femme n'opère plus selon un ordre traditionnel. Ainsi, quand Clémence Desrochers, ou même Plume, attaquent, même en riant, les rôles dévolus aux hommes et aux femmes, ils forcent le changement des attitudes.

Un bon soir elle me dit: je retourne à l'école
J'pensais artisanat, cuisine, sociologie;
J'suis d'accord pour sortir la femme de ses casseroles
Mais ça surprend d'apprendre qu'on entre en menuiserie

Madame Bricole
(C. Desrochers) (1980)

Tu m'dis qu'les hommes sont égoïstes
Qu'y prennent les femmes pour leurs servantes
Que jusse à cause de leur pénis
Y s'prennent pour le régime des rentes
Tu m'dis qu'les hommes a'ec leurs gamiques
Empêchent les femmes de travailler
Qu'pour des raisons économiques
Les garderies vont toutes fermer... Wôôô!
Tout ça, c'est sûr, ça bien d'l'allure
C'est dur d'dev'nir indépendant
Pis de tout avoir en même temps

Scènes de la vie conjugale
(Plume) (1981)

D'une tout autre façon, (même si elle n'écrit pas les paroles de ses chansons), Diane Dufresne parvient à proposer une image libérée de la femme. Et cela passe par la liquidation des tabous sexuels à travers son personnage qui, moins qu'un symbole, reste un signe vivant d'émancipation personnelle. Ni son personnage, ni ses chansons ne sont militants ou idéologiques, au sens partisan du mot. Refaire la femme par le corps, c'est l'acte premier de la libération. Diane Dufresne fera la conquête de son corps en le maîtrisant et, aussi, en l'exposant. Démesure ou *sex symbol*?

> Quand je ferai mon premier *show*
> Je porterai une robe à traîne
> Comme une mariée, comme une reine
> Quand je ferai mon premier *show*
> Pour vous livrer toute mon âme
> J'me déguiserai en plusieurs femmes
> Comme quand j'étais une petite fille
> J'faisais des séances dans ma cour
> Pendant qu'les autres jouaient aux filles
>
> Moi je rêvais déjà du jour
> Où je ferais mon premier *show*
>
> *Mon premier show*
> (L. Plamondon) (1978)

Luc Plamondon fait pour Diane Dufresne des textes à travers lesquels l'image stéréotypée de la femme est en train de se transformer ainsi que celle de l'homme, qui n'a plus rien à voir avec le prince charmant.

> C'est ça ma vie
> J'ai besoin qu'on m'aime
> On dit
> Que je suis une femme en amour
> En amour avec moi-même
> Mes hommes
> J'les ai aimés chacun leur tour
> Au maximum
> Je leur donne le meilleur de moi
> Tant pis

S'ils n'ont pas le sens de l'humour
Quand ils m'aiment trois à la fois

Ma vie, c'est ma vie
(Luc Plamondon) (1977)

Le processus amoureux soulève le problème de la communication qui, ultimement, n'est pas sans rapport avec une redéfinition des rapports entre sexes.

Tarzan vient chercher les enfants
Y'ont l'cœur saignant dans leur *muffler*
J'veux pu dans mon lit
Des hommes mourant dans leur cri
J'veux pu dans mon lit
Les héros blancs du *scotch whisky*

[...]

Puis il dit qu'au fond
Il est mal dans sa peau

Il dit
(Suzanne Jacob) (1980)

L'incommunicabilité n'est pas sans lien avec la négation des individualités dont nos sociétés occidentales se font fortes. L'axe thématique *rock*/drogue/sexe nous force à lire comme une question l'organisation des solitudes individuelles. Même si la sexualité s'exprime et qu'il ne peut y avoir de morale punitive ou de culpabilité, la phase libératrice amène sur scène, par exemple chez Francœur, une attitude physique (le micro masturbé) dont les manifestations ostentatoires servent de véhicule insurrectionnel. La femme, ici, n'est ni mère, ni sœur, ni vierge. Et par ignorance de la femme, l'homme risque de lui être inférieur.

Grande blanche amoureuse
Femme dans l'matin
Des hommes sans queue ni tête
Qui perdent leur vie

À essayer de la gagner
Qui meurent sans t'avoir touchée
Percée
Fouillée
Aimée
Domptée
Qui meurent sans même
Avoir vécu à tes pieds

Belle grande blanche
(Lucien Francœur) (1976)

Chez Francœur, le rapport homme / femme débouche sur un rapport de violence qui se veut plus fort que le réel. Sexe et amour passent par la distorsion mais le rapport hiérarchique reste absent.

> «Le discours amoureux que j'ai tenu, explique Francœur, si tu le lis attentivement, si tu vois tout ce qui est en cause, se résume à un rapport d'homme qui a ses problèmes et qui n'est pas capable de les surmonter dans sa relation à l'autre et qui se réfugie dans un discours vulgaire. Mais en même temps, je demandais une Janis Joplin, une Patti Smith. Ce que je voulais, c'était donc des femmes libérées, émancipées, totales, des femmes qui pouvaient aussi jouer au *pool* avec moi[30].»

Chat sauvage, fille en chaleur
Mon char de peau, mon sentier de guerre
Mon *overdose* de vie, ma fin du monde
T'es ma sortie d'urgence

Nancy Beaudoin
(Lucien Francœur) (1975)

C't'une fille toute colorée
C't'une fille de ruelle
C't'une fille comme dans les clubs
des Rolling Stones

30. Lucien Francœur. *Hobo-Québec*, automne-hiver 1981, nº 46-47, p. 28.

Une fille de *stand* de patates frites
Cé la reine du *hot-dog steamé*
C't'une fille de manufacture
Une fille de bicik à gaz
Cé Machine Gun Susie
La traînée du *rock'n'roll*
La fille à tout l'monde
À m'appartient propriété privée
J'aurais dû jamais la r'garder tout nue

Pousse pas ta luck OK bébé
(Lucien Francœur) (1975)

Chez Francœur, l'impulsion organique détruit le mythe de la beauté physique. Or, dans la chanson actuelle, l'amour qui se chante, c'est la totalité des relations, heureuses ou malheureuses, imaginées ou accomplies. La description du quotidien et la découverte de l'imaginaire constituent la manière dont la chanson *pop*, dans son texte, présente ses grands thèmes.

Derrière chez moi, il y a une forêt
Dans la forêt, il y a une biche
Mais je ne la blesse point
Mais lui donne du thym
Il y a aussi une rose
Je ne la cueille point
Mais lui donne mes soins
Et une fille
Je ne la convoite point
Mais lui donne la main

Chanson de Pierre
(Les Séguin) (1974)

Ce à quoi il est possible de croire, c'est à la libération commune de l'homme et de la femme, même si le féminisme conduit à tout, y compris à son contraire.

Pis y parlaient des femmes
La manière des approcher
Comment faire pour les coucher
Quelle sera la tactique?
Ça d'l'air qu'astheure faut leur parler

Le plus jeune des trente
Parle aux femmes à sa façon
Appuie leur libération
Le plus jeune des trente
Finit son explication
Dans l'lit de la fille comme de raison

Les gars d'espérance
(Paul Piché) (1980)

En s'attardant à l'exploitation de la femme, à la description des stéréotypes, Piché et bien d'autres mettent en jeu une nouvelle relation homme/femme. Dans *Les gars de l'espérance,* Piché dénonce le processus traditionnel de séduction basé sur les rôles sexistes, processus qui évolue sans toutefois changer véritablement. Dans une chanson précédente, Piché préparait cette prise de conscience:

Sylvie Légaré ménagère
Elle veut pu faire des p'tits toute sa vie
Pauvre Sylvie!
Ou ben tu deviens secrétaire
Ou ben tu prends soin d'ton mari
Qu'on lui a dit
Lave, lave ces enfants-là
Torche, torche ce plancher-là
Torche, torche ce mari-là
Et n'oublie pas que dans ta maison
C'est l'homme qui est maître

Réjean Pesant
(Paul Piché) (1977)

Alors que dans *Le renard et le loup* Paul Piché détruit l'image du gars viril, possessif, sans attaquer le comportement exclusivement sexiste, Piché fait montre d'une autre attitude:

> «Je me dis que l'amour, en ce qui concerne la condition féminine, c'est très politique. La libération de la femme, je trouve ça très menaçant pour le système capitaliste, même si c'est lui qui l'a amenée[31].»

Cette prise de conscience de l'oppression n'est certes pas isolée des courants idéologiques dominants, car elle témoigne, justement, de cette influence historique et contemporaine.

> Au secours tôuttt ce que l'hômme fait à l'hômme
> c'est à môi et à tôi qu'il le fait
> Au secôurs tôuttt ce que l'hômme fait aux femmes
> c'est nôs enfants qui le saignent dans leurs âmes
> Ô campesinôs ô cômpanerôs
> Ô el pueblô ô el Salvador
>
> *El Salvador*
> (R. Duguay) (1980)

Parler d'une nouvelle compréhension des êtres par en dedans est chez certains plus révolutionnaire que de se battre contre toutes les violences. L'ultime violence, c'est l'amour. Et le message de Paul Piché, même politique, naît de l'émotion, naît avec l'amour.

> J'me sentais seul comme une rivière
> Abandonnée par des enfants
> [...]
> Quand j'ai compris que j'faisais
> Un très grand détour
> Pour aboutir seul dans un escalier

31. Paul Piché. *Pourquoi chanter?*, juin 1977, nº 4, p. 8.

J'vous apprends rien quand j'dis
Qu'on est rien sans amour
Pour aider l'monde faut savoir être aimé

L'escalier
(Paul Piché) (1980)

Y comprendre quelque chose! Quel JE se substitue à quel NOUS? Un couple désormais interrogé. La transformation de la vie commence dans la transformation des rapports entre les hommes et les femmes, entre les hommes entre eux, entre les femmes entre elles. L'homme doit se réconcilier avec son environnement et plus particulièrement avec lui-même.

Elle est étrangère et intime
La route où nous marchons debout
Dans la froideur de nos abîmes
Le front tourné droit dedans nous
Hors de ce monde sans souplesse
Vers d'autres vies pleines de promesses
Débarrassés de tout ego
Sur le chemin des hommes nouveaux

Le chemin des hommes nouveaux
(Plume) (1980)

Au Québec, la contre-culture, dans les années 1975-1980, est nettement du côté du féminisme. Elle a provoqué la prise de parole de tout un collectif féminin. Il reste que, même distant des premières manifestations contre-culturelles, le mouvement, ici, prolonge le mouvement *hippie* du début. Mouvement plus émotionnel que rationnel.

> «La frange touchée par la culture *pop* adhère plus à une idée de sexualité libératrice, épanouie, déculpabilisée, qu'aux fureurs sataniques et suicidaires. C'est peut-être là qu'est la véritable révolution. Aux deux modèles extrêmes — la femme éthérée style Garbo, et la femme-objet sexuel style Marylin —, ils substituent la femme totale: divine et sexuée[32].»

32. Marie-Hélène Fraïssé. *Protest Song*, p. 223.

Ainsi, le disque-rencontre *Trace et contraste* de l'écrivain Louky Bersianik et du musicien Richard Séguin annonce (témoigne?) un décloisonnement où la pensée de l'un n'exclut pas la pensée de l'autre. Ne pas dépayser la culture, mais décloisonner la création. Il faut savoir être androgyne, expliquait Louky Bersianik. Non pas aplanir les différences, mais réconcilier les extrêmes. Ne pas s'adresser seulement aux formes:

> «Et puis, je crois que notre pensée ne doit pas exclure les hommes, et aujourd'hui les hommes se sentent exclus. Ils ont été élevés à dominer et ils ont peur de la domination des autres. Je suis pour la coexistence pacifique...»
>
> Louky Bersianik[33]

> «... j'avais envie de me rapprocher d'une autre pensée, de me défaire un peu de mes conditionnements de mâle. Il s'agissait au départ pour moi d'une tentative d'ouverture.»
>
> Richard Séguin[34]

Il n'y a pas là un opportunisme de rentabilité, mais une manière d'être, une pensée ouverte, une disponibilité généreuse. L'émergence d'une subversion culturelle a son point d'appui dans la rencontre des êtres. Le code où s'exprime la communication annonce des rapports nouveaux.

L'agression des villes

La chanson québécoise, dès ses débuts, a développé une thématique déchirante de la ville. L'homme d'ici, mal adapté à son nouveau lieu de résidence, se disperse dans une réalité ambivalente et pluraliste, et ressent profondément

33. Louky Bersianik. *Le Devoir*, 6 décembre 1980, p. 21.

34. Richard Séguin. *Le Devoir*, 6 décembre 1980, p. 21.

l'aliénation urbaine. Très souvent, la ville, dans la chanson, symbolise l'absence de racines; ce lieu orphélique est accentué par un environnement limité:

La ville roule ses tambours
Battant pavillon du tonnerre
Toi tu as mis le tien en berne
À mi-mât pour le mimosas
Dont tu rêves dans ta ruelle
Mais les fleurs te sont infidèles
La vie se fane autour de toi
Comme une fleur artificielle

Des rues et des ruelles
(G. Dor) (1968)

Le problème se condense dans cet anonymat des rues et des ruelles, des usines et des *parkings* où l'on aboutit après le déracinement, l'expropriation: *À Saint-Henri* (Raymond Lévesque), *Prière en ville* (Marie Savard), *Doux-sauvage* (Robert Charlebois), *Le chauffeur de taxi* (Claude Léveillée), *La ville* (Georges Dor), *Ma petite vie* (Claude Dubois), *Est-ce un jeu?* (Clémence Desrochers).

Après trente ans à bâtir pour les autres
J'avais enfin ma maison, mon chez-nous
Vos gars d'la ville m'ont dit: «Y faut qu'ça saute»
Y ont mis clôture pour cacher mon grand trou

Chanson du vieux au maire
(Clémence Desrochers) (1969)

Et les patrons sont les mêmes partout: ils entretiennent les mêmes guerres. C'est toujours l'occupation, militaire ou psychologique. Vivre en ce pays, c'est, comme ailleurs, être embarqué dans le même bateau: la pollution, les autos, la violence, la répression.

Ceux qui sont partis
Pour chercher un ailleurs meilleur

Ont bien compris en d'autres pays
En d'autres Amériques
Espagne ou Marseille
À part le soleil
Que c'est partout pareil

Vivre en ce pays
(Pierre Calvé) (1973)

Dès les années 1960, une thématique nouvelle s'installe: celle de la ville. Mais les chansonniers étaient-ils mûrs pour observer avec lucidité leur nouveau lieu de résidence? En travaillant à réinventer des nouvelles valeurs, le chansonnier tente de dominer son nouveau milieu au moyen de l'observation, de la dénonciation. La chanson témoignait lourdement de l'immensité du changement, et également, de son poids réel:

Ça crasse et ça pue
Ça s'étend
Ça mange les gens
Ça pollue
Ça marie le plomb et le lilas
Ça mêle l'encens et la marijuana
C'est un charabia

La ville
(J.-P. Ferland) (1965)

Rues sales
aux fenêtres dérisoires
et aux façades illusoires

La ville
(G. Dor) (1968)

Des chansons inexorables parlent de la ville, de «ses rues sales et transversales». La ville est un lieu léthargique, un produit impersonnel, un délire impuissant, une accumulation de solitude. Ce huis clos duquel on veut s'évader est incommunicabilité persistante, matière à révoltes continuelles et furie de destruction.

> C'est comme marcher au-dessus d'un abîme
> En bas, la foule demeure anonyme
> Me reconnaissez-vous?
> C'est moi le crisse de fou
> Qui marche au-dessus d'la ville
>
> *L'exil*
> (Serge Fiori (Harmonium)) (1976)

> Tout un village arrive en ville
> Où l'fils du roi les a vendus
> Quelques bourgeois en font fortune
> [...]
> Chômage l'hiver, printemps d'ciment
> Y a pu d'bon vent dans leur pays
> L'ancien village des bouleaux blancs
> Se r'trouve au coin d'la rue Berri
>
> *La rue Berri*
> (P. Piché) (1980)

Il est vrai que certaines chansons d'Harmonium, des Séguin, de Jim et Bertrand, de Fabienne Thibault, de Paul Piché, à l'instar de la contre-culture, ont souvent entretenu la nostalgie de la vie d'autrefois et ont ainsi opposé — artificiellement? — l'ancien et le nouveau. Les Séguin ont vécu cette ambiguïté de la commune qui participe de deux univers: la ville et la campagne.

> J'avais oublié de toucher à la terre
> De puiser mon eau à même la rivière
> De nourrir mon corps d'étoiles
> D'écouter la vie
> Me parler de renaître
>
> *J'avais oublié*
> (F. Hamelin/R. Séguin) (1976)

Pis chez vous
Y allez-vous souvent
Dans tous vos souvenirs d'enfant, p'têt heureux
ça fait pas si longtemps qu'y a des enfants
Qui connaissent rien que le ciment

Chez-nous
(Fabienne Thibault) (1973)

Les Séguin, par exemple, dont la démarche fut essentiellement fraternelle, ont proposé une vision spirituelle des solutions à envisager. Ils ont tenté un nouveau type d'existence en communauté qui prit la forme d'un exode vers l'intérieur des terres. Certes, vivre en marge du développement technique, rejetant implicitement tout ce qui est planification, maintenait un paradoxe: ce retour à la terre, c'était une agriculture de survivance. Comment demander aux travailleurs d'adhérer à une telle conception de la vie? Il faut distinguer le développement des forces productives et l'utilisation capitaliste de la technique. Le *trip* de la survivance contient ses propres limites.

> «On a changé, répondent-ils; si ce qu'on a à dire rejoint le cœur de l'homme, nos peurs communes, le fond, si ça apporte un peu de douceur, même si on vit à la campagne, on garde quelque chose à dire aux gens de la ville. Il s'agit juste de trouver les constantes entre les hommes de la ville et ceux de la campagne[35].»

Plus citadin, plus moderne au niveau des réalités abordées, le duo s'est donné une vision plus concrète des solutions à envisager. Les Séguin ont compris que la nécessaire transformation de la société ne doit pas ignorer la nécessaire transformation de soi-même. «Au départ, avoueront-ils, sans être nécessairement fanatiques, nous étions en croisade contre la ville, contre la pollution, pour la terre. On se rend compte que c'est en nous que ça se passe maintenant[36].» La ville, on

35. Les Séguin. *Le Jour*, 28 mai 1976, p. 20.

36. *Ibid.*, p. 20.

peut la choisir, comme Ferland a réussi à le faire à ses débuts dans la chanson malgré parfois un constat négatif, comme aujourd'hui Lucien Francœur.

Havre de fous
C'est un havre de fous
C'est l'enfer, le trou
L'orphelinat et pourtant
Et par goût
Jamais je n'aurai vraiment
D'autre chez-moi

La ville
(Jean-Pierre Ferland) (1965)

La tête qui gèle
Le crâne qui craque
Cé moé l'*freak*
De Montréal
J'ai mis des ailes
À mes bretelles
Un stéréo
Dans mon cerveau
J'ai l'univers
Dans ma cuillère

Le freak de Montréal
(Lucien Francœur) (1975)

Qui, de Ferland ou de Francœur, aime le plus les fleurs de macadam? Même dans une langue différente, leurs chansons ne renient pas la vie moderne. Chez l'un comme chez l'autre, la ville est assumée avec l'imagerie des réalités urbaines que d'autres placent sous l'image ordurière et inhumaine de la misère: ruelles, poubelles, pollution, *bums*, laideur, acier, boucane, macadam pour l'un; bicik, *rock'n'roll*, patates frites, machines à boules ou à *Coke*, chars *simonizés*, lumières Claude Néon, brasserie, cours à *scrap* pour l'autre. Vitupération de la vie moderne qui s'accompagne d'images frottées à l'expérience urbaine. L'interdépendance entre l'ancien et le nouveau, entre la nature et la ville, revient à nouveau comme un dernier effort de compréhension de notre environnement.

> «Tout est *fucké* et on ne fait rien. Tout le monde sait que les villes aujourd'hui sont les choses les plus proches de l'enfer alors que ce qui se rapproche le plus du ciel, c'est la nature. Mais on ne fait rien, et la musique est une des choses qui peut arriver à faire changer ça. Je pense que de plus en plus on a besoin de choses douces et tendres parce que la violence et l'agression sont partout[37].»

Dans sa version «jouale», la chanson québécoise, après les années 1970, reflète cette vie débridée, chantée et criée jusqu'à l'exagération obscène[38]. Les chansons de Plume, Capitaine Nô ou Aut'chose sont souvent comme des lendemains de brosse ou de *dope*. Délinquance, tavernes, sacres, problèmes posés par le système, par le travail robotisé, par l'inflation, par l'argent, bref par les valeurs mêmes du système: autant de petits tableaux qui témoignent, comme dans Starmania mais d'une facture différente, d'un désœuvrement complet. Plume, par exemple, — faut-il le rappeler? — c'est aussi la génération de fin de cours classique, témoin des changements dans l'éducation dont la «balloune» s'est «désoufflée». «C'était, avouait-il, une génération prometteuse, mais d'où, finalement, il n'est pas sorti grand- chose; il y a eu ben des suicides, ben des dopés, un gros rêve, des images, puis des héros morts jeunes comme Hendrix[39].» L'invention de Plume: putréfier la bête humaine des villes pour qu'advienne une fleur, même de révolte. Ses chansons restent profondément douloureuses. Car la sensibilité, malgré les apparences, s'allie à la conscience.

---

37. Robert Charlebois, *Mainmise*, décembre 1975, p. 58.

38. Ce paragraphe reprend, pour cette partie de l'analyse, un développement déjà fait dans *Et cette Amérique chante en québécois*, p. 180-182.

39. Plume. *Le Devoir*, 5 février 1977, p. 20.

Chu ben magané
C'est pas de ma faute
Si le monde rit de moé
J'*feel* vache j'ai l'goût d'me geler
Ah! que cé m'a faire
M'en vas m'en aller
[...]
Ma blonde vient d'me lâcher
Ché pu où me garrocher
Toué soirs chu ben pacté
J'fais yenk me chicaner
Parsonne veut pu m'aider

Maudite badluck
(Capitaine Nô) (1975)

En arrière de mes lunettes d'aujourd'hui
Y a pu rien qui s'passe avec ma vie
Chu pogné dans l'bas d'la ville à l'année
J'ai le cœur fêlé j'ai pu d'suite dans idées

Une saison en enfer
(Lucien Francœur) (1975)

Par la ville, c'est l'existence nord-américaine qui se frotte à la critique: émeutes urbaines, violence physique, absurdité quotidienne, usines, etc. La pollution est un corollaire de la déchéance urbaine. En Amérique, ce problème est d'une terrifiante actualité:

Ô cacôphônie le chaôs de cris qui éclattt
Ô c'est la fôlie ça gémit cent mille kilôwattt
Ô démôcratie c'est tôuttt le temps des hômmes qui se battt
Ô la pôésie va tirer ses plus grôsses tômattt

Et c'est la pôlitik qui se paye des statistik
Pôur que ses prônôstik ne changent pas le côde civik
Et c'est la mécanik qui fait marcher le cirk
Tôuttt est bureaucratik au côke carbônik

Lôvne'L
(Raoul Duguay) (1976)

Duguay condamne la vie accélérée et mécanisée. Et les chansons sont nombreuses à le dire: *Blues de la bêtise humaine* (Plume), *Une humaine ambulante* (Suzanne Jacob), *Une saison en enfer* (Lucien Francœur), *La voix que j'ai* (Offenbach), *La maudite machine* (Octobre); elles décrivent un monde artificiel, essoufflé, sans âme, sans ressort personnel.

Transport quand j'viens d'me lever
Transport j'ai l'goût d'baiser
Tu m'donnes la chance de choisir la plus belle
Pour oublier qu'dix heures d'ouvrage m'appellent
Mais quand les portes se referment sur mes illusions
Baby toutes ces émotions, *Baby* toutes ces sensations
L'amour dans l'métro. L'amour dans l'métro.
(Attention: 51-16, 51-16. Communiquez)

L'amour dans l'métro
(Danger) (1975)

C'est le *blues* de la mécanique
la tôune de la rôue qui tôurne dans le beurre
C'est le grand *rush*
et la publicité est crôche
Tôulmônd est autômate dans les manufactures d'hômmes
Tôulmônd au maximum il faut que ça *run*
C'est le *beat* des cômpresseurs
et le stress a *fôké* tôuttt nôtre bônheur
C'est le *crash*

Le crash
(Raoul Duguay) (1976)

Mais y a rien à faire
les patrons veulent pu
Tu vaux pu ben cher
T'es tout nu dans rue
T'es un gars fini

La maudite machine
qui t'a avalé
À marche en câline

Faudrait la casser
Faudrait la casser

La maudite machine
(Octobre) (1973)

Combien de chansons sont ainsi à l'image de notre déprime? Pierre Flynn, du groupe Octobre, dira à propos de cette chanson, *La maudite machine*, que «c'est notre chanson-fétiche, un hymne au maintien de l'intégrité». Dès les premières chansons du groupe, les paroles sont agressives et douloureuses; elles sont un cri de révolte contre l'absurdité d'un quotidien sans âme, étouffé et morbide. C'est aussi le cri d'une génération qui refuse de se soumettre, qui refuse de se laisser piler dessus.

> «... les huit chansons de l'album renouent avec les colères de l'engagement, les clameurs et les déchirements de l'intolérable. Après le défrichement des chansonniers, la chanson québécoise s'était détournée avec lassitude des agressivités trop identifiées, pour les intégrer plutôt à la rage de vivre. Le mot d'ordre était en substance: sans rien renier de soi, il faut vivre d'abord. Avec Octobre, la rébellion, qui s'était intériorisée, refait surface[40].»

Chercher chercher
Le pays, le navire
le vent de ma vengeance avance
[...]
J'attends j'attends
la brèche dans l'ennui
l'éclair de vos sourires
au soleil

Je vois je vois
le roc résolu de l'espoir
Farouche envol de l'oiseau rouge en moi
Monte! Monte! Monte!...

L'oiseau rouge
(Octobre) (1975)

40. Gisèle Tremblay. *Le Devoir*, 16 août 1973, p. 10.

La société, dont la ville est l'image globale, est un lieu léthargique. L'homme y est anonyme, et sa place est peu reluisante. Tout n'a donc pas été intégré. La ville, la vie moderne, sont un mode d'existence difficile à intérioriser. L'écœurement occupe un cœur démuni. Pire: l'homme est dépossédé de sa colère. Ainsi, dans «*Starmania*»:

> *Stone*
> Le monde est *stone*
> J'ai plus envie d'me battre
> J'ai plus envie d'courir
> Comme tous ces automates
> Qui bâtissent des empires
> Que le vent peut détruire
> Comme des châteaux de cartes
>
> Je cherche le soleil
> Au milieu de la nuit
>
> *Le monde est stone*
> (Luc Plamondon) (1978)

La robotisation de l'existence, lire ici ses effets, est un véritable signal de détresse sociale:

> «Le héros de *Starmania*, refusant de se battre, incapable d'identifier la cause de sa souffrance, isolé, sans passé et sans avenir, sans racines et sans projet, se cogne la tête sur l'asphalte comme sur les murs de son *ego-trip*, et meurt, inutile et stérile. La boursouflure du JE, image moderne de la liberté, conduit au désespoir et à la mort[41].»

Et pour reprendre l'idée de Bernard Marcoux que je viens de citer, *Starmania* est l'exacte mise en scène de la mort sociale. Cet opéra-*rock* déploie un univers urbain concentrationnaire: les souterrains et les gratte-ciel, les individus, tous liés mais isolés, gravitent autour de leur propre absence. L'homme moderne vit dans le désœuvrement, la bourgeoisie

41. Bernard Marcoux. *La Presse*, 15 octobre 1980, p. A-7.

moderne dans le vide. Concentré dans ces images que nous tend la publicité (être jeune pour jouir), *Starmania* prend les allures d'une tragique réduction: l'image, c'est la vie.

Dans les villes
De l'an deux mille
La vie sera bien plus facile
On aura tous un numéro
Dans le dos
Et une étoile sur la peau
On suivra gaiement le troupeau
Dans les villes
De l'an deux mille

Monopolis
(Luc Plamondon) (1978)

La projection est pessimiste; l'état du monde conduit au découragement, à la pensée suicidaire. *Starmania,* c'est un constat d'échec. «Ici, écrit Nathalie Petrowski, les caricatures d'une société qui est devenue la caricature d'elle-même, se succèdent à un rythme endiablé[42]...» *Starmania* s'incarne dans des modèles dans lesquels beaucoup d'individus se reconnaissent. Mais ces modèles déploient, à leur insu, toute la mythologie du monde moderne ainsi que ses effroyables limites. *Starmania,* c'est le temps d'une vie, la partie d'une existence inoccupée... en parallèle avec le plaisir toujours refoulé.

Y'a longtemps qu'j'ai pas vu l'soleil
Dans mon univers souterrain
Pour moi tous les jours sont pareils
Pour moi la vie ça sert à rien
Je suis comme un néon éteint
J'travaille à l'*Underground Café*

Un jour vous verrez
La serveuse automate

42. Nathalie Petrowski. *Le Devoir,* 19 avril 1979, p. 23.

S'en aller
Cultiver ses tomates
Au soleil

Complainte de la serveuse automate
(Luc Plamondon) (1978)

On vivait tout nus
On était des nomades
Plus on évolue
Et plus on rétrograde

Paranoïa
(Luc Plamondon) (1978)

L'homme n'est plus dans l'homme. L'identité est connotée par des résidus d'expériences incomplètes. Les solutions sont illusoires et rétrogrades. L'uniformité des sociétés, il ne faut pas s'empêcher de voir la nôtre parmi elles, devient la fresque réalisée, et non plus futuriste, d'une ville jadis imaginaire. Les images de ville que recèlent plusieurs de nos chansons suggèrent le désespoir, voire le suicide. L'homme moderne a troqué l'expérience humaine pour l'évasion artificielle. Lorsque la révolte a lieu, si elle a lieu, elle est aux prises avec un quotidien aliénant.

Dans les rues de l'Amérique
J'me défends avec mes mains
Dans les rues de l'Amérique
Comme un Indien
GOOD BYE AMERICA
On s'en va
Les plumes dans l'coffre arrière
Le tomahawk dans l'coffre à gants
On prend le sentier de guerre
On veut le scalp du président

Hollywood en plywood
(Lucien Francœur) (1976)

La ville se frotte à la fascination pour l'Amérique, une Amérique nocturne, physique et déchéante. Voilà comment, dans le sens étroit et politique, violence et répression tendent à s'effacer devant un plaidoyer universel.

Aille popa
Quand j'vais être grand
J'veux me tenir deboutt'
Pas comme un principal
C'est trop cave
Pas comme un général
C'est trop sale
Pas comme un homme
C'est trop épeurant
Pas comme toé
C'est trop fatigant
Non non non non non non
Non non non non non non
Quand j'vais être grand
Ben moé là
Moé là
J'veux me tenir deboutt'
Comme un
BUM

Beau Bummage
(Lucien Francœur,
Aut'Chose) (1976)

Ne pouvant atteindre le responsable, la révolte débouche sur la frustration et sur la violence. La seule solution est dans la révolte, dans le refus de l'aliénation. La chanson sert à manifester sa réaction face au colonisateur, face à l'exploiteur, face au système qui les entretient. La chanson dénonce un monde qui n'est pas fait pour nous.

Chanson des hypothéqués

Les travailleurs, généralement, portent le poids de leurs conditions de travail, de leur condition sociale. Un des premiers communiqués du Front de libération du Québec (FLQ — décembre 1963) propose au peuple du Québec une volonté collective nouvelle:

> «Il n'y a que les riches qui ne soient pas affamés, les autres ne font que récolter les miettes. Il faut renverser cette situation...»

Ce changement d'attitude est nécessaire à une mutation fondamentale, d'autant que, ainsi que le chante Claude Dubois, «tous les hommes sont tous semblables en dedans»:

Comme un million de gens
Qui pourraient se rassembler
Pour être moins exploités
Et beaucoup plus communiquer
Se distinguer, se raisonner, s'émanciper
Se libérer, s'administrer
Se décaver, s'équilibrer, s'évaporer
S'évoluer, se posséder

Comme un million de gens
(C. Dubois) (1973)

La pire race de monde
La dernière race de monde
Est celle qui mène le monde
À grands coups de crayons
À grands coups de canons
De sermons et d'édits
Le paradis mamie
Est impossible ici
Dans chacun des pays
C'est elle qui le détruit
Au nom de l'ordre aussi
Et j'en ai assez dit

La terre est à tout le monde
Suis de c'te race de monde

Race de monde
(F. Leclerc) (1973)

L'homme est un loup pour l'homme, disent souvent les chansons, car, le dit Félix lui-même, «il n'y a que des hommes intéressés à rester riches ou à le devenir[43]». Comme le chante encore Jacques Michel, les requins ne sont pas tous au creux des mers. En fait, les chansons sont devenues l'expression collective d'une conscience sociale en cristallisant la notion de classe: *Labrador* (C. Dubois), *Old Orchard* (S. Lelièvre — où vont les travailleurs qui n'ont pas les moyens d'aller dans le sud? —), *Saint-Jérôme* (R. Charlebois), *Mon homme est en chômage* (Marie Savard).

Parce qu'y a du monde à Saint-Jérôme
Une chance
Du bon monde quand il court
Parce que l'ouvrage est rare
À Saint-Jérôme faut qu'y travaille
Pour les Simpsons Sears, les Woolwoorths,
les Steinberg, le Bell Téléphone
de Saint-Jérôme
Eagle, Lumber, Canadian Tire
l'ITT, l'hôpital à Saint-Jérôme
Pour la ville, pour Tricofil en péril
Pour le Club optimiste
de Saint-Jérôme...

Saint-Jérôme
(R. Ducharme/R. Charlebois) (1975)

Ça fait bien des centaines d'années
Qu'les parlements pis les ministres
Y sont payés par des vendus

43. Félix Leclerc. *Le Petit Livre bleu de Félix*, Montréal, Nouvelles Éditions de l'Arc, 1978, p. 292.

Qui veulent qu'on s'bataille entre nous
Arrêtez donc d'vous chicaner
Ça fait trop l'affaire d'la finance
D'la corporation du pouvoir
Qui fait du foin avec notre peau

Mon homme est en chômage
(Marie Savard) (1971)

Toutes ces chansons et bien d'autres nous présentent un défilé de charlatans, de profiteurs, d'exploiteurs. Dans le discours sur la question nationale, l'opprimé, c'est le francophone; dans le discours sur la question sociale, l'exploité, c'est le travailleur.

J'sais y a toujours le coût d'la vie
Qui grimpe et qui nous appauvrit
Même si les *boss* nous disent encore
Qu'les meilleures payes sont su'a Côte-Nord
Valmore Tremblay, fils de Tremblay
Un travailleur de la Côte-Nord
Trente ans d'service pour l'Iron Ore
À cinquante ans, y s'est tué
dans un accident de travail
Y a pas d'p'tits vieux su'a Côte-Nord

La complainte de Valmore
(Normand Caron/C. Gauthier) (1976)

Et l'histoire se poursuit.

J'ai besoin d'un peu d'eau d'feu
Som Séguin, as-tu agi sans penser
Som Séguin, tu vas le regretter
Som Séguin, tu vas t'faire emporter
Par un système plus fort que toé
Ça pas tardé que Sam Système a pris sa place
Il d'mande plus une peau d'loup, une peau d'castor
Mais c'est rendu qu'on leur demande
Leurs montagnes et chaînes de montagnes

L'eau du ruisseau, les vagues du lac...
Leurs jours de pluie de brume... et de soleil
D'oublier leur langue, d'oublier leurs coutumes
D'oublier leur Dieu...

Som Séguin
(Les Séguin) (1973)[44]

L'affrontement des rythmes amérindiens et des rythmes américains du *rock* porte dans cette chanson tout l'affrontement social des rapports de force. Ici, un traiteur exploite les Indiens sur une base individuelle en échangeant des fourrures contre l'alcool: là, on vend le pays au plus offrant... Cette exploitation porte aussi une dimension collective qui troque les richesses naturelles du pays contre les mirages.

Chu donc monté, m'informer chez Narcisse
Qu'y a refusé d'bouger du cinquième rang
Fallut farmer, parlez-moi de la justice
De la justice et des gouvernements
Tant qui fallut travailler sur nos terres
Tant essoucher et piller des cailloux
Pour découvrir chez un notaire

44. Voici une version plus ancienne du même problème:

À mes forêts vous m'avez enlevée
Pour me jeter dans un monde inconnu
Auprès de vous vous m'avez élevée
Mais tout en moi par vous est méconnu
Je ne vis pas dans l'atmosphère impure
Que l'on respire au sein d'une cité
Oh! rendez-moi ma voix vous en conjure
Mon beau pays avec sa liberté

La jeune Huronne
(paroles de S. Barraguey,
musique de Fredé Boissière)

(*Chants des patriotes*,
Montréal, J.G. Yon Éditeur, 1903,
2e édition, p. 116)

Qu'au bout d'nos vies on était plus chez nous
Pour découvrir chez un notaire
Qu'au bout d'nos vies on était pas chez nous

Ti-Nor
(Gilles Vigneault) (1975)

Sainte-Scholastique ou parc Forillon
Fallait partir de bon matin
Pour les touristes ou leurs avions
On est toujours dans le chemin
Les gens ont perdu leurs maisons
Leurs terres et pis leur pays

La gigue à Mitchounano
(Paul Piché) (1977)

Le déracinement des villages vécu hors des centres urbains, c'est celui de Ti-Nor, Norbert Gagné. Ce personnage de Vigneault prend une dimension provinciale. *Ti-Nor,* c'est le Norbert Gagné de Val-Jalbert, de Saint-Thomas de Cherbourg, de Saint-Paulin D'ahibaire, de Sainte-Scholastique, de Saint-Octave de l'Avenir, de Saint-Quelque-Part d'Ailleurs...

Va tu falloir attendre...
Va tu falloir attendre
Qu'y aient démoli toutes nos maisons
Attendre de s'faire casser...
Avant de se révolter, avant de s'organiser

Gigue à Mitchounano
(Paul Piché) (1977)

On fait ressortir l'aliénation et la dépossession comme les traits dominants du prolétaire. Sa misère n'est que physique. Elle ne peut être, selon le *boss,* ni morale ni spirituelle. Les patrons font semblant d'ignorer les maladies industrielles. La thématique des chansons de Paul Piché renvoie à ce vécu quotidien. Car «s'il chante les maladies industrielles, c'est parce qu'il l'a vécu quelque part au travers de la longue lignée d'ouvriers dans sa famille[45]». Le vécu: les problèmes de logement, l'oppression des femmes, la ménagère, le cultivateur, le bûcheron, le prisonnier, le travailleur d'usine, les Indiens, etc.

Torche, torche ce plancher-là
Torche, torche ce mari-là
Viarge, viarge, viarge d'argent
Tout c'qu'y veulent c'est que j'fasse un encan
Visse et visse et vice versa
Tombe, tombe cette bâtisse-là
Tombe, tombe ce pays-là
On est pas maîtres dans nos maisons
Car vous y êtes

Réjean Pesant
(Paul Piché) (1977)

Les *boss* dont parle Piché ne sont pas obligatoirement des Anglais. Les héros de Piché n'en sont point. Et comme ceux de Gauthier, Vigneault, Leclerc ou Lévesque, ils connaissent l'oppression nationale. Ils comprennent lentement leur image d'homme québécois qui subit l'exploitation. La désillusion conduit au constat amer:

Dans cet appartement
Gai comme un mal de dent
Grand comme un lavabo
T'appelles ça vivre, toé Joe

Non, non, non, non, Joe
J'appelle ça mourir à p'tit feu
[...]
Moé, j'appelle ça pousser comme des légumes
En rang d'oignons comme des cornichons
Non, non, non non, Joe

T'appelles ça vivre, toé, Joe
(J.-P. Ferland) (1971)

45. Nathalie Petrowski. *Le Devoir*, 1er novembre 1980, p. 19.

La critique sociale se matérialise dans le contexte de la lutte des travailleurs. Félix Leclerc a sa propre formule pour souligner cette lutte: «La dignité se retrouve toujours derrière un outil[46].» La critique du rapport exploiteur/exploité reste la principale ligne de contestation et de révolte: *100 mille façons de tuer un homme* (F. Leclerc), *La complainte de Valmore* (C. Gauthier), *Chanson des hypothéqués* (G. Godin/P. Julien), *T'appelles ça vivre toé Joe* (J.-P. Ferland), *La badloque* (S. Lelièvre), etc.

si les pauvres maigrissent plus pauvres qu'avant
si les riches grossissent plus riches qu'avant
si les requins des villes prient au corps des vivants
si vingt pour cent des hommes
sont des loups pour les hommes
si c'est ça l'impérialisme (bis)
j'débarque

J'débarque
(J. Michel) (1971)

Le contexte social, ce sont les grandes villes ouvrières, travailleuses et mangeuses d'hommes et de femmes. Ce milieu inspire une sorte d'analyse de la situation où s'entend un fracas tumultueux de la lutte des classes. L'écœurement et la médiocrité sont au rendez-vous.

les crottés les ti-cul
les tarlas les ti-casse
ceux qui prennent une patate
avec un *Coke*

les ciboulettes les ti-pit
les cassés les timides
les livreurs en bicycle
des épiciers licenciés

46. Félix Leclerc. *Le Petit Livre bleu de Félix*, p. 253.

les ti-noirs les cassos
les feluettes les gros-gras
ceux qui s'cognent sur les doigts
avec les marteaux du *boss*

les ti-jos connaissant
les farme-ta-gueule
ceux qui laissent leurs poumons
dans les moulins de coton

toutes les vies du jour le jour
tous les coincés

Chanson des hypothéqués
(Gérald Godin/
Pauline Julien) (1973)

Les chansons identifient clairement les maux que vit la société. Dans le système actuel, le travailleur est aliéné parce qu'il n'a pas de prise sur sa vie. Et montrer les tares du système permet la conscientisation.

Les médecins vous abusent, les hommes de loi
Tous ceux qui par leur science savent que vous viendrez
Vous êtes les soldats et les payeurs
Vous êtes les bras qui font marcher l'usine
Vous êtes la vie, sans vous rien ne se fait
Et tout le monde vous trompe
Vous vole, vous exploite
Il n'y a pour vous qu'un seul espoir:
Solidarité, solidarité, solidarité!

Solidarité
(Raymond Lévesque) (1975)[47]

47. Cette chanson fait partie du disque *Raymond Lévesque chante les travailleurs*, FTQ, DEF-1004. Lancé dans le cadre des «Dix heures des grévistes du 10», tout en y exprimant l'âme des travailleurs de la construction, ce disque déploie une thématique du monde ouvrier et de sa misère.

Cet appel à la solidarité est, d'une manière, revendicateur et il témoigne des préoccupations de soulagement de la misère. Voilà comment cette conscience dépasse celle plus immédiate de l'actualité pour s'adresser à l'humanité blessée.

La valse de l'expropriation

Le disque *Raymond Lévesque chante les travailleurs,* consacré aux travailleurs et à leurs luttes, indique un souci de certains chanteurs de s'intégrer aux manifestations publiques des travailleurs. Les grèves sont souvent des indications de ce genre d'appui[48]. Dans son petit livre *Chansons d'icitte,* Pierre Graveline manifeste autrement sa solidarité. Son recueil veut rendre un hommage, en offrant sa propre contribution, à la chanson traditionnelle des travailleurs québécois.

> C'est une chanson d'automne
> Pour tous les patriotes
> Sur un air monotone
> À la Willie Lamothe
> Pour Bozo-les-culottes
> Pis sa tête de linotte
>
> [...]
>
> C'est une chanson de mai
> Qui vient du fond du cœur
> Un chant de révoltés
> Pour tous les travailleurs

48. *L'automne show*: un disque souvenir de la grande manifestation de 24 heures pour les grévistes de la United Aircraft à Longueuil, vendu à 4$ dans la plupart des locaux de syndicats de la province. Ont participé à ce spectacle Claude Dubois, Priscilla, Pauline Julien, Raymond Lévesque, Claude Gauthier, Jacques Michel, Georges Dor, Louise Forestier.

Pour Menaud le draveur
Alexis le trotteur

Chansons d'icitte
(Pierre Graveline) (1977)[49]

En général, l'attitude des chanteurs face aux grévistes est de deux ordres. D'abord, leur présence attire du monde, et conséquemment, cela amène de l'argent aux grévistes. D'autre part, parce que les participants sont d'accord avec le contenu de leurs chansons, il se produit un mouvement de solidarité qu'amplifie le spectacle culturel au profit évidemment des grévistes; ce qu'ont fait Raymond Lévesque et la FTQ[50] est significatif d'une orientation (à venir) de ce qu'il convient traditionnellement d'appeler chansons de grève.

L'exemple des grévistes de CJMS peut encore nous instruire. À Radio-Centre-Ville, la radio communautaire du quartier Saint-Louis à Montréal, le conseil d'administration congédie un permanent. Cette situation est à l'origine d'un mouvement de démocratisation de la radio. Le comité qui en ressort est formé de représentants de la plupart des groupes populaires du quartier. C'est dans ce contexte qu'est née une série de chansons composées par une permanente de Radio-Centre-Ville, lesquelles chansons furent appelées à se modifier en cours de lutte. Les paroles n'ont rien de définitif.

La radio repose sur nous
C'est nous les *boss*, la clé de tout
On est bien décidés à mater
Les gens qui veulent s'opposer
Les empêcheurs de tourner en rond
Qui posent tant et tant de questions

49. Pierre Graveline. *Chansons d'icitte*, Montréal, Parti Pris, coll. Paroles, 1977, nº 51, p. 11-13.

50. Leur collaboration au disque: *Raymond Lévesque chante les travailleurs* déjà cité.

Qui ont le soutien populaire
Mais pas d'argent, à quoi ça sert?

La démocratie
à Radio-Centre-Ville (1978)[51]

Ailleurs, à Québec, la fermeture de l'usine Vaillancourt inspire une chanson qui témoigne de cette conscience.

Quand l'usine a fermé
On s'est comme sentis paralysés
Mais vu qu'on était organisés
On a décidé de mettre la main à la pâte
Même si on était dans l'pétrin

Ensemble il faut lutter
Nous les supposés nés pour un p'tit pain
Après tout nous sommes la majorité
En partie organisée, dans l'ensemble des exploités
Lutter pour que les *boss* soient déclassés

Chanson pour Vaillancourt (1979)
Chantal Drouin, Francine Poulin,
Serge Gagné, employés à l'usine
Vaillancourt, CSN[52]

Certaines chansons de grève touchent aux mentalités. Ainsi quelque chose de plus fondamental est en jeu: le système capitaliste dans son rapport avec l'individu. *Chanson pour Vaillancourt* ne revendique pas seulement une réouverture de l'usine, mais le droit au travail. Cette chanson a le mérite d'élargir la revendication des travailleurs en la haussant au niveau du principe:

Comprenez-vous ça
Pourtant l'*boss* avait été subventionné
Pourtant nous, on n'est pas obligés de se battre

51. Revue *Pourquoi chanter?*, avril 1977, vol. 1, n° 2, p. 24.

52. *Chansons de lutte et de turlute*, CSN-SMQ, 1981, p. 36.

Rien que pour le droit de travailler
Mais soudés par le lien du pain
Soudés dans le quotidien
Ensemble nous allons gagner

Chanson pour Vaillancourt (1979)[53]

La crise est sociale. Dans ce cadre des luttes populaires, d'autres chansons, peut-être plus discrètes, mais tout autant accusatrices, existent qui parlent de Forillon (expropriation), de Gaspésie (relocalisation des villages de l'intérieur), etc.

Jos de Saint-Jean-d'Brébeuf habite un bloc tout neuf
Est d'avis qu'les patates ça pousse mal sur l'asphalte
Tu auras de la visite tantôt

Ils ont mis leur *pack*-sac ceux d'Saint-Bernard-des-Lacs
Quarante ans de labeur pour finir voyageurs
Tu auras de la visite tantôt

Le tour de la Gaspésie
(Eudore Belzile) (1977)[54]

En plus du déracinement, le problème de la relocalisation reste entier. Ainsi, Aldéi Boulais, ancien résident de Sainte- Scholastique, agriculteur de son métier, a dû s'exiler car le gouvernement avait besoin de ses terres pour construire l'aéroport international de Mirabel. Monsieur Boulais, qui demeure maintenant à Farnham, a écrit une chanson dans laquelle il pense aux choses qu'il ne pourra plus faire quand son village sera devenu Mirabel:

Sur cette terre où je naquis
Dans cette paroisse où j'ai grandi
À l'école, allé chaque jour
Et c'est ici que j'ai connu l'amour

53. *Ibid.*, p. 36.

54. *Ibid.*, p. 57.

Ni le bruit de ces bolides
Remplac'ront l'chant des oiseaux
Où ici, tout était tranquille
Les paysans trouvaient ça beau

Valse de Mirabel
(Aldéi Boulais) (1973)[55]

À l'autre extrémité du Québec, à Saint-Octave-de-l'Avenir, une histoire similaire s'est déroulée: là, on vide les paroisses de l'arrière-pays. Dès 1963, la Gaspésie, le Bas Saint-Laurent et les Îles de la Madeleine sont choisis comme région pilote pour une étude du Bureau de l'aménagement de l'est du Québec. On voulait amener les gens de la région à un niveau de vie comparable à celui de l'ensemble de la province. La belle intention!

La logique du BAEQ[56] fut plutôt d'étouffer le dynamisme populaire et de sous-estimer les potentialités des habitants de l'arrière-pays. On en a peu fait de cas dans l'aménagement de ce territoire; affaire de spécialistes, ce projet fut un échec monumental au plan humain. Ce que les gens de la place possédaient n'était pas monnayable. L'ODEQ[57] l'a dit: «On ne peut payer pour la valeur sentimentale des choses.»

Y avait rien qu'un ch'min d'terre pour monter là
Après le pont couvert en v'nant d'Cap-Chat.
Dix milles d'épinettes pis d'beaux sapins verts.
Y a un village comme dans les livres d'histoires,
Et des belles montagnes tout en bleu, plein les yeux
Et puis des rêves et puis des gens heureux.
[...]
Mais un jour, on a r'çu des étrangers
En pleine semaine pis tout endimanchés

55. Aldéi Boulais, chanson non enregistrée.

56. BAEQ: Bureau de l'aménagement de l'est du Québec.

57. ODEQ: Office de développement de l'est du Québec.

Chacun d'leu deux faces pis leu p'tits papiers
Des gens instruits qui v'naient pour nous sauver
Y v'naient nous sortir au plus vit' de not'trou
Parce qu'y savaient qui était malheureux chez nous.

Saint-Octave-de-l'Avenir
(Daniel Deschênes) (1977)[58]

Valse de Mirabel, Saint-Octave-de-l'Avenir, Le tour de la Gaspésie et combien d'autres sont là pour nous rappeler, surtout, que s'il y a bien sûr un manque à jouir, il y a, plus important encore, un manque à vivre.

Au-delà du drame personnel et social de ces expériences de déracinement et de relocalisation, ces contraintes socio-économiques provoquent l'élan créateur. Il y a là, à la manière de la chanson traditionnelle ou folklorique, une dimension directement politique de la chanson locale dont l'esprit est également celui de la chanson dite syndicale. Bien qu'elle existe réellement, cette chanson locale, dès que les événements sont oubliés — et parce que *Valse de Mirabel* n'a jamais eu la diffusion de *Ti-Nor* de G. Vigneault ou *Sainte-Scholastique Blues* de Tex — disparaît aussi vite. Elle n'en demeure pas moins très significative de la pensée populaire. Enfin, ces chansons ont la caractéristique d'être faites et écrites par et pour les gens de la place. Cette seule dimension suffit à nous faire comprendre comment peut se renouveler le rôle social de la chanson.

Dans différentes régions, la chanson de lutte, faite par les travailleurs en grève ou par des groupes culturels d'organisation politique, reste vivante. À l'instar des chansons de la Bolduc, par exemple, elle tient lieu de chronique sociale:

58. *Saint-Octave-de-l'Avenir* est une chanson de Daniel Deschênes, natif du village du même nom. Depuis 1971, il fait du chansonnier un peu partout. Sa chanson, comme celle de *Valse de Mirabel*, est une narration d'une vie paisible bouleversée par l'idée d'une relocalisation. Écrite en 1977, elle fut présentée aux gens de chez lui à l'occasion du Festival de folklore international de 1979. Notons au passage que ce festival, qui avait lieu en juillet de chaque été à Saint-Octave, disparut à son tour, comme le village, comme les gens qui y habitaient. «Y viendront parler de pays après!» commentera-t-il.

Notre propriétaire
A fait une bonne affaire (bis)
Il a rénové cet été
Et a doublé l'prix des loyers
Assez! entendez-vous. C'est assez!

Mais ils ne nous entendent guère
Mais ils ne nous entendent pas (bis)

Chanson à réponse
(Les cordes à linge,
groupe de quatre femmes
militantes de Québec) (1980)[59]

Moi, ta mère, ménagère, ouvrière
J'ai le goût, avec mes sœurs d'apprendre
D'voir au-delà des murs d'la cuisine
De comprendre notre oppression

La chanson des garderies
(mouvement des garderies) (1978)[60]

On connaît, par exemple, quatre chansons de lutte issues de la grève de CJMS en 1977. Elles dénoncent tantôt le fonctionnement de cette station radiophonique, tantôt l'attitude antisyndicale, tantôt la recherche du profit démesuré, conséquemment l'exploitation des travailleurs. Le motif premier de cette grève était le renvoi de cinq employés de CJMS et de CJRS (Sherbrooke). Les artistes travaillant à ces stations se voient dans l'obligation de respecter leur contrat et franchissent la ligne de piquetage, et cela, au détriment de leurs convictions personnelles. Ils passent quand même pour des *scabs*.

Quand tes pieds sont fatigués
Oubliant le mot «repos»
Et que tes yeux sont givrés,

59. *Chansons de lutte et de turlute*, p. 69.

60. *Ibid.*, p. 67.

Que le vent gifle ta peau,
Pense à la collectivité,
Unité, on va gagner
Tous les *scabs* qui sont dedans
Ont encore plus froid que toi.

Complainte des grévistes
(Les grévistes de CJMS) (1977)[61]

La réaction patronale est virulente, mais les grévistes poursuivent le combat. Leurs objectifs s'étendent aux conditions globales des travailleurs.

> «S'ils chantent l'unité, c'est qu'ils sont conscients que leur lutte n'est pas différente de l'ensemble des luttes que mènent les ouvriers et les travailleurs pour de meilleures conditions de travail et de vie. Cette unité se veut être pour l'obtention d'une société au service de la majorité[62].»

Crois en la force des travailleurs
Des anonymes cachés dans l'ombre,
Leur voix est celle qui vient du cœur,
Ils se relèvent des décombres,
Et ils construisent en s'unissant,
Une vie nouvelle qui est à eux.

Les piqueteurs de la gloire
(Les grévistes de CJMS) (1978)[63]

Quand les travailleurs se révoltent, ils le font, non pas seulement contre l'aliénation économique, mais aussi contre l'aliénation psychologique. Il y a des luttes plus spectaculaires

---

61. *Pourquoi chanter?*, avril 1977, nº 2, p. 4.

62. *Ibid.*, p. 4.

63. Il se dégage, dans le disque des grévistes de CJMS, une conscience ouvrière qui pourrait bien être un jalon de plus à une tradition socialiste qui ne demande qu'à s'étendre.

comme la *Halte aux coupures*[64], d'autres, plus humbles, qui rejoignent davantage la geste socialiste où c'est le rapport employeur/employé qui est plus directement visé.

Nous sommes nombreux dans le combat
Il faut s'organiser
Garder l'moral, défier les lois
Pas question de ramper

On lâche pas
Ensemble on va gagner

Sur l'air de *Valdéri*
(CEQ) (1981)[65]

Par contre, la dominance des revendications salariales et la conjonction politique particulière au Québec articuleront les principales revendications des travailleurs de l'enseignement sous l'emprise idéologique (de plus en plus ébranlée) du nationalisme. Ainsi, le gouvernement péquiste en fit les frais. La manifestation du 19 mai 1981 contre les coupures auxquelles fait allusion le chant parodié du *Ô Canada* le montre bien. L'effet, ici, est d'autant plus radical que même la ligne mélodique — c'est la parodie à son comble — trouve son efficacité contestataire. Il y a comme une injure ajoutée à l'insulte.

Ô toi PQ
Qui coupes les services
Tu es en train
De ruiner l'enseignement

64. *Halte aux coupures* est une chanson composée par la Centrale de l'enseignement du Québec, à l'occasion de la manifestation contre les coupures, à Québec, en 1981.

65. Cette chanson et bien d'autres ont servi à plusieurs rassemblements dont le plus important a eu lieu le 6 février 1980 devant le Parlement alors que 23 000 membres affiliés à la CEQ manifestaient contre le Gouvernement. Elles ont été créées au local du syndicat des travailleurs de l'enseignement de Chauveau-Charlesbourg.

Car ton long bras, c'est le patronat
Tu as vite compris ça
Ton histoire est faite de coupures
Pour protéger tes p'tits amis

Ô toi PQ
D'espoir trompé
Tu trouveras les syndicats contre toi
Tu trouveras les travailleurs contre toi

Sur l'air de *Ô Canada*
(CEQ) (1981)[66]

Naît donc une pratique syndicale de la chanson. Les thèmes touchent à toutes les sphères de l'activité ouvrière, à toutes les causes que soutiennent divers mouvements d'hommes ou de femmes: la misère des quartiers (*Dans mon quartier*), la double exploitation de la femme, à l'usine et à la maison, (*Debout les femmes*), les retraités (*Les retraités*), l'assistance sociale (*Chanson des assistés sociaux, La valse du bien-être*), les conditions de travail de l'ouvrier immigré (*Blan-an rele sou mwen/Le boss me crie après*), la violence et le viol (*Nous serons vengées*), le problème de la sécurité au travail ou la légalisation des *scabs* (*Atlas Asbestos*), etc. L'ennemi, ici, c'est le capitaliste, c'est l'exploiteur, c'est l'oppresseur:

Nous garderons toujours la même volonté
D'unir tous nos efforts contre un seul ennemi,
Ce gros capitaliste qui vit de nous brimer,
Est tout seul et sa mort sera notre victoire.

Si on est ensemble
(Isabelle Gusse) (1979)[67]

66. Syndicat des travailleurs de l'enseignement Chauveau-Charlesbourg.

67. *Si on est ensemble*, disque produit par les trois centrales CEQ-FTQ-CSN.

L'implication de la chanson ouvrière est étroitement liée à son aspect social: discrimination linguistique, chômage, développement inégal des régions, expropriation, relocalisation, inégalité des salaires, accès aux échelons supérieurs, difficile formation des travailleurs, la subordination du gouvernement provincial au pouvoir d'Ottawa, la mainmise de nos richesses par l'impérialisme américain, tout cela aussi relève de la question nationale puisque leurs effets touchent directement les travailleurs québécois. Tous ces aspects ne recouvrent qu'une réalité: l'oppression nationale dont la lutte est supportée par la revendication d'indépendance politique.

Travailleurs du Québec, nous venons de loin
Prenons le goût de chanter ensemble
Les cris de nos victoires deviendront une seule voix
Vive la voix de notre peuple (ter)

Travailleurs du Québec
(Solange Tremblay/David Welsh
du groupe *Chante-Camarade*) (1974)[68]

Toute cette pratique syndicale de la chanson est en relation étroite avec la question sociale. Celle-ci peut-elle être reprise par le mouvement ouvrier? Peut-elle même s'affirmer comme une force politique? Si on écoute ces chansons, la réponse est affirmative:

Alors toute douceur nous devient étrangère
Nos mots prennent les armes, appellent au combat,
Nos liens se sont tressés en ces étranges guerres,
Que même un peu perdues, nous gagnons chaque fois.

Les mots doux
(André Lemieux) (1979)[69]

68. *Chansons de lutte et de turlute*, p. 39.

69. *Ibid.*, p. 25.

La force de nos chansons a fait peur aux patrons
Désormais ils n'auront plus l'gros bout du bâton.

Si on pouvait toujours chanter en travaillant
Les usines seraient plus attirantes qu'avant.

Chez Viau (1981)[70]

Chanter pour protester, telle est la nature même de la chanson ouvrière. Entre ses couplets, peut apparaître une conscience sociale qui reste, hélas!, trop souvent impuissante à briser le modèle capitaliste. Ultimement, l'affrontement patron/ouvrier est la structure oppositionnelle de base qu'illustrent ces deux extraits:

Et chaque fois qu'un de nous se lève
Notre ennemi recule d'un pas
Trouvons nos chefs, groupons nos forces
Et enfin on l'achèvera

Assez de vivre comme des esclaves!
Notre histoire s'écrit dans l'combat
Bientôt nous tournerons la page
L'avenir commence dès maintenant.

La maladie... c'est les compagnies
(1980)[71]

Tu n'étais pas dans mes souliers (4 fois)
Le jour où moi j'ai décidé
Qu'il me fallait te supprimer,
Pour que je puisse travailler
À conquérir ma liberté.
Je me sens bien dans mes souliers,
Depuis que moi j'ai décidé

70. *Ibid.*, p. 15.

71. *Ibid.*, p. 37.

Qu'il me fallait te supprimer,
Pour conquérir la liberté.

Tu n'étais pas dans mes souliers
(Pierre Fournier) (1981)[72]

La grève, du point de vue des travailleurs, fait naître une culture ouvrière, la plus authentique qui soit puisqu'elle procède de leur initiative. Toute grève qui vient des travailleurs est l'ultime effort collectif qu'ils font pour comprendre leurs conditions d'exploitation. Elle participe à la découverte progressive de leur dignité en leur permettant de se situer sur le plan social. La grève, tout en reconnaissant ses limites, favorise ce long et difficile processus de promotion et de libération parce que la conscience est aussi à faire du côté des travailleurs et des travailleuses:

A faisait la même job que moé
Pourtant, était ben moins payée
Les gars disaient que c'ta correct comme ça
Les *boss* disaient que c'ta correct comme ça
[...]
Il y a deux ans on a fait une grève
Il était temps que le monde se lève,
On était écœurés des doigts coupés,
Pis de nos salaires d'exploités.
[...]
Astheure quand on rentre à la maison
C'pus pantoute la même chose qu'avant
Faut s'diviser les tâches
Le lavage, pis le r'passage.
Ça m'a pris un p'tit peu de temps,
Chu pas trop vite sur le moment,
Pour coudre mes bas, etc.

La chanson de Marcel
Collectif CSN du disque
Si on est ensemble (1979)[73]

72. *Ibid.*, p. 33.

73. *Ibid.*, p. 31.

Une pratique syndicale de la chanson se veut une pratique de la gauche[74]. Ici, être de la gauche, c'est être pour une justice qui condamne la concentration non seulement des richesses, mais aussi du pouvoir. La chanson de lutte, ainsi nommée, peut aider à la recomposition de la gauche, mais, cela peut paraître à certains honteusement contradictoire, la question un jour devra clairement être posée: le mouvement ouvrier et ce qu'il exprime (ici la chanson syndicale) doivent-ils être absolument, exclusivement socialistes?

Toutes ces chansons ouvrières ne portent pas encore le nom de chansons québécoises. Pourtant! Plus près des formes traditionnelles, elles sont encore associées à une certaine folklorisation de nos symboles. Il y a là une pratique inédite dont les conclusions restent à faire[75].

Éléments de conclusion

Les thèmes de la chanson moderne proposent un diaporama de notre époque: délinquance sociale, misère des pauvres, les maladies industrielles, le béton aliénant, l'incommunicabilité, le racisme, le pouvoir exploiteur, les guerres, l'absence d'amour, les grèves, l'injustice, la jeunesse apathique, l'indifférence généralisée, etc.

Si Charlebois a crié «Blâme pas le gouvernement, mais débarrasse-toi-z-en», il n'en préfère pas moins la qualité de

74. Pour certains, à l'analyse des chansons de grève seulement, la négociation provinciale dans le secteur de l'enseignement est loin des enjeux réels. Pour eux, ces chansons montrent bien le peu de conscience sociale des professeurs. Le choix des mots les condamne: lâché l'magot, des maxima on veut gagner, un bon salaire, j'souhaite garder mes acquis, ce n'est pas l'gros lot, etc. Cela semble une lutte pour le capital... Les grèves sont maintenues et multipliées pour arracher des augmentations de salaire... Où est la geste socialiste, se demandent-ils?

75. Lire Yves Alix. *Chansons de lutte et de turlute*, revue *Chroniques* , décembre 1976, janvier et février 1977, nos 24-25-26.

la vie à la qualité de l'argent. Le problème de la pollution devient une priorité collective qui relègue au deuxième plan la question nationale.

> «Moi, je ferais l'indépendance, mais ça ne serait pas seulement une indépendance politique... l'indépendance dans la tête. On ne pourrait pas vivre dans un Québec libre qui serait baigné par un Saint-Laurent pollué, par exemple. Il faudrait que les gens embarquent[76]. [...] Dans le fond, dépolluer le Québec est maintenant plus important que de travailler à l'indépendance du pays[77].»

La contre-culture apparaît très nettement comme la négation des valeurs des sociétés industrielles. Au Québec, d'une certaine manière, elle a sorti la pensée créatrice de sa problématique québécoise ou de son corollaire, la problématique canadienne. Robert Lévesque l'avait bien vu:

> «Paradoxalement, ce n'est pas l'arrivée au pouvoir en milieu de décennie d'un parti politique derrière lequel s'étaient rangés les artistes qui a aidé à libérer cet imaginaire. Au contraire, le 15 novembre 1976, vu sous l'angle de la contre-culture, a accentué le divorce entre les créateurs et l'État. En cette même année 1976 aussi, l'affaire Corridart, où l'autorité politique de Montréal a, comme jamais auparavant, utilisé l'arme de la censure, a constitué le point de chute du mouvement contre-culturel amorcé au début des années 1970[78].»

Ces chansons contre-culturelles des années 1970 ont porté un dur coup à l'autorité existante. Elles ont refusé sans nuance les valeurs à partir desquelles fonctionne la société établie. Ses thèmes se recoupent: l'homme instrument de production et de consommation, le capitalisme, le culte du dollar, les rapports hommes/femmes, les pollutions de l'esprit et du corps, l'environnement, la survie, la faillite de l'humanité, le nucléaire. La croissance désordonnée de

---

76. Robert Charlebois. *La Presse*, 2 octobre 1976, p. D-5.

77. Robert Charlebois. *Le Devoir*, 2 octobre 1976, p. 23.

78. Robert Lévesque. *Le Devoir*, 21 novembre 1981, supplément littéraire, p. VII.

l'industrie capitaliste est principalement attaquée par les exigences écologiques, lesquelles dénoncent la mainmise de l'homme sur la nature. Tout cela au nom de la sauvegarde de la planète et de l'intégrité de l'individu.

Les chansons contre la violence, pour la paix; contre la pollution, pour l'écologie; contre l'exploitation, pour l'égalité; contre le gouvernement bureaucratique, pour la participation sociale; toutes ces chansons procèdent d'une vision philosophique de l'homme enchaîné au cercle vicieux de la violence/répression: d'Octobre 1970 à l'échec référendaire, de la guerre du Viêt-nam à l'agression des villes, de l'aliénation quotidienne aux rapports entre les individus, de la question nationale à la question sociale.

Politiquement, au Québec, la contre-culture incarne la restructuration du vécu collectif de toute une génération: celle de la révolution tranquille. Son contexte d'apparition appartient au réveil des particularismes. En cela exactement, la contre-culture s'associe au renouveau nationalitaire qui tente de plus en plus à se définir par opposition à toute forme d'impérialisme. Comme le fait nationalitaire, elle s'oppose au système actuel et se présente comme un adversaire du système, car elle s'oppose à la logique impérialiste en contestant les rapports de domination, ici et ailleurs.

Certes, la dimension nationale n'est pas la seule en cause; il y a, plus importante pour certains, la dimension sociale. Il est faux de prétendre qu'avec l'avènement du Parti québécois au pouvoir, la chanson québécoise n'a plus de cause à chanter. Rappelons ce que Paul Piché disait à propos du rassemblement du «Méoui» au Centre Paul-Sauvé: «Il faudrait 'oui, mais...', car entre Québécois aussi, il y a de l'exploitation. L'indépendance, pour moi, c'est seulement une étape[79].» Avant lui, Lucien Francœur avait été plus mordant.

> «T'as même pu besoin de courage pour faire du *rock* politico-folklorique. Y'a juste Pauline Julien et Raymond Lévesque qui

---

79. Cité par Lysiane Gagnon, *La Presse*, 15 avril 1980, p. A-8.

ont vraiment mis leur carrière en jeu avec des chansons engagées. C'est sûr que c'est un acte politique que de chanter notre pays. Mais pendant que le peuple gigue, il ne fait pas la révolution, ostie[80]!»

Parler pour chanter ou chanter pour dire? Les chansons d'obédience *punk* ou *new wave*, plus récentes, mettent en cause un ordre musical, littéraire ou esthétique qui n'est rien d'autre que l'ordre social. C'est cet ordre, par exemple, que les chansons de Francœur tentent de compromettre.

L'on pourrait croire, après coup, que le *punk* a fourni à certains chanteurs (je pense à Francœur) leur identité. Le *punk* refuse les valeurs sacrées, la morale bourgeoise, le civisme, l'esthétisme traditionnel, l'harmonie du couple. Il s'associe, ici, à une déritualisation des formes de spectacle, à l'inverse de ce qu'avaient réussi les chansonniers dans les boîtes à chansons. Le *punk* est en opposition à une culture populaire québécoise, en opposition à un certain conformisme culturel, en opposition au traditionnalisme des valeurs. Mais qui, de Francœur (par exemple) ou du *punk* en général, a mieux réussi à rentabiliser l'image de la provocation par la dégradation? Comme le remarquait Yves Alix, la révolte spontanée contre les conditions de vie sociale n'est pas entièrement canalisée et retournée contre la classe dominante. Le *punk* reflète la dépravation sociale sans remettre en cause la société, tout en étant une représentation critique de cette société[81] Si les *hippies* procédaient d'une fuite hors des modèles sociaux, le phénomène *punk* conduit à la caricature des modèles sociaux dominants. Au plan musical, le *punk* n'est-il pas justement une réaction contre la sophistication de la musique *pop* et du *rock and roll* en général? Et si Francœur dit plus qu'il ne chante — entendre ici qu'il ne berce —, c'est qu'il utilise le disque (ce sont ses propres mots) comme «véhicule libertaire et insurrectionnel».

---

80. Lucien Francœur. *Mainmise*, novembre 1976, p. 14.

81. Yves Alix. «À qui profite le *punk*?» dans *Pourquoi chanter?* , vol. 2, n°s 1-2, p. 23-36.

Partout dans le monde, les luttes d'émancipation ont eu des répercussions, et la chanson de plusieurs pays s'affirme selon un postulat indéniablement politique: la lutte contre l'oppression. Ici, cela n'a pas différé. Les éléments d'un changement possible résident dans les valeurs qui amèneraient une transformation des mentalités, et cela, au niveau d'une spiritualité vécue quotidiennement, mais comportant également une dimension planétaire. Cette évolution doit donc se faire en dehors de toute politique partisane. Peut-être n'a-t-on pas assez vu que l'engagement contre-culturel devait être élargi à la planète entière.

TROISIÈME PARTIE

Chanter parce qu'il y a tant à faire

La vraie musique révolutionnaire n'est pas celle qui dit la révolution, mais celle qui en parle comme un manque.

JACQUES ATTALI

Les chansons ne font pas les révolutions, elles les exaltent. L'art au service d'une cause n'est pas un phénomène nouveau et la chanson engagée n'est pas née avec le siècle. Bien que le monde du spectacle nous apparaisse comme l'un des secteurs de l'économie le moins menacé et que le chansonnier, en général, soit relativement mieux intégré au système que certains intellectuels, l'on peut se demander comment un chanteur, sans trahir son intégrité, peut s'engager tout en assumant un certain rôle d'éveilleur de conscience que son métier lui confère. De même que l'on peut s'interroger sur l'efficacité de la chanson qui, par son appartenance à un art mineur, donc populaire par essence, devrait atteindre toutes les couches sociales. Un producteur de disques ne déclarait-il pas, lors des audiences du tribunal de la culture:

> «J'ai fait une comparaison qui était peut-être exagérée, mais j'ai comparé le rôle des chansonniers dans l'évolution du Québec au rôle de Rousseau, Montesquieu, Voltaire dans la Révolution française... les arts doivent participer à l'évolution et même souvent la précipiter[1]...»

Cependant, les résultats du Référendum de mai 1980 ont démontré que la personnalité attachante d'un chansonnier et sa cote de popularité ne suffisaient pas à balayer les dernières résistances d'un peuple.

---

1. «Le rapport du tribunal de la culture», *Liberté*, décembre 1975, nº 101, p. 53.

Et si l'on parle de chanson révolutionnaire, c'est que le terme «révolution» s'est élargi et englobe certaines réformes coloniales, bureaucratiques, culturelles ou autres. La révolution tranquille n'est rien d'autre qu'un changement évolutif rapide, une profonde réforme sociale. À ce titre, en 1960, la chanson au Québec était révolutionnaire puisqu'elle a largement contribué à bousculer les vieux rapports traditionnels. Son succès seul imposait une nouvelle chanson. Qu'elle ait été intégrée, par la suite, par le circuit industriel relève d'un autre problème: celui de la récupération.

Personne ne disconviendra que la démarche intérieure de l'artiste doit primer sur n'importe quel engagement. C'est parce que le chansonnier, au Québec, est devenu le porte-parole d'un peuple qu'il n'échappe pas au feu nourri de la critique. Il n'en demeure pas moins que la chanson comme valeur de témoignage ne résiste que très rarement au piège du *star system*. Comme l'écrit Marie-Hélène Fraïssé dans *Protest Song*: «De toutes les mythologies engendrées par l'époque, la chanson est la plus criante dans tous les sens du terme[2]...» Est-ce trop simplifier que de penser que, finalement, comme en d'autres pays, les chansonniers n'ont fait que ce que commandait leur conscience? Que répond Pauline Julien à ceux et celles qui lui reprochent son engagement politique?

> «Quand j'ai crié 'Vive le Québec libre!', c'est parce que je sentais que je devais le faire, un point c'est tout. J'ai refusé dernièrement de chanter au Centre culturel à Paris, parce que je refuse de cautionner le Canada à l'étranger; je ne suis pas allée le crier sur les toits[3].»

Celle qu'on a surnommée en France «la Mélina Mercouri du Québec» fut longtemps prisonnière de cette image de *guerillera* qu'on lui a (en particulier les médias) fabriquée. Cette liberté qu'elle chante, qu'elle crie, et qui est aussi celle du Québec, constitue un phénomène qui dépasse la personne de Pauline Julien ou la nature même de la chanson engagée.

2. Marie-Hélène Fraïssé. *Protest Song*, Paris, Seghers, 1973, p. 11.

3. Pauline Julien. *La Presse*, 20 avril 1972, p. C-5.

Droit de parole et liberté de chanter sont, ici, affaire de survivance et de protestation. Bien sûr, chaque auteur-compositeur-interprète touche une partie de la population, mais ceux qui atteignent le plus grand public ne sont-ils pas justement ceux qui sont les plus engagés, ne sont-ils pas plus près des aspirations inconscientes du peuple?

Une chanson de contestation qui n'assumerait pas la réprobation quotidienne du milieu dont elle parle est vouée à la propagande et ne serait que leurre. L'on voit ici surgir les aspects contradictoires de la chanson de lutte.

Dans les années 1970, ce qui apparaît comme un genre neuf de la conscience collective, va lier, de plus en plus, la question nationale à la question sociale. Cela a bien pu commencer avec *Bozo-les-culottes, Le grand six pieds* ou *La Corriveau,* mais ce qu'il importe de souligner, c'est que la chanson québécoise nous plonge au centre du problème colonial.

> «Québec 1789 — Territoire occupé...»
> «Québec 1837 — Territoire occupé...»
> «Québec 1960 — Territoire occupé...»
> «Québec 1970 — Territoire occupé... à libérer»
>
> *Poèmes et chants de la résistance*
> (1971)

La chanson engagée développe la conscience de l'oppression colonialiste. Elle nous dit que nous devons chercher notre propre libération à travers les conditions qui sont les nôtres. Cette pensée est proche du projet socialiste qui rend indissociable le caractère du socialisme et de l'indépendance. Les chansonniers ont fait progresser le débat sur la question nationale en dehors de tout cadre théorique que propose, seul (pour l'instant?) le Parti québécois. Pour Paul Piché, par exemple, l'appui à l'indépendance nationale est un aspect de la lutte pour le socialisme. Sa chanson participe à l'éveil et à l'organisation de la conscience populaire.

En fait, ce qu'ont en commun la chanson et la révolution, ce sont les masses. L'une, cependant, n'utilise pas la manière de l'autre, et c'est ce qui fait que les révolutions sont plus rares que les chansons. C'est pourquoi la chanson politique sera toujours en état de survie, et sa crédibilité sera toujours à débattre. Une expérience créatrice, pour être efficace, doit s'attaquer à la structure réelle de la société, c'est-à-dire à la structure politique. Puisqu'il faut qu'émerge une nouvelle urgence, il doit donc y avoir obligatoirement une nouvelle rupture.

La question qui nous concerne ici est: la politique se chante-t-elle?

CHAPITRE 7

Ils chantent, qu'ils payent

> L'oppression s'est toujours appuyée sur l'oubli.
>
> DENIS MONIÈRE

Depuis la première grande fête à l'île Sainte-Hélène (début des années 1960) jusqu'à «la marche des artistes sur le chemin du OUI» (Référendum, mai 1980), dans ce long cheminement des grands rassemblements se profile l'évolution d'une nation qui, malgré ses choix, tend à la maîtrise de son destin collectif. En oubliant le vedettariat, c'est-à-dire leur propre individualisme, nombre de chansonniers chantent et font chanter à l'unisson: «Gens du pays, c'est votre tour de vous laisser parler d'amour[1].»

Beaumarchais n'a-t-il pas dit que ce qui ne vaut pas la peine d'être dit, on le chante. En fait, y a-t-il réellement des chansons engagées qui soient au bout du fusil? Les chansonniers, déclarait un jour un journaliste, sont les seuls dont la méchanceté soit toujours gentille. Il n'est pas erroné de penser que la chanson québécoise a surtout marqué sa dissidence

1. Paroles extraites du chant d'anniversaire *Gens du pays* composé par Gilles Vigneault à l'occasion de la fête des Québécois, le 24 juin 1975.

hors des révolutions proprement dites, loin de la contestation radicale.

De ces dernières années, on retient surtout, à cause de son caractère spectaculaire et dramatique, la Loi des mesures de guerre. Mais, bien avant Octobre 1970, certaines boîtes à chansons de Montréal ont connu des difficultés à cause de leurs divergences politiques. Ces boîtes à chansons furent victimes de censure et de campagnes mensongères. Ainsi, à Montréal, la municipalité a fermé *Les Saltimbanques* et *Le Patriote* en prétextant que ces lieux favorisaient les rassemblements de séparatistes et d'existentialistes[2]. Si l'ordre c'est toujours le bon ordre... toute proposition de changements secoue les rapports sociaux. Il en est de même de la violence.

L'histoire nous apprendra peut-être que ce qui fut à contre-courant de l'évolution culturelle, ce ne fut pas tant la violence des felquistes, par exemple, ou le nationalisme triomphant des chansonniers ou des intellectuels, mais le refus systématique de comprendre le nationalisme québécois de certains politiciens. Ces derniers n'ont-ils pas présenté le changement comme réel alors que cette présentation n'était qu'une forme insidieuse de maintien du *statu quo*. L'acte de création sème parfois la confusion. Lorsque Claude Péloquin et Jordi Bonet affichèrent leur cri sur la murale du Grand Théâtre de Québec, «Vous êtes pas tannés de mourir, bande de caves!», ils dépassèrent en efficacité tous les slogans contestataires. À côté, le «Québec aux Québécois» nous apparaît bien pauvre en dynamisme et en révolte. Soudain, le nationalisme de raison montrerait-il ses limites face à la création? Les arpenteurs du pays seraient-ils conduits à un cul-de-sac? Ne se guériraient-ils pas d'être folkloriques? Robert Lévesque écrit, dans *Le Devoir*:

2. Fernand Robidoux raconte que Roger Mollet ouvrit, dans les années 1950, une boîte ultra-nationaliste. Michelle Sandry, trop identifiée à cette boîte, *La Cave*, fut systématiquement tenue à l'écart de la radio et de la télévision. On disait de *La Cave* qu'elle était trop près de la pègre ou encore, que «La Cave, c'est un repaire de lesbiennes et de pédérastes». (*Si ma chanson ...*, Éditions populaires, 1974, p. 119-120.)

«Il fallait aller voir plus loin, et comme l'Infonie et Raoul Duguay se mirent à le crier sur tous les toits: aller même au boutte du boutte. C'est ainsi qu'il faut comprendre les manifestations de la contre-culture québécoise: un rejet sans remords du nationalisme geôlier. Une double décolonisation[3].»

Dès lors, toutes les fêtes de la Saint-Jean n'ont-elles pas été récupérées au profit de ce nationalisme geôlier?... et le peuple réduit, comme au XVe siècle, au rang de spectateur par des autorités prenant en charge les festivités?

Trop souvent la fête nationale relève du discours patriotard et à trop se ressembler, les thèmes s'épuisent: «J'ai la mémoire en fête» (1977), «Le Québec est au monde» (1978), «Salut Québec!» (1979), «C'est la fête au pays, tout l'monde est important» (1980), «Les forces vives du Québec» (1981). Les thèmes sont axés sur la réconciliation et sur le discours de légitimation, mais le principe demeure: Saint-Jean-Baptiste ou fête nationale, le 24 juin reste le jour privilégié de l'affirmation de l'identité québécoise:

«Il y a un jour de l'année où la nationalité paraît et se montre, c'est le jour de la Saint-Jean-Baptiste[4].»

Conjointement fondues, fête nationale et chanson québécoise rejoignent un même discours idéologique. Ainsi, en 1977, pour illustrer son thème «J'ai la mémoire en fête», le Gouvernement n'a-t-il pas, dans son feuillet publicitaire, fait sienne une chanson de Félix Leclerc?

C'est à toi, tout cela...

Y'a des faiseurs de chaises
Les faiseurs de chaloupes
Et les faiseurs de pain...

---

3. Robert Lévesque. *Le Devoir*, 21 novembre 1981, supplément littéraire, p. VII.

4. Magazine *Présent sélection*, «De la Saint-Jean-Baptiste à la fête nationale», juin 1978, p. 9.

Et les faiseurs de rien
Y'a les retardataires
Les mariages, les colères
Les grands-mères aussi,
Et les cordonneries

C'est ton pays...

Tu te lèveras tôt
(Félix Leclerc) (1958)

Du côté fédéral, le Gouvernement a lui aussi tenté d'utiliser la grande popularité des chansons québécoises pour en détourner le sens. Quelle fête recouvre quel pays?

Gilles Vigneault commentait, ainsi, l'interprétation (dans tous les sens du terme) en anglais de sa chanson *Mon pays* par Patsy Gallant:

> «Ça été une bonne expérience de voir que la seule fois qu'une chanson québécoise passe sur tout le réseau au Canada, il faut qu'elle soit traduite et déformée au point qu'on ne la reconnaisse plus[5].»

Canada, c'est pour toi que je chante, mon pays! Et Vigneault d'ajouter encore:

> «Le fait d'avoir imposé un nom à ce pays dont je parle et qui est le mien m'est apparu comme une grossièreté telle, d'une telle obscénité, que je n'ai pas réagi[6].»

Et le mensonge de se poursuivre.

Dans le cadre des Fêtes du Canada, en 1978, neuf compagnies (de disques) canadiennes mirent sur le marché un disque tout au mérite de l'unité nationale: «Le Canada, c'est toi et moi»/«*Canada it is you and me*» en s'emparant de certaines chansons de Félix Leclerc, Raymond Lévesque et Gilles

---

5. Gilles Vigneault. *Actualités*, septembre 1979, p. 12.

6. François-Régis Barbry. *Passer l'hiver*, Paris, Centurion, 1978, coll. Les interviews, p. 95.

Vigneault, dont évidemment la très célèbre «*Mon pays*» qu'ils amputèrent de deux vers:

> «Mon pays, c'est l'envers d'un pays...
> Un pays qui n'était ni pays ni patrie»

Depuis, on s'est empressé, à l'instar du drapeau canadien, d'adopter officiellement l'*Ô Canada*[7]. On peut être assuré que Pierre Bourgault, qui conçut un jour l'idée de faire proclamer officiellement *Gens du pays* hymne national du Québec en remplacement de l'*Ô Canada*, n'a jamais changé d'idée sur le sujet:

> «Ce n'est pas un hymne artificiel plaqué artificiellement sur un peuple artificiel par quelque compositeur superficiel mandaté par un gouvernement plus artificiel encore. C'est une chanson qui vient d'en bas. Le peuple l'a déjà consacrée avant même qu'on pense à le faire officiellement en haut lieu. C'est là sa principale qualité. [...] Plutôt *Gens du pays* que *La Marseillaise*. Plutôt *Gens du pays* que *God Save the Queen*. Plutôt même *Gens du pays* que *Ô Canada*, qui confond un peu trop facilement à mon goût l'épée et la croix[8].»

Faut-il en conclure que les musiques de l'unité nationale se vendent mal, ou bien que l'on tente de se les approprier à des fins partisanes? Ce qui est remis en question, ici, c'est

---

7. *Ô Canada!* Paradoxe sublime. Chahuté à Winnipeg, Edmonton, Vancouver ou Toronto. Les dirigeants des Jets de Winnipeg ont refusé de permettre une interprétation bilingue de l'*Ô Canada*: «Ce n'est pas à nous de faire la preuve de l'unité canadienne et de profiter d'un match de hockey pour imposer le bilinguisme», a notamment souligné le vice-président des Jets, de nom francophone, Marc Cloutier. À l'occasion d'une partie de baseball entre les Blue Jays de Toronto et les Yankees de New York, la chanteuse Ruth Anne Wallace est huée parce qu'elle introduit, en chantant l'*Ô Canada*, quelques lignes en français. «Je l'ai fait, déclare-t-elle aux journalistes, pour l'unité canadienne.» Et quels intérêts le député Serge Joyal défendit-il lorsqu'il quitta son siège quand, à l'occasion du vingt-cinquième anniversaire de l'accession au trône de la reine d'Angleterre, le député de Nouvelle-Écosse, Lloyd Crouse, entonna spontanément le *God Save the Queen*?

8. Pierre Bourgault. *Le Jour*, 6 janvier 1978, p. 23.

le rapport de la chanson avec le pouvoir. Ce rapport est souvent difficile à percevoir avec clarté et quand Robert Charlebois évacue la question nationale, quel pouvoir défend-il?

> «Se réfugier dans le séparatisme, c'est une très gracieuse façon de se fermer les yeux et les oreilles parce que quand tu te dis 'québécois', tu nies que c'est aussi toi qui la fais, la guerre au Viêt-nam. Je ne suis plus séparatiste ni confédéraliste; je ne suis pas non plus républicain ou démocrate[9].»

Lorsqu'en mars 1978, la SSJB de Montréal lance un concours «Chants du Québec», pour donner suite à une décision du Congrès général de la société dont le but immédiat — rappelle le dépliant publicitaire — n'est pas de créer de toutes pièces un hymne national québécois, mais de doter le Québec de chants qui reflètent la réalité québécoise et suscitent un sens réel d'appartenance à un pays, à une nation. «Chants du Québec» voulait constituer un répertoire d'où jaillirait un chant de ralliement. Cela pourrait bien s'appeler «la chanson patriotique» à retardement.

Il ne faut pas nier que la chanson québécoise n'a pas toujours su éviter le stéréotype. Ainsi, on a reproché à Gilles Vigneault d'utiliser trop souvent le mot «pays» à la manière d'une recette ou d'une formule rentable. Et Robert Charlebois, dira-t-on, a trop joué sur l'ambiguïté de sa jeunesse et de celle qu'il représentait. Pour les Français, l'ambiguïté de Charlebois est nette: il est «l'enfant de Marx et de Coca-Cola». Ce cocktail n'empêche pas Charlebois, dans sa chanson *Longue distance*, d'exprimer son horreur de la pauvreté et de poursuivre son rêve d'unir la gauche et la droite, comme il ne l'a pas empêché, dans *Trouvez mieux*, de rendre un hommage à Claude Citroën. Cette chanson fut perçue en France comme un affront au monde du travail.

La récupération, peu importe à qui elle profite, reste toujours une forme larvée de réussite. Voilà comment la contestation, puisque récupérée par le système, peut devenir une mode. La chanson dite politique ou engagée peut aussi servir

9. Claude Gagnon. *Robert Charlebois déchiffré*, Montréal, Éditions Leméac, 1974, p. 228.

les intérêts du pouvoir. Toute situation de révolution est récupérée par le pouvoir au profit de la stabilité politique. La question reste posée: a-t-on échangé le droit de parler contre le droit de divertir en chantant?

Le parti pris des chansonniers

S'il est vrai que la révolution tranquille trouve son origine bien plus dans le *Refus Global* que dans *Cité libre*, la boutade de l'ex-ministre des Finances, Jacques Parizeau, reste éloquente:

> «À toutes fins pratiques, sur le plan technique, la révolution tranquille, c'était trois ou quatre ministres et puis une vingtaine de fonctionnaires. Ça... et cinquante chansonniers[10].»

Les artistes, et principalement les chansonniers, ont donné une ampleur inestimable à la question nationale. Bien avant 1960, Fernand Robidoux et Marc Gélinas avaient ouvertement milité en faveur de l'indépendance. De Pauline Julien, Félix Leclerc dira c'est un «drapeau en personne[11]». Nous sommes en présence d'une nouvelle chanson plus lucide et avec des ambitions à plus long terme.

Au Québec, le rapport de la chanson, comme de la culture en général (poésie, roman, théâtre, cinéma), au politique n'est pas normal. La réaction du public est souvent massive, presque inconditionnelle. Lors du deuxième *Poèmes et Chansons de la résistance*, les artistes participants jouaient à guichet fermé. Du groupe des premiers chansonniers, Jean-Pierre Ferland est le seul, ou presque, à ne pas s'être identifié politiquement. Pourtant, René Lévesque ira jusqu'à dire que *Je reviens chez nous* est une chanson politique.

10. Jacques Parizeau. *Actualités*, novembre 1979, nº 11, p. 55.

11. Félix Leclerc. *Le Petit Livre bleu de Félix*, Nouvelles Éditions de l'Arc, 1978, p. 24.

Quant à Claude Dubois, il peut être considéré comme l'artiste qui a vécu en marge des implications politiques que véhiculaient les chansonniers de son époque. Fondamentalement c'est leur culture qu'ils défendent, non seulement à travers l'originalité de leurs textes, mais aussi en affirmant une langue et une identité singulières.

Cependant, on ne peut nier la permanence de la question nationale au Québec. Si elle continue d'exister, c'est qu'elle n'a jamais été résolue à notre avantage. Le nationalisme de nos chansonniers n'a rien d'une fermeture au monde. Certes, d'une certaine manière, les artistes québécois ont été possédés par le Québec. Il est vrai qu'ils ont joui d'une très large liberté de création et d'expression. Mais, précisera Georges Dor: «Je suis séparatiste. Je ne suis pas un activiste politique. Je suis profondément québécois[12].»

Le nationalisme québécois n'est pas naïf. Sinon comment expliquer les mesures démesurées (au Référendum de mai 1980) dirigées contre lui par des forces politico-économiques dominantes? Le problème québécois ne se réduit pas à la sauvegarde du patrimoine culturel.

La chanson, au Québec comme ailleurs, est liée à certaines situations politiques. Il est faux et factice de l'assimiler à un discours de propagande issu, par exemple, du pouvoir en place, nommément le gouvernement québécois dirigé par le parti du même nom. En avant du politique, les artistes ne marchent pas si allègrement. Le NON au Référendum de mai 1980 n'en est-il pas la preuve? De là à conclure que la chanson ou la poésie ne sont pas entre les mains du peuple, c'est oublier ce que Vigneault a déjà dit: «On était des voix, mais ce sont leurs mains qui ont tout changé[13]». L'urgence nationale a faussé certaines analyses. L'artifice a succédé à l'élan. Après le tremplin, l'écran!

La contestation, quand elle existe, s'imbrique maladroitement dans un nationalisme conservateur le plus souvent

12. Georges Dor. *Dimensions*, Digest Éclair, avril 1969, p. 37.

13. Gilles Vigneault. *Passer l'hiver*, Paris, Centurion, 1978, p. 107.

associé au pouvoir en place. On se demande même si nos artistes ne nous trompent pas quand ils parlent de liberté, de pays, de changements. Quelque chose dans tout cela est chanté trop facilement. Voilà comment on en arrive à douter de la colère de Félix, de la déception de Vigneault, des intentions de Robert Charlebois. Que dit Jacques Michel de sa participation aux Fêtes du Canada?

> «Certains m'ont reproché de ne pas avoir été assez CANADIEN quand j'ai dit: Bonne fête à toi, et non: Bonne fête, Canada. Et aussi à cause du *Jardinier* où je parle de six millions de personnes, et non de vingt-six millions... Et d'autres m'ont accusé de traîtrise pour avoir participé à ces fêtes. Mais j'y suis allé parce que c'était payant et qu'il faut que je vive. D'ailleurs, moi, je suis d'abord un chanteur et je vais où on me demande, d'autant plus que l'argent que j'allais chercher à Ottawa venait aussi des payeurs de taxes québécois... D'ailleurs, je voulais chanter le reflet de ce qu'on était, NOUS[14]...»

Comme dirait Victor-Lévy Beaulieu, l'État paie bien l'artiste québécois, ce qui, à son avis, le réduit à la presque médiocrité. «On n'a pas à récupérer l'artiste, précise-t-il, parce que celui-ci est d'abord récupération[15].» Robert Cliche va jusqu'à penser que c'est l'homme d'action, plutôt que l'homme de pensée, qui imposera ses valeurs et ses objectifs à l'ensemble de la population. Cela lui suffit pour annoncer que le déclin du nationalisme serait déjà commencé.

> «Ceux qui persistent à vouloir exercer la mission d'animation et d'encadrement qu'on leur reconnaissait autrefois rencontrent aujourd'hui une audience de plus en plus restreinte qui ne rassemble que des clans et de petites chapelles. L'évolution sociale exige maintenant des intellectuels qu'ils offrent une sorte de miroir à leurs contemporains, un écho de leurs sentiments et de leurs aspirations. C'est pourquoi la vie de l'esprit s'oriente progressivement vers une recherche plus personnelle et plus individuelle au lieu de s'identifier à l'ensemble national et à la

---

14. Jacques Michel, dans *La Chanson québécoise, miroir d'un peuple*, de Pascal Normand, Montréal, France/Amérique, 1981, p. 122.

15. Victor-Lévy Beaulieu. *Le Devoir*, 7 février 1976, p. 13.

collectivité. Cette transformation devra marquer profondément la vie littéraire et artistique au Québec[16].»

Les chansonniers ont été les signes du changement. Certes, quand la question nationale sera réglée, les chantres inconditionnels du gouvernement péquiste retourneront dans l'opposition. Il en est, cependant, pour en douter. Ainsi, dans certains journaux, on reproche aux chansonniers (et aux artistes en général) d'ajouter à leur expression poétique, fantaisiste, humoristique ou prosaïque une conscience politique et sociale partisane. Quel curieux reproche!

Ce que d'aucuns appellent de la politique, Félix dit que c'est du patriotisme, voire de l'humanisme. De son propre aveu, Soljenitsyne a influencé certaines de ses chansons. Félix ne peut concevoir, comme l'écrivain russe, que le monde soit gouverné par des fous.

Le chansonnier n'a pu s'empêcher de se jeter dans la mêlée sans échapper à l'idéologie dominante, pas plus Vigneault que les autres. Cependant, très peu de gens savent que ce même Vigneault a refusé d'écrire, à la demande du Parti québécois, la chanson-thème du Référendum.

Est politique tout ce qui concerne les processus de prise de décisions, la mobilisation des ressources en fonction de ces décisions et la définition des objectifs auxquels ces décisions se rapportent. Cependant, dans toute société, c'est évidemment la structure gouvernementale qui, plus que toute autre institution, polarise cette fonction. L'on sait que l'institution est ce qui apparaît à l'individu sous forme d'un système, antérieur et extérieur à lui-même, qui impose une certaine forme de pensée et d'action, telles la langue ou la religion. Telle la chanson?

Si, pour le chansonnier, l'indépendance c'est une condition de réalisation de cette identité dont ont tant parlé ses chansons, son engagement ne se limite pas à défendre un mouvement social, mais aussi à s'exprimer, non plus en tant qu'artiste mais aussi et en même temps en tant que citoyen.

16. Robert Cliche. *Le Déclin du nationalisme*, Montréal, Libre Expression, 1980, p. 177.

Et n'est-ce pas pour la même raison que Trudeau est intervenu dans le débat référendaire: en tant que citoyen?

Le 17 avril 1977, le journal *Le Dimanche* posait à nos chansonniers la question suivante:

> «Maintenant que le PQ est au pouvoir, referiez-vous des spectacles gratuits pour lui, comme par exemple dans le cadre de la campagne pour le Référendum?»

à laquelle ils répondaient:

> — Vigneault: «Je refuserais d'être payé: ce n'est pas parce que le PQ est au pouvoir qu'on va en profiter et user de privilèges.»
>
> — Gauthier: «Si le Référendum replace le PQ dans l'opposition, je n'hésiterai pas.»
>
> — P. Julien: «... si ça devient une espèce d'urgence.»
>
> — J. Michel: «Je ne vois pas pourquoi je n'en ferais pas sauf si je ne suis pas d'accord avec la formule du Référendum. Je ne m'associe pas à un parti mais à une idéologie.»
>
> — R. Lévesque: «Si on me le demande, oui, avec plaisir.»
>
> — Y. Deschamps: «Non, parce que le PQ a maintenant les moyens politiques de le faire[17].»

Par leurs engagements, ces chansonniers ont tenté de conjurer notre peur collective. Alors que le 15 novembre 1976 ils croyaient y être parvenus, les résultats du 20 mai 1980 ont remis leurs doutes à l'ordre du jour. Ce qu'ils ont essayé aussi de nous dire, c'est qu'en vivant notre nationalisme en tant que minorité, nous ne pourrons jamais accéder à un niveau national d'existence.

Le lieu du pays souverain est le lieu de la conscience nationale. Toute la chanson québécoise en est le témoignage. Devant ce rapport, la critique, justement, cache ses véritables raisons: le lieu du pays doit être le Canada. Le Référendum n'en est-il pas l'expression? La critique refuse de voir et de comprendre que s'il y a eu écart entre la volonté du peuple

17. *Le Dimanche*, 17 avril 1977, p. 8.

et la volonté nationale, c'est que cette dernière fut obstruée par des nécessités politiques artificielles dont, justement, celles de l'État qui utilisèrent les aspirations du groupe national que nous formons toujours. Voilà comment on parvient à jeter du discrédit sur la chanson, par exemple, en la réduisant à une manifestation dépassée par l'idéologie nationaliste elle-même.

> «Que l'on chante ici ou là des hymnes en l'honneur du pays dont on accepte sans problème que l'État se les approprie, que l'on agite des drapeaux en invoquant nos martyrs, que l'on ressuscite avec admiration nos chefs les plus intolérants, l'histoire devrait nous apprendre, si tant est qu'elle puisse nous apprendre quelque chose, que se trouve aussi ouverte la voie royale vers un pouvoir renforcé et vers un État autocratique pour lequel les libertés individuelles seront toujours secondaires par rapport à l'intangible liberté du nouvel État national[18]...»

Plus fondamentalement, Claude Bertrand et Michel Morin, dans *Le Territoire imaginaire de la culture* dont je viens de citer un extrait, jettent ce discrédit dont nous parlions plus haut sur toute culture particulière. C'est leur façon à eux d'annoncer le déclin du nationalisme au Québec: être québécois, c'est être folklorique. Avec Dominique Cliff (*Le Déclin du nationalisme*), ils croient que la réalisation de l'identité nationale ne peut coïncider avec la conquête de l'identité personnelle. Cette coïncidence, si elle se réalise, est, pour eux, une conception étroite de la culture et de sa fonction sociale. Je dis qu'il faut en effet distinguer les deux composantes de la conquête identitaire, mais assigner une telle fin au développement individuel n'en bloque nullement le progrès. C'est l'erreur de Bertrand et Morin de le penser:

> «Peut-être qu'un regard tourné vers le dedans n'est pas nécessairement un regard tourné en arrière, vers le passé. Car c'est là le regard historique propre à la problématique de l'aliénation et qui consiste pour un individu ou pour un peuple à retrouver sa vérité dans un passé enfoui qu'il faudrait faire

18. Michel Morin et Claude Bertrand. *Le Territoire imaginaire de la culture*, Montréal, HMH, 1979, coll. Brèches, p. 153.

> revenir, au risque même de forcer, de violenter la réalité présente: c'est la problématique de la récupération nationale qui nous permettrait de nous retrouver maintenant à l'image de ce que nous fûmes, français, paysans, catholiques[19].»

Le discrédit jeté sur la culture est insidieux. Présenté comme une esthétique de l'impuissance, l'effort créateur instaure un territoire imaginaire de la culture, irréductible à tout territoire réel. Le premier territoire est vite dépassé par les événements, la technologie, bref par la modernité. La conscience mondialiste contemporaine y est évidemment absente. Bertrand et Morin, si on appliquait leur raisonnement à la chanson, relanceraient un vieux débat que Boyce Richardson dans le *Montreal Star* avait amorcé et que Placide Gaboury avait poursuivi dans la revue *Maintenant*. À l'époque, Vigneault avait été considéré comme le troubadour du «grand saut en arrière».

> «Le message politique que l'on reçoit du spectacle de Vigneault et de la réaction fervente qu'il suscite, c'est que le Québec doit être dangereusement près de se replier sur soi encore une fois[20].»

Ce que l'on reprochait à Vigneault, c'est qu'on ne trouvait pas chez lui de présence au monde international, aux réalités actuelles, aux activités et aux faits d'une dimension mondiale. Tous ces analystes, y compris Bertrand et Morin, posent fort mal la question. Vigneault ne sera jamais moderne, il peut être actuel; le nationalisme ne sera jamais moderne, il peut être actuel. La nécessité, comme le cœur, ne vérifie pas ses effets. On n'a pas demandé à Brassens, en France, d'être électrique. De la bougie à l'ampoule électrique, du national à l'international, il y a un temps historique qui conduit au présent. La vraie modernité est intemporelle. Le nationalisme des chansonniers n'a rien à voir avec le nationalisme

19. *Ibid.*, p. 116.

20. Boyce Richardson, cité par Placide Gaboury, *Maintenant*, n° 81, 1968, p. 282.

ethnocentrique. La question nationale, chez les chansonniers, n'a pas amené une réponse nombrilique.

> «Car enfin! il faut bien que les hommes aient leur sol et leurs racines, dès l'instant que c'est le lot des peuples et des nations. Il ne faut jamais que l'identité d'un peuple soit mise en cause, ni celle d'un individu né dans ce peuple[21].»

La chanson de Gilles Vigneault *Mon pays*, dont on a dit qu'elle était devenue un hymne national, s'applique parfaitement à cette pensée toujours significative que j'emprunte, pour l'essentiel, à André Gide: aucune œuvre d'art n'a de signification universelle qui n'a d'abord une signification nationale; n'a de signification nationale qui n'a d'abord une signification individuelle. Toute la chanson québécoise est là. Et Julien Nault, que cite Bruno Hébert dans *Monuments et Patrie*, déplore ce qu'il constate dans la mythologie enseignée: «On commence par le général au lieu de commencer par le particulier. On croit faire comprendre sans se donner la peine de faire sentir[22].»

En fait, le tort du chansonnier aura été d'être populaire, par conséquent, dans le système capitaliste actuel, de devenir à la fois exploitable et rentable pour lui-même et pour la société.

Pourtant, quelque chose, dans les chansons de Vigneault et des autres, correspond à une vision universelle.

> «La forme d'existence et d'écoute de la poésie est devenue la chanson, écrit Régis Debray, la langue est la substance même de l'être national, et la poésie, plus encore que la prose qui n'a de rapport qu'instrumental à la langue, voue à cette dernière un culte. La religion poétique est par essence une religion de la nation — le déclin du sentiment national amenant nécessairement le déclin de l'intérêt lyrique, comme sa remontée un regain de ferveur. Les poètes de la résistance ont été des militants d'un combat national et social alors confondu: d'où leur

21. Fernand Ouellette. *Écrire en notre temps*, Montréal, HMH, 1979, coll. Constantes, n° 39, p. 99.

22. Bruno Hébert. *Monuments et Patrie*, Joliette, Éditions Pleins Bords, 1980, p. 250.

nombre et leur splendeur. La poésie fut bien alors le symbole de légitimité et vecteur d'influence. Opposer dans les Aragon, Éluard et Char de cette époque le poète et le militant (le bon et le mauvais, l'immortel et le contingent), c'est manquer ce lien organique de la militance et de la poésie, la cohérence du moi national au moi lyrique[23].»

Bien sûr, la chanson québécoise n'est pas savoir universitaire. Elle se comporte comme expérience, individuelle d'abord, collective ensuite. Les artistes en général constituent très souvent une force humaine et culturelle nécessaire au développement d'un pays. Et même s'ils doivent subir les contradictions de leur public — leurs chansons les engagent au-delà de leur discordance — elles les reflètent tout autant.

Un projet politique national, c'est l'incarnation de ce qui permet l'intégration au monde de tout un peuple qui le désire. S'insérer dans l'humanité par sa différence. Ce choix ne se situe pas seulement dans notre histoire, mais aussi dans celle plus large de l'humanité. Sartre l'avait noté: une littérature engagée est une littérature où l'humanité est engagée. C'est ce qu'il restera à dire et à chanter.

Entre deux folklores

«L'explosion du mouvement des chansonniers québécois, écrit Jacques Vassal dans *Folksong,* n'est qu'une suite logique nécessaire à cette préservation et fructification du folklore et de la culture francophones si chèrement et justement revendiqués[24].» Il est juste de dire que la créativité musicale des auteurs-compositeurs-interprètes québécois a assuré le salut de notre folklore traditionnel. Il y a eu chez Louise Forestier, comme chez les autres interprètes, une approche

23. Régis Debray. *Le Scribe,* Paris, Grasset, 1980, p. 157-158.

24. Jacques Vassal. *Folksong,* Paris, Albin Michel, 1971, p. 262.

inventive de la musique traditionnelle. En adaptant *reels* et danses carrées, ils ont réinventé une musique purement québécoise. En fait le *folksong* intègre tout ce qui touche au folklore, c'est-à-dire l'héritage collectif d'un pays, réhabilite la chanson contemporaine. «Certaines de mes chansons, poursuit Vigneault, rappellent par leur rythme les vieilles mélodies du terroir parce que j'ai vécu dans un monde où l'on chante encore des chansons à boire et où l'on danse encore des 'sets carrés'. Ils sont là d'actualité et n'ont aucun caractère folklorique[25].»

Même populaire, le folklore n'a pas à nier la simplicité qui le caractérise, car il n'est pas basé sur les mêmes valeurs musicales et instrumentales, voire vocales, que la chansonnette. Rendre aujourd'hui le folklore vivant, c'est retrouver un peu de l'esprit de Breton-Cyr. Avec eux, le folklore retrouve le style du chanteur de tradition: ils chantent *a capella*. Ils chantent dans le style du pays, à l'ensemble des habitants d'une région. Car pour éviter de verser dans la chansonnette ou le conservatoire, il est nécessaire d'apprendre à chanter auprès du peuple. Leurs chansons font surgir une culture de création collective qui n'a pas besoin de la chanson commerciale pour subsister. La démarche de Breton-Cyr peut se passer de scènes officielles et des sophistications électroniques des studios modernes. En cela, elle participe de l'esprit folklorique, comme d'ailleurs, à sa manière, Paul Piché. Dans *Réjean Pesant*, il reprend le thème musical de la musique traditionnelle tout en utilisant de façon créatrice les éléments de la chanson populaire *Bonhomme, bonhomme, sais-tu jouer*? Non seulement Paul Piché, avec cette chanson, renoue avec l'esprit folklorique, mais il reprend à son compte la résistance...:

> «On apprendra d'ailleurs que la très anodine chanson *Bonhomme, bonhomme sais-tu jouer...* était une chanson de résistance à l'occupant anglais et que des gens ont été emprisonnés pour

---

25. Marc Gagné. *Propos de Gilles Vigneault*, Montréal, Nouvelles Éditions de l'Arc, 1974, p. 48.

> l'avoir chantée aux soldats. On réussira à reprendre le rythme, mais cette fois, ce sont les curés qui arrêteront la danse[26].»

Voilà comment le renouveau folklorique fait partie de la notion d'engagement. Cette idée de Jocelyn Bérubé montre à quel point, pour lui, ce retour de la musique traditionnelle a une fonction sociale. Le renouveau folklorique, ainsi l'a-t-on appelé, a «reconnecté» le Québécois à ses racines. Pour Claude Lafrance, c'est en ce sens qu'elle est politique:

> «Le folklore, ce n'est pas une mode, mais un goût; on en joue par fierté nationale, c'est comme une délivrance politique et sociale. [...] Elle est aussi revendicatrice: ce sont d'abord les milieux défavorisés qui l'ont créée. Encore aujourd'hui, elle est revendicatrice[27].»

L'on sait que la critique fut sévère à l'endroit de ce mouvement de reconquête des chants populaires traditionnels. Le renouveau folklorique comme la chanson québécoise, parce qu'ils sont une forme vivante de culture populaire, sont utilisés par une élite «nationaleuse» à la fois comme emblème culturel et comme prétexte à une réconciliation nationale.

Mais il faut bien constater que le pouvoir, par les moyens médiatiques dont il est le maître, aseptise toutes les formes de chansons. Ainsi, dans les supermarchés, la musique québécoise n'échappe pas au système d'écoute et de surveillance sociale. C'est ce que Jacques Attali appelle le «pouvoir monologuant».

> «Se voulant social mais dans un sens éminemment paternaliste et corporatiste, Vichy prend grand soin de gommer toute chanson par trop engagée socialement ou politiquement afin de propager le concept d'un folklore bon enfant évoluant dans un passé heureux et sans problèmes[28].»

---

26. Marie Chicoine. «Quand le violon mène le bal de notre histoire», dans Perspectives, *La Presse*, 15 septembre 1979, p. 18.

27. Claude Lafrance. *Journal de Montréal*, 26 février 1977.

28. Serge Dillaz. *La Chanson française de contestation*, Paris, Seghers, 1973, p. 93.

L'idéologie du retour aux sources ou du retour à la terre de certains *folksingers* (les Séguin, Jim et Bertrand, Garoulou) risque, dit-on, d'emprisonner la renaissance folklorique dans le cadre du folklore monologuant. Pour Dieudonné Dufrasnes, «c'est là le fruit de l'ère industrielle qui a tué la culture populaire... Aujourd'hui, la culture populaire n'est plus qu'un résidu de notre société, un phénomène marginal... folklorique[29].» Pourtant, le breton Alan Stivell, en remplaçant la guitare américaine par la harpe sans pour autant rejeter la modernité de la musique *pop*, a renoué avec sa propre tradition. Ce faisant, il procède de l'esprit folklorique qui est aussi celui qui a animé nos premiers chansonniers.

Chez nous, ce regain d'intérêt pour la musique traditionnelle a marqué une certaine revalorisation plus fondamentale de l'identité québécoise.

Au-delà des résidus folkloriques, il y a la dynamique même de la tradition: l'esprit folklorique ou l'essence même de toute véritable culture. En fait, une authentique renaissance folklorique devrait s'insurger contre tout ce qui tue la créativité populaire, celle de notre époque particulièrement. Et défendre la chanson folklorique ou traditionnelle, c'est lutter contre les entreprises d'exploitation idéologique dont notre époque n'est pas exempte. Le folklore authentique est celui qui respecte profondément les caractéristiques nationales et régionales d'un peuple.

Le folklore apparaît comme le lieu naturel d'expression des forces contestataires. Si, aux États-Unis, il se trouve au centre de plusieurs mouvements progressistes qui s'en sont servi comme support à la chanson commerciale, à l'importation massive de la musique américaine dans certains pays, spontanément, ici, la renaissance folklorique s'installe dans un mouvement plus large, plus universel.

Aux États-Unis, le mouvement *folk*, issu de la lutte contre l'impérialisme américain et des mouvements contre la guerre du Viêt-nam, est devenu le symbole plus large d'un refus total de toute politique de guerre et de domination. Tous ces

29. Dieudonné Dufrasnes, cité par Michel Gheude et Richard Kalisz dans *Il y a folklore et folklore*, Bruxelles, Éditions Vie ouvrière, 1977, p. 62.

mouvements de renaissance folklorique s'inspireront de ceux qui, aux États-Unis, en furent les inspirateurs: Bob Dylan, Tom Paxton, Pete Seeger et Buffy Sainte-Marie. Ainsi Pete Seeger, un des promoteurs de ce renouveau, répondait à ceux qui se plaignaient de l'inexistence en Europe de traditions folkloriques, que l'ancien cerne le nouveau.

> «Une partie du travail des musiciens dans tous les coins de la terre aujourd'hui consiste à découvrir la richesse, la force et la stabilité de leur propre musique et à la porter à l'attention des masses populaires de leur pays. Dans votre pays, vous devez pouvoir construire votre musique nouvelle sur ce que l'ancienne a de meilleur[30].»

Woody Guthrie, Raymond Lévesque, Bob Dylan, Robert Charlebois, Julos Beaucarne, Gilles Vigneault, Alan Stivell, Alain Lamontagne, à bien y regarder, ne tombent pas du ciel. «La politisation des jeunes, écrit Marie-Hélène Fraïssé, et le renouveau du folklore — deux phénomènes distincts au départ — vont fusionner pour donner naissance au mouvement *folk*[31].»

Dans l'Amérique des années 1960, la jeunesse place les droits civiques au centre d'un grand débat politique, s'engageant à faire triompher les droits de la minorité noire. *Sit-in* et *teach-in* seront dirigés contre la guerre, contre les multinationales, contre les marchands de canons. *Blowin'in the Wind* (Bob Dylan) sera chantée par les marcheurs de 1968 sur le Pentagone à Washington et deviendra spontanément l'hymne du mouvement des droits civiques dans lequel on retrouvera nombre d'artistes engagés: Woody Guthrie, Pete Seeger, Bob Dylan, Phil Ochs, Tom Paxton, Joan Baez, etc. Les thèmes du *protest song* se recoupent: exploitation, pacifisme, absurdité de la vie urbaine, lutte pour l'intégration des Noirs, droits civiques, etc. Le *folksong* américain, par ses thèmes, s'opposait à la guerre et à la bombe atomique. Il prônait la non-violence et son humanisme.

---

30. Pete Seeger, cité par Michel Gheude et Richard Kalisz dans *Il y a folklore et folklore*, Bruxelles, Éditions Vie ouvrière, 1977, p. 18.

31. Marie-Hélène Fraïssé. *Protest Song*, Paris, Seghers, 1973, p. 27.

Il y a dans la renaissance folklorique en Europe (Belgique, France, Angleterre, Italie) une sorte de résistance à l'hégémonie de la musique américaine et, par-delà cette résistance, une conviction: il existe dans les traditions folkloriques une base réelle sur laquelle construire une chanson de lutte moderne. Créer du nouveau à partir de l'ancien, c'est ce que Alan Stivell a démontré en ne tombant pas dans le piège du passéisme.

Il n'y a donc pas que l'œuvre ancienne qui peut se réclamer du folklore. L'œuvre folklorique est un travail de synthèse. Elle n'est pas figée et doit pouvoir encore traduire la quotidienneté de la vie, son actualité. Toute l'œuvre de Vigneault répond de cette conception. Ainsi que le répète le poète de Natashquan: «Il n'y a de révolu que ce dont on ne témoigne plus[32].» En effet, il ne suffit plus que le folklore soit une curiosité ethnographique; le principe même de sa réussite, c'est qu'il se survive de manière créatrice. La conservation et la reconstitution ne peuvent se substituer à la tradition. Le vrai folklore se conçoit comme un processus infini de création.

Ni président ni roi

La récupération tout azimut désamorce systématiquement la contestation. Le conformisme contre-culturel débouche sur l'inaction.

> «Ce que nous chantons en 1980, affirme Gilles Rivard, ce n'est plus le message de *Bozo-les-culottes*. Je pense à Gilles Valiquette ou François Guy, par exemple: ils chantent des choses beaucoup plus positives que négatives; la révolution a été chantée et la révolution a été faite. On s'en va maintenant vers l'avenir, un avenir plus sain, plus ensoleillé[33].»

32. Gilles Vigneault, cité par Marc Gagné, dans *Propos de Gilles Vigneault*, Nouvelles Éditions de l'Arc, 1974, p. 68.

33. Pascal Normand. *La Chanson québécoise: miroir d'un peuple*, Montréal, France/Amérique, 1981, p. 227.

La vie en rose quoi! Les jeunes Québécois rêvent et fument. On ne les voit pas. Félix, le patriarche, se pose quand même des questions:

> «Qui a hâté la fin de la guerre au Viêt-nam? Ce sont les grandes manifestations étudiantes américaines... Qui a hâté la mort du franquisme? Les étudiants espagnols... Le régime des colonels en Grèce, les problèmes de Rhodésie, partout ce sont toujours les étudiants. [...] Presque partout, sauf au Québec[34].»

Tout comme la jeunesse, à quoi la jeune chanson est-elle réfractaire? Sa musique en tant que moyen d'expression d'une critique politique conduit-elle nécessairement à un constat d'échec? Tellement, croit Robert Charlebois, «que la musique *pop*, c'est le plus beau sapin que la jeunesse s'est jamais fait passer par un *establishment* crétin[35]».

Mais alors, le changement culturel provient-il de la parole, même contre-culturelle? Le *rock*, hier; le *punk*, aujourd'hui: et si le *punk* entretenait le mythe du *rock'n'roll* irrécupérable?

> «La fougue du *swing* des années 1940 était récupérée par le 'devoir militaire'; qu'on pense à ce grand succès: *Boogie-woogie Bugle Boy of Company B*. La fureur peignée des années 1950 et l'hystérie psychédélique des années 1960 ont été récupérées par le commerce[36].»

L'ambiguïté de la contre-culture est identifiable: son action subversive annonce le changement et fait apparaître la vraie révolution comme la grande absente en même temps que ses manifestations sont sans conséquences véritables pour enclencher ladite révolution. Parce qu'elle procure détente, défoulement ou satisfaction, l'action révolutionnaire de la musique est limitée et sans conséquence durable. C'est ainsi que la musique *pop*, par exemple, se situe dans son rapport

---

34. Interview accordée à Yves Taschereau dans *Actualités*, février 1979, vol. 4, nº 2, p. 7.

35. Robert Charlebois. *La Presse*, 11 mai 1974, p. E-4.

36. Pierre Voyer, *Le Rock et le Rôle*, Montréal, Éditions Leméac, 1981, p. 52.

avec le capitalisme occidental et les formes de société que son organisation suscite.

> «Le problème n'est pas nouveau: une idéologie (au sens de conception de la vie) peut-elle suffire à changer le monde, sans transformation radicale (révolutionnaire) des structures économico-sociales? Les deux courants sont présents dans la *pop music*. Et comme celle-ci n'est pas le lieu privilégié d'une analyse en profondeur, elle exacerbe surtout le cri de révolte et d'opposition à l'établi sans proposer de programme de gouvernement. La phase idéologique de libération se qualifie elle-même de révolutionnaire. Voir avec des yeux neufs, soi, les autres et le monde. Laisser tomber le carcan de toute organisation qui tourne sur elle-même[37].»

Même sensibilisés aux problèmes sociaux, nationaux et même universels, ce qui est inévitable, les artistes québécois réagissent différemment aux événements qui les touchent. Ainsi, des chansons comme *La fin du monde* de Robert Charlebois et *La nuit où tu reviendras* de Jacques Michel ont sécrété leur propre sémantique, et le mysticisme qui pourrait s'en dégager ne passe pas par la religiosité à laquelle nous ont habitués les grands rassemblements américains, ce qui montre bien que la création culturelle est l'œuvre du groupe social qui la soutient et la diffuse.

Chez les Américains, le mysticisme de certains musiciens *pop* semble avoir été une réaction au phénomène de la *drug culture* et il semble avoir trouvé un aboutissement dans la création d'opéras-*rock* dont le caractère de religiosité était très marqué. Des chansons comme *Jesus is Allright* connurent de grands succès, de même que le spectacle *Jesus Christ Super Star* qui reprenait la passion du Christ dépouillé de ses attributs divins, éliminant du même coup sa résurrection.

Au Québec, ce phénomène n'eut pas la même envergure; ici le mysticisme n'a pas joué. Et pour les organisateurs du Festival international de musique indienne et de paix:

> «Ce spectacle d'inspiration nettement mystique, pour ne pas dire religieuse, n'était pas au point et n'a pas plu aux nôtres.

37. Henry Skoff Torque, *Pop Music*, Paris, P.U.F., 1975, coll. Que sais-je?, p. 71.

> Les jeunes Québécois, à peine sortis d'une innombrable série de tabous religieux et folkloriques de tous genres, n'ont, semble-t-il, tout simplement pas marché dans cette nouvelle manifestation contraignante à plusieurs points de vue[38].»

Dans ce contexte, on tente de mobiliser par la conscience plutôt que par les *trips*. Chez certains, par ailleurs — Plume, Capitaine Nô —, la dérision et le sarcasme dominent. Chez d'autres, comme les Séguin, la musique demeure au premier plan comme outil d'intervention sociale.

> «Ils sont certains que la musique est un outil, un outil de libération personnelle, qu'il est plus important de faire chanter des gens qui n'ont jamais chanté que de leur crier 'Vive le Québec libre' à tous les quatre ans[39].»

Dans l'optique d'un préjugé favorable au Parti québécois, la contradiction, voire l'opposition entre les systèmes de valeurs nationalistes et contre-culturelles, pourrait bien être l'amorce d'une coupure entre le Parti québécois exerçant le pouvoir et la base dont les aspirations existentielles s'exprimaient différemment, ce que Lise Bissonnette dans *Le Devoir* a appelé le nationalisme en perte de culture.

> «Paradoxalement, un mouvement fondé sur de profondes frustrations culturelles, mais aussi sur un extraordinaire élan culturel, est peut-être en train de s'asphyxier, faute d'avoir su justement se transformer culturellement[40].»

Il fallait passer à un autre stade, ce que la jeune génération a tenté de faire. Et on le lui a reproché[41]. Ce que Lise

---

38. Jacques Larue-Langlois. «Musique indienne, mysticisme et... monotonie» dans Perspectives, *La Presse*, 27 septembre 1970, p. 3.

39. Les Séguin. *Nous*, février 1974, p. 46.

40. Lise Bissonnette. «Le nationalisme en perte de culture» dans *Le Devoir*, 30 septembre 1980, p. 9.

41. Voir l'article de Nathalie Petrowski, «Les enfants sages de la révolution», *Le Devoir*, 7 avril 1979, p. 19-20.

Bissonnette n'a pas compris c'est que le fait nationalitaire est perçu différemment par les jeunes d'aujourd'hui.

D'un point de vue historique, la complicité du fait nationalitaire avec le mouvement de la contre-culture est aussi conjoncturelle. Le premier a poussé ses racines dans le terreau du second. Au Québec où il y a «pays à bâtir», la contre-culture est marquée, configuration inévitable, par les institutions et la culture nationales. Plus largement, la contre-culture d'ici coïncide avec une double cristallisation: celle des autres nationalismes (noir, occitan, etc.) et celle du nationalisme spécifiquement québécois.

Par ailleurs, en matière de musique, le Québec est farouchement individualiste. Pour Nathalie Petrowski, c'est en cela que les groupes québécois sont à contre-courant de ce qui se fait dans le monde entier. Individualistes parce qu'ils parlent de leur expérience spirituelle et qu'ils osent chanter la tendresse, «le cœur en fête», «la tête en gigue». Individualistes parce qu'ils ignorent la politique:

> «Comment dans cette quête de spiritualité vaguement illusionniste faire autant abstraction des guerres qui éclatent partout, des accidents nucléaires, des tragédies de l'air, de la pauvreté, de la faim, de la misère. Comment oser parler d'infini quand on contrôle si mal le petit quotidien immédiat autour de soi. Comment oser parler de sagesse quand on a à peine 30 ans[42].»

> «Perdus dans leur îlot de résistance et de solitude culturelle, les artistes et musiciens québécois oublient leur conscience sociale universelle et donnent l'impression d'être aussi coupés du monde que le peuple polonais[43].»

Les groupes québécois, par exemple, loin d'être à contre-courant, s'inscrivent dans le mouvement plus large de la contre-culture qui ne croit pas à l'ordre actuel des interventions révolutionnaires. Au succès réel de cette génération *pop*, Nathalie Petrowski oppose une jeunesse insouciante, repue et dépolitisée.

---

42. Nathalie Petrowski. *Le Devoir*, 7 avril 1979, p. 19.

43. Nathalie Petrowski. *Le Devoir*, 31 décembre 1981, p. 14.

> «Beaucoup de jupes fleuries et de cheveux longs, beaucoup de jeunes et heureux utopistes qui font fi de Rousseau et préfèrent croire que le monde est beau et que la société est bonne[44].»

«S'améliorer soi-même» part du même principe, pour Nathalie Petrowski, que «Charité bien ordonnée commence par soi-même». En fait, toute son incompréhension se joue au niveau des codes. C'est exactement au code culturel auquel elle s'identifie que s'est attaquée cette génération des enfants sages. Pour être contre, point n'est besoin d'accabler. Il s'agit de manifester sa différence. Et croire que «ces enfants» n'ont point de conscience, c'est une vue de l'esprit qui donne raison à leur regard: le leurre des accusations est de croire qu'elles conduisent au changement.

> «Les Séguin ne suivent pas les développements de l'affaire Watergate, ils sont peu préoccupés par les résultats de la conférence de Genève, ils ne croient pas tellement aux vertus des manifestations, ne font pas partie de comités de citoyens. En somme, ils sont peu attirés par toute forme d'action collective. Et en cela ils sont bien pareils à presque tous leurs frères du même âge. Ils disent qu'ils cherchent d'autres moyens, d'autres outils, des formules nouvelles, inédites, pour combattre le système qui est trop gros, 'trop puissant'. Aveu d'impuissance? Presque. Mais ils ont peut-être raison[45]...»

S'interroger sur leur impact révolutionnaire ne doit pas nous faire oublier que c'est l'évolution même de la société industrielle de type capitaliste qui les a amenés à la conscience qu'ils ont et que, si cette conscience est moins nationaliste qu'existentielle, rien n'indique qu'elle va à contre-courant de l'histoire. L'espoir de Nathalie Petrowski tient à cette formule: que les groupes québécois se politisent et que les militants nationalistes se frottent à la contre-culture. Mais il y a plus à espérer. C'est dans ce sens qu'il faut interpréter, par exemple, ces quelques phrases de Richard Séguin:

44. Nathalie Petrowski. *Le Devoir*, 7 avril 1979, p. 19.

45. Gil Courtemanche. *Nous*, février 1974, p. 45.

«Moi, la notion de pays, j'ai jamais compris ça. Les gens nous demandent des fois: 'Qu'est-ce que c'est le Québec pour toi? Qu'est-ce que c'est être québécois?' Je ne le sais pas. Je l'aurais peut-être su si j'avais eu des réponses pendant les événements d'Octobre. Tu te fais des réponses, tu te crées des réponses. Mais là, c'est pu ça. [...] Les politiciens ne se situent sur aucun plan spirituel dans la façon dont ils dirigent ça. La terre prend une signification de rentabilité, autant que les arbres. Les arbres, ils y pensent en fonction de papier ou de pulpe[46].»

Entre deux joints de Robert Charlebois soulignait à sa manière l'apathie de la contre-culture. Jacques Michel fait le même constat: «Il ne faut pas que la prise de conscience rejoigne un état défaitiste. Les jeunes crient contre l'*Establishment* et deviennent des consommateurs parfaits[47].» Leur immobilisme exprime-t-il leur désaffection complète pour la chose politique? De quel côté penche donc la jeunesse? En cas de crise, nous pensons que leur apparente dépolitisation pourrait bien tourner en faveur d'une prise de position plus spectaculaire. Sans nier que le nationalisme au Québec, celui plus particulièrement des années 1960-1970, s'est dilué à la faveur d'une réforme plus globale de la société, l'influence d'une conscience planétaire rend plus fragiles les accusations que l'on porte contre leur naïveté politique. Leur nationalisme, et celui de toute une jeunesse, s'inscrit dans un vaste projet mondial.

Ce n'est plus la musique qui menace d'exploser, c'est la Terre; ce n'est plus la contre-culture, c'est la planète. John Cage, cité dans *Rock Babies*, a cette remarque tout à fait pertinente: «Les problèmes artistiques de la musique ne sont pas, ne sont plus d'ordre exclusivement musical, mais avant tout d'ordre social[48].» Car on n'échappe pas à la politique. Cependant, la contre-culture, explique Gaétan Rochon, refuse

---

46. Richard Séguin. *Mainmise*, mai 1976, p. 12.

47. Jacques Michel. *Le Petit Journal*, semaine du 26 septembre 1971, p. 3.

48. John Cage, cité par Raoul Hoffmann et Jean-Marie Leduc dans *Rock Babies*, Éditions du Seuil, Paris, Nouvelle édition actuelle, coll. Points, 1978, nº A18, p. 9.

d'organiser la politisation des masses pour l'obtention du pouvoir. Plus, elle dépasse l'action traditionnelle, celle qui vise à une révolution prolétarienne. Sa façon d'être politique, en fait, c'est de nier la politique en l'ignorant.

> «La contre-culture n'entend pas triompher en se structurant politiquement, mais en se répandant culturellement; elle n'est pas un parti politique, mais un parti culturel[49].»

Allonger les chansons, modifier les lieux de spectacles, ce qu'a fait la musique *pop*, conduit-il à un changement plus fondamental? Ici, l'exemple de Raoul Duguay démontre assez bien que l'esthétique comme contrôle politique a réussi à détourner sa musique pour imposer des normes d'écoute plus accessibles. Robert Major dira de Duguay qu'il a pratiqué un utopisme vaporeux propre à la contre-culture des années 1960.

> «Et l'on sait que Duguay lui-même à cette époque 1970 déclamait et chantait une poésie aux formes complexes et difficiles dans des spectacles qui heurtaient tous les sens. Il n'a rien d'un réaliste banal, et la nécessité d'un écrivain ne saurait être pour lui une simple nécessité politique[50].»

Changer le monde extérieur, c'est peut-être changer la quotidienneté, mais c'est aussi ne changer que des habitudes et non des attitudes. Duguay-le-chanteur-populaire a-t-il appris que la véritable révolution passe difficilement par la recherche esthétique ou la recherche formelle? L'écriture ou la chanson peuvent bien révolutionner, mais de quelle révolution s'agit-il?

Reconsidérer la culture, c'est repenser ses rapports avec le réel. La contre-culture débouche sur le salut des cultures menacées. Les jeunes pressentent le rapide dépérissement des cultures, et leur révolte salutaire conduit à la promotion des

---

49. Gaétan Rochon. *Politique et Contre-culture,* Montréal, HMH, 1966, p. 43.

50. Robert Major. *Parti pris: idéologies et littérature,* Montréal, Coll. Littérature, Cahiers du Québec HMH, 1979, p. 157.

valeurs universelles qui ne sont pas sans passer par la défense des cultures nationales.

Les chansons d'Harmonium ou des Séguin, comme toutes les manifestations de la contre-culture, ne sont pas dirigées contre le seul capitalisme, mais contre toutes les formes de sociétés industrielles. Concrètement, la contre-culture refuse la notion de progrès telle que conçue et acceptée par la société industrielle. L'utilitarisme administratif ne peut être un facteur de progrès humain. C'est à ça, aussi, que le nationalisme veut faire échec. Les chansons contre-culturelles apportent des réponses existentielles à des maux généralisés. Même si la contre-culture ignore le courant nationalitaire, ce dernier n'en rejoint pas moins ses intentions.

Les mouvements nationalitaires, au même titre que la contre-culture, expriment un courant libérateur. Les deux, pour Rochon, sont objectivement une réponse à l'anonymat et à l'uniformisation du monde moderne.

> «Au XIXe siècle, la protestation eut deux visages: celui de l'anarchisme (individu), celui du socialisme (masses). En cette partie du XXe siècle, dans nos pays, la même dualité s'exprime ainsi: contre-culture, mouvement nationalitaire. L'élément culturel est capital pour les deux, mais son contenu varie, car dans le premier cas, il s'agit d'une culture individuelle et dans le second, d'une culture ethnique[51].»

La contre-culture débouche sur le même postulat que les mouvements nationalitaires: la revalorisation des signes d'identité qui s'opposent aux modèles culturels des grandes puissances. Il s'agit d'affirmer une différence; plus, le droit à la différence. Et Gilles Vigneault n'est pas loin: «Il me reste un pays, il est au tréfonds de moi, il n'a ni président ni roi...»

---

51. Gaétan Rochon. *Politique et Contre-culture*, Montréal, HMH, p. 112.

Les penseurs de la foule

Par le biais des médias (radios, télévisions, journaux, revues), le pouvoir (idéologie dominante) régente la diffusion et la commercialisation de cette culture de masse: la chanson populaire ou commerciale. Au Québec, le regroupement des boîtes à chansons s'est opposé seul à ce réseau monopoliste de diffusion culturelle.

> «Sous couvert d'information et de critique, ces revues jouent le rôle de catalogues illustrés pour les produits des compagnies (en retour, ces dernières financent les revues par le biais de la publicité)[52].»

Au Québec, comme en France d'ailleurs, le mouvement *punk* par exemple est un produit importé par les compagnies de disques. Ce sont les médias, dont *Québec Rock* (juillet 1977), qui ont amplifié le phénomène. Si, par ailleurs, on sait que *Québec Rock* était un mensuel diffusé gratuitement et financé par CKOI, RCA, CBS, Polydor, Capitol, on ne s'étonnera pas d'apprendre qu'en France la stratégie de mise en marché repose sur les revues *Rock in Folk* et *Best* qui appartiennent, bien sûr, à Polydor et CBS.

L'exploitation systématique des artistes par les grosses compagnies — autre volet de cette domination étrangère — reste toujours d'actualité. Ainsi, le Syndicat québécois de la musique (SQM) se bat toujours contre la filiale de l'American Federation of Musicians, à Montréal: la Guilde des musiciens, afin de se soustraire de leur joug colonialiste intolérable. Félix Leclerc écrit au SMQ: «Ce que vous faites doit être fait.» Or, comme on ne frappe pas un géant, Félix a pu sans crainte se produire sur scène tout en refusant son adhésion à la Guilde[53]. Pour gagner leur vie, les musiciens québécois doivent tricher. Une conscience naît péniblement: «Nous

---

52. *Pourquoi chanter?*, vol. 2, n°s 1-2, p. 30.

53. Félix Leclerc. *Journal de Montréal*, 17 décembre 1977, supplément, p. 3.

devons remuer la conscience collective des musiciens», commente Gilles Vigneault[54]. Il ne suffit pas de jouer lors des spectacles de solidarité. Ils doivent s'impliquer aussi dans la vie quotidienne. Même avec plus de 700 membres, le SMQ doit déployer toute l'énergie nécessaire pour briser cet étau qui enserre les musiciens.

L'imposant impérialisme de la Guilde des musiciens, dont on dit que c'est un pseudo-syndicat, règne par la terreur, et les travailleurs dits culturels que sont les musiciens en subissent, eux aussi, l'oppression.

> «Les musiciens sont aussi des travailleurs exploités, ils sont aux prises avec des syndicats bureaucratisés qui ne défendent plus leurs intérêts et ils veulent, eux aussi, une transformation qualitative et radicale de la société dans laquelle nous vivons. Pour nous, les musiciens, les chansonniers et les travailleurs culturels en général ont un intérêt réel à appuyer les luttes de la classe ouvrière[55].»

De ce point de vue, la Guilde, comme la bourgeoisie, tente de masquer l'histoire des luttes ouvrières. Ainsi, le problème de la Guilde est aussi un problème idéologique. Il est aussi le problème des musiciens. Un membre de la revue *Pourquoi chanter?* décrit cet aspect de la lutte:

> «Comment peut-on s'attendre à ce que celui qui vit pour l'argent veuille autre chose que de l'argent et que celui qui vit pour la musique veuille autre chose que de la musique? Le musicien exploité, c'est celui qui ne gagne pas assez ou celui qui n'est pas assez entendu? D'un simple point de vue de travailleur, la question peut sembler odieuse et indécente, voire immorale. Il n'y a pas ici d'insinuation[56].»

Le musicien exploité, c'est aussi celui qui n'est pas entendu; Pierre Després a bien cerné le problème:

---

54. Gilles Vigneault. *Journal de Québec*, 26 juin 1982, p. 23-A.

55. *Pourquoi chanter?*, mai 1977, vol. 3, p. 2.

56. *Pourquoi chanter?*, février 1978, vol. 2, nº 4, p. 6.

> «Le milieu artistique québécois reflète finalement parfaitement la société dans laquelle nous vivons. La compétition, la sélection jouent à tous les niveaux et créent un fossé de plus en plus profond entre la minorité qui atteint les sommets et la multitude d'artistes méconnus qui cherchent par tous les moyens à se faire entendre. Cette situation est inévitable; les artistes ont beau se croire marginaux, ils n'en participent pas moins comme travailleurs à cette vaste entreprise commerciale qu'est le domaine artistique[57].»

Després ajoute que «la réponse à une telle situation est pourtant simple. Les artistes doivent s'aligner sur le monde des autres travailleurs et s'organiser pour défendre leurs intérêts de travailleurs». Ces idées, même si elles sont le fait d'individus, n'en révèlent pas moins des signes avant-coureurs d'une conception différente et nouvelle du monde du spectacle.

Ce qu'il faut retenir, c'est que les musiciens et les chanteurs, en poursuivant la lutte dans leur propre domaine, s'identifient, à leur manière, aux luttes des travailleurs.

> «Être musicien au Québec, c'est faire partie d'une classe de travailleurs surexploités et mal rémunérés et par surcroît mal informés sur leurs droits fondamentaux de travailleurs[58].»

Les travailleurs culturels doivent obligatoirement se joindre au mouvement ouvrier s'ils veulent donner un sens à leurs revendications. Car, même si, pour le 1er mai, nombre de travailleurs de la musique animent de leurs chansons les soirées organisées par les syndicats, il ne faudrait pas grossir inutilement la nouvelle «solidaritude» entre musiciens et travailleurs. En fait, le sens de la lutte des deux groupes sociaux ne doit pas être déplacé:

> «Il n'y a pas de solutions purement culturelles aux problèmes des musiciens et des chansonniers. Pour renverser la domination des monopoles (industrie du disque et des spectacles,

57. Bruno Dostie. «Tempête dans l'*underground*», dans *Le Jour*, 26 octobre 1974, p. 16.

58. *Ibid.*, p. 12.

radio, télévision, etc.) qui sont un obstacle au développement culturel, le mouvement doit joindre ses forces à celles des travailleurs qui font fonctionner ces industries. Il lui faut s'allier au mouvement ouvrier qui seul possède la position stratégique et la force susceptibles de faire sauter cette chape de plomb qui pèse sur la culture populaire[59].»

Même si les chanteurs et les musiciens, devenant comme bien d'autres comédiens ou intellectuels, des travailleurs dits culturels (plusieurs d'entre eux sacrifiant leur cachet à l'occasion de spectacles qu'ils donnent), leur statut sera toujours particulier. Le travailleur culturel, dans le contexte de la chanson et de la musique, doit s'entendre comme celui ou celle qui crée une plus-value par analogie à la production industrielle. Pour Karl Marx:

«Une chanteuse qui chante comme un oiseau est un travailleur improductif. Lorsqu'elle vend son chant, elle est salariée ou marchande. Mais la même chanteuse, engagée pour donner des concerts et rapporter de l'argent, est un travailleur productif, car elle produit directement du capital[60].»

La plus-value, ici, désigne les profits que les capitalistes du *showbiz* s'accaparent en exploitant les chansonniers et les musiciens. Ceci est vrai pour la jeune chanson. Par ailleurs, le chansonnier ne peut pas être considéré comme un prolétaire si on accepte qu'il s'agit de quelqu'un qui contrôle son produit.

Sans ses moyens de production, la chanson peut difficilement se transformer. Et rien n'est moins certain que ces moyens évolueront de pair avec cette nouvelle chanson. Ainsi, le disque des grévistes de CJMS, *Les piqueteurs de la gloire,* fut ignoré par la critique musicale officielle, même si le succès fut satisfaisant. Une conception militante de l'analyse musicale ou artistique dans les journaux, comme la critique dans les médias, découle des services de presse et, par

59. *Pourquoi chanter?*, vol. 2, n°s 1-2, p. 2.

60. Karl Marx, cité par Philippe Daufouy et Jean-Pierre Sarton, dans *Pop Music/Rock*, Paris, Éditions Champ libre, 1972, p. 5.

conséquent, des compagnies de disques. La critique fait donc le jeu même du *showbiz.*

On aimerait bien que la situation de la critique soit aussi simple. Quand Nathalie Petrowski descend le «p'tit» Simard, fait-elle le jeu des producteurs?

Plus subtilement, quand le ministère des Affaires culturelles offre un programme de subventions aux chansonniers de la relève, il n'est pas impossible que ce soit dans le but d'imposer un certain contrôle sur les activités des chansonniers.

Ainsi la *Chant'août* a surtout été vue comme une mise en évidence de la chanson comme phénomène économique où les représentants du disque et du spectacle s'opposent tout naturellement à ceux du secteur artisanal. Ces derniers veulent faire apparaître la chanson comme phénomène d'expression et de création populaire.

> «Le festival de la 'Chant'août' (1975) suscité par l'industrie de la chanson a permis à celle-ci de se rationaliser: par la coordination des différents organismes œuvrant dans ce secteur, l'inventaire de la matière première de la relève et la promotion publicitaire en vue de l'ouverture sur le marché européen. Il s'agissait également — au niveau de l'État — d'obtenir la reconnaissance de cette industrie comme secteur à part entière de l'économie ainsi que sa protection face à la concurrence des monopoles étrangers. Quant au secteur artisanal des boîtes de la relève, lieu de formation des chansonniers et de création culturelle, il n'a eu d'égard qu'en tant que producteur (bénévole) des futures vedettes, et non pas à titre de service public. Le réseau de la relève en tant que tel n'intéresse pas l'industrie: il ne produit pas de plus-value. Dans le système marchand, il n'est pas rentable, il est même majoritairement déficitaire[61].»

La chanson de lutte, par sa forme et son contenu, par sa diffusion également, peut (selon les conditions et les auditoires) être une menace pour le système capitaliste. Par définition, la chanson de lutte se fait la critique de certains aspects des rapports de propriété capitalistes. Elle force une redéfinition de la chanson populaire en regard de la prise du pouvoir

61. Yves Alix. «La chanson en question», *Chroniques*, avril 1976, n° 16, p. 14.

culturel des travailleurs. Or, bien que cela demeure possible, une telle chanson s'inscrit difficilement dans le marché industriel, même s'il y a demande. Le système ne laisse pas tellement d'ouverture, surtout lorsqu'une production engagée ou révolutionnaire compromet son pouvoir. La chanson de lutte se présente pour elle-même comme une activité et une expression sociales. C'est pourquoi cette chanson ne peut se présenter que rarement sous forme de marchandise (disques, cassettes).

> «Les chansons de résistance et de lutte sont souvent diffusées oralement ou sous une forme de polycopiés, mais elles peuvent être diffusées sous une forme de disques par les ventes militantes; dans ce cas, il n'y a pas d'objectif de profit (et d'accumulation de plus-value pour constituer des capitaux)[62]. Le caractère militant de la vente élimine pratiquement l'aliénation marchande qui pourrait en découler[63].»

Ainsi, l'efficacité des circuits de diffusion du disque est basée sur le contrôle des points de vente. Or, les circuits parallèles de diffusion échappent à ce contrôle, mais ils demeurent le plus souvent aléatoires et provisoires, ils ne sont jamais inutiles.

En ce sens, en France, l'expérience de Dominique Grange est astucieuse: il vend ses mêmes 45-tours directement par la vente militante dans les usines et les universités à un prix modique. Son chiffre de ventes, compte tenu des conditions de diffusion fort difficiles, est très encourageant. Ici, le long-jeu *Raymond Lévesque chante les travailleurs* est une première dans le domaine du disque, bien que ce disque, comme celui de *L'automne show* (pour les grévistes de la United Aircraft), ne vise pas à concurrencer les produits de luxe des grandes compagnies. Car le rapport de force est démesuré, et la lutte

62. La plus-value allant, pour Marx, à ceux qui profitent du travail des autres, la reproduction de la force du travail sert à la reproduction du capital, attendu que la production conduit à la consommation productive par le travail individuel. Le sens de reproduction a ici un sens de remplacement, les moyens de production restant la matière première.

63. *Pourquoi chanter?*, mai 1977, vol. 3, p. 7.

inégale. La relève le sait bien, elle qui tente de s'imposer. Aussi, a-t-elle créé son propre réseau national de petites boîtes de spectacles. Ses revendications vont dans le sens d'une amélioration de ses conditions de travail: cachet plus élevé pour les premières parties des spectacles, une politique plus favorable à ses besoins de la part des syndicats de musiciens, une plus grande attention de la part des médias, etc.

> «Les revendications de la relève, voulant entrer dans le système et se faire prendre en main, sont probablement justifiées, mais pas primordiales ni urgentes. Chaque membre de la relève doit personnellement mettre toutes ses énergies à trouver son destin, à se battre corps et âme avec lui-même pour dépasser les zones de bonne volonté, répétitions et redites et arriver à trouver sa propre voix, sa propre pensée, sa propre musique[64].»

Mais le problème demeure entier. L'artiste qui réussit, expliquait Yves Montand, devient un ultra-bourgeois, à cause des revenus qu'il gagne. Montand ajoutait qu'il n'était pas un sale capitaliste puisqu'il n'exploitait que lui-même, ne faisait suer aucun ouvrier en jouant sur la plus-value et le manque à gagner. Et même si l'ennemi commun est le capitalisme ou la bourgeoisie, les critères d'appréciation culturelle ou sociale portent en eux le germe de l'opposition.

Au Québec, l'artiste doit affronter deux difficultés, s'il ne veut pas être récupéré: le nationalisme et l'argent. Une révolution faite uniquement de mots témoigne souvent d'une servitude.

La notion d'engagement de l'artiste et de sa participation gratuite à des rassemblements politiques ne fera jamais l'unanimité. Deux attitudes générales se dégagent:

1) L'artiste gagne tellement qu'il peut bien se permettre une chanson engagée sans en subir trop les inconvénients;

2) Comme travailleur de la chanson, c'est par la chanson qu'il gagne sa vie. Malgré tout, sans le nier, son geste porte une signification particulière.

---

64. Jacques Leduc et Garnier Poulin. «De la chanson québécoise et de ses créateurs», dans *La Presse*, 25 août 1975, p. A-4.

Souvent, en invitant un artiste à un rassemblement politique, il y a pression. L'alternative est mince: tu chantes la cause ou tu refuses de chanter pour la cause. Souvent, l'aspect promotionnel, particulièrement pour l'artiste débutant, prime sur ses choix et, plus fondamentalement, c'est l'engagement même de l'artiste qui est discrédité. Les obsessions surgies du Québec à changer s'affadissent devant les modèles qui cessent d'être rebelles. Pierre Vallières, par exemple, regrette que l'engagement de Robert Charlebois soit moins efficace:

> «Le frère André a été plus fort que Louis Riel. Séraphin plus populaire que Papineau. Duplessis plus durable que le FLQ. La famille Plouffe plus exemplaire que l'Osstidshow. C'est pourquoi Robert Charlebois, converti au réalisme par Paul Desmarais, mise aujourd'hui sur Claude Ryan. 'Mon ami Fidel', c'était juste pour le *fun*[65].»

Le risque de la récupération est toujours présent. Le chanteur breton Gilles Servat cerne bien les éléments de ce problème.

> «Je crois qu'il est actuellement insoluble: ou tu chantes ou tu ne chantes pas. Même sans devenir vedette, dès l'instant où le patron d'un troquet te laisse chanter chez lui et que ça lui rapporte du fric en l'aidant à vendre sa bière, t'es récupéré, commercialement. Maintenant, le vrai problème, c'est le rapport entre ce qu'on chante et ce qu'on gagne. On ne peut pas gagner des millions en chantant ça, il faut essayer d'être honnête[66].»

Tous les artistes ne sont pas des vedettes et l'artiste peut être considéré comme un travailleur. Certes, à des rassemblements politiques, on invite surtout des vedettes, mais combien de Raymond Lévesque n'ont-ils pas apporté leur part de chansons sans rémunération? La question n'est pas nouvelle et elle n'a rien d'une problématique spécifiquement qué-

65. Pierre Vallières. *Liberté en friche*, Montréal, Québec-Amérique, 1979, p. 14.

66. Cité par Jacques Vassal, dans *La Chanson bretonne*, Paris, Albin Michel, 1980, coll. *Rock Folk*, p. 90.

bécoise. Déjà, vers 1900, en France, Gaston Montéhus la posait en ces termes:

> «Peut-on être sincère moyennant salaire en chantant la misère ou, en d'autres termes, la révolte s'accommode-t-elle de l'argent [67]?»

Les chansonniers, lorsqu'ils vendent leurs chansons, monnayent-ils leur révolte? Sous forme de produit à consommer, la colère chantée ne fait-elle que se vendre ou entraîne-t-elle de réelles difficultés tels l'aliénation du public, le boycottage à la radio ou à la télévision, le sacrifice de leur cachet, une mauvaise réputation, le risque de se voir coller une étiquette partisane, etc.? L'artiste n'engage-t-il que lui?

La lutte a ses propres exigences, la chanson de contestation aussi, d'où la remise en cause de la chanson elle-même. Certains chansonniers ne craignent-ils pas assez l'opportunisme pédagogique? Dès qu'un chanteur se lance dans ce que l'on pourrait appeler la chanson d'actualité, on met souvent en doute son intégrité d'artiste. Ainsi, quand Lucien Francœur ou Plume sont sortis de l'*underground*, les accusations se sont multipliées.

> «Ils me font chier les extrémistes... Y faudrait toujours que je me lance en guerre contre telle ou telle affaire, que je chante pour telle ou telle cause, sans ça, j'risque de passer pour un maudit cave ou un récupéré... Me servir de ma popularité pour faire passer des messages aux jeunes? Jamais... Je suis un musicien[68].»

Constamment l'artiste québécois se retrouvera face à un dilemme: d'une part adhérer et coller à une réalité sociale, et d'autre part adhérer à une forme de nationalisme qui, ces jours-ci, passe par la défense de la langue, par exemple.

Selon le mot de Victor-Lévy Beaulieu, l'artiste a à devenir souverain. L'écrivain, reconnaît Gaston Miron, a aussi sa petite peur:

67. Serge Dillaz. *La Chanson française de contestation*, Paris, Seghers, 1973, p. 70.

68. Plume. *Le Dimanche*, 2 novembre 1975, p. 2.

> «Celle de devenir écrivain de service, celle d'être récupéré par les pouvoirs ou les partis politiques. Bien sûr qu'un jour on se fait récupérer par l'histoire, a répondu Miron. Mais ici, au Québec en l'occurrence, de quoi s'agit-il? Ce qui nous récupère, c'est l'existence d'un peuple et l'avenir de sa culture. Alors, j'en suis. Et j'en suis fier[69].»

Derrière les critiques adressées aux artistes, n'y a-t-il pas une attitude duplessiste qui mine toute évolution et qui nous maintient dans l'évocation folklorique de nos réalités: lacs, goélands, fraternité universelle, etc.? Si le chansonnier est progressiste (n'y a-t-il pas là un engagement authentique?), l'autodéfense sociale, par ses agents conservateurs, réagira rapidement, quand ce ne sera pas violemment. À l'inverse, si le chansonnier évolue, s'il s'engage différemment, comme ce fut le cas pour Charlebois, la critique progressiste jouera tout aussi rapidement et violemment. Ne l'a-t-on pas accusé d'avoir perdu son intégrité? Et si sa révolte, celle qu'on n'a pas su voir, était dirigée contre sa propre image? Il a changé sa première façon de chanter: on l'a applaudi. Il continue de changer: on le critique.

Et même s'il y a dans tout homme, comme le dit Albert Camus, exigence d'ordre, celle-ci connaît bien des écarts. N'a-t-on pas dit des chansonniers qui posaient l'indépendance nationale comme solution, qu'ils réalisent d'abord la leur? Mais voilà, pour reprendre Jean-Paul Sartre, «le concept d'ennemi n'est tout à fait ferme et tout à fait clair que si l'ennemi est séparé de nous par une barrière de feu[70]». Car l'appât du gain, la concurrence, l'excès d'individualisme peuvent aussi bien constituer des ennemis à abattre au même titre que certains méchants capitalistes.

69. Gaston Miron. *Le Devoir*, 17 mai 1980, p. 21.

70. Jean-Paul Sartre, cité par André Halimi, dans *Chantons sous l'occupation*, Paris, Marabout, 1976, p. 181.

Les trafiquants de la conscience

De fait, la chanson populaire est commercialisée par la radio. Du point de vue scénique, c'est-à-dire du spectacle proprement dit, il y a une dimension technique à l'histoire esthétique de la chanson québécoise que la musique *pop* a valorisée. Est-ce là une tendance esthétique propre aux groupes que de monter le son (devrait-on dire les instruments?) au niveau de la voix ou un sous-produit d'une possibilité technique: le mixage? Trop souvent, la représentation est faussée, car une musique préenregistrée ou censurée (le *lipsing*) vient au-devant de la scène. Une musique *pop* en série s'appuie sur un marché anesthésié.

> «Ce n'est pas la chanson qui s'est dégradée, mais la présence de la chanson dégradée dans notre environnement qui a augmenté. La musique populaire et le *rock* ont été récupérés, colonisés, aseptisés. [...] Aujourd'hui, la dégradation universalisante, déspécifiante, est une des conditions de la réussite de la répétition[71].»

Le plus bel exemple de musique répétitive nous est donné par Musak. Et lorsqu'on entend la chanson québécoise dans les ascenseurs des magasins ou dans les salons de coiffure, celle-ci, désormais, est consommée pour imiter, non plus pour se distinguer comme aux premières années de son existence. Plume dit la même chose, mais en d'autres mots:

> «Je n'ai rien contre le fait d'être soigné, mais ce que je reproche en ce moment à la production québécoise, c'est que la technique a complètement balayé le *feeling*[72].»

La musique de la campagne s'urbanise alors que celle de la ville devient nostalgique. Il est parfois gênant d'allier la technique du *rock* avec la bonne odeur de feu du *folk*. Non

71. Jacques Attali. *Bruits*, Paris, P.U.F., 1976, p. 217.

72. Plume Latraverse. *Le Devoir*, 5 février 1977, p. 20.

que cette union soit toujours marchande, mais elle ne représente rien et ne peut remettre en cause le marché standardisé de la musique *pop*. Car, explique encore Jacques Attali, là où la représentation s'était brisée, la répétition va l'emporter.

> «Cette mutation radicale sera longue à émerger, et encore plus difficile à admettre. Parce que nos sociétés ont l'illusion de changer vite. Parce que le passé s'échappe dans l'oubli, parce que l'identité est intolérable, nous refusons encore l'hypothèse devenue la plus plausible: si nos sociétés paraissent imprévisibles, si l'avenir est si mal cernable, c'est peut-être, tout simplement, parce qu'il ne s'y passe rien, en dehors des pseudo-événements artificiellement créés et des violences aléatoires qui accompagnent la mise en place de la société répétitive[73].»

Voilà comment la musique *pop* ne peut plus accepter l'improvisation et se contente souvent, en public, d'une redite quasi littérale des enregistrements. Le *lipsing*, parfaite illustration de la répétition de la musique, préfigure ce que Jacques Attali appelle une économie répétitive à venir. La répétition fait taire la chanson alors que la technique ne fait que du bruit. Plume dit encore:

> «Je pense d'ailleurs que c'est un des problèmes de la chanson québécoise. On s'en vient de plus en plus comme les Français. On s'emprisonne dans une technique à n'en plus finir et on oublie tout le reste. Comme si on avait perdu le vrai sens de la chanson[74].»

La répétition décourage la représentation, empêchant la chanson de se manifester en dehors de la technique. En résumé, la représentation, selon Attali, est le «champ clos du simulacre de rituel», car la répétition (par le disque) ouvre la voie à un rituel dégradé puisque non sociabilisé.

> «Faire oublier. Faire croire. Faire taire. La musique est ainsi, dans les trois cas, un outil de pouvoir: rituel, lorsqu'il s'agit de faire oublier la peur et la violence; représentatif, lorsqu'il s'agit

73. Jacques Attali. *Bruits*, Paris, P.U.F., 1976, p. 178.

74. Plume Latraverse. *La Presse*, 1er mars 1979, p. B-5.

> de faire croire à l'ordre et à l'harmonie; bureaucratique, lorsqu'il s'agit de faire taire ceux qui le contestent. Ainsi la musique localise et spécifie le pouvoir parce qu'elle marque et dresse les rares bruits que les cultures, normalisant les comportements, autorisent. Elle en rend compte. Elle les fait entendre[75].»

La démonstration de Jacques Attali porte sur trois aspects qui sont aussi les fondements de son analyse:

— Le bruit est une arme;

— La musique: une domestication du bruit;

— La musique: une ritualisation, un simulacre de meurtre, c'est-à-dire canalisation de la violence.

La musique peut être canalisatrice de violence même si pour Attali le bruit, matériau premier, est violence; en fait, c'est parce qu'il y a canalisation du bruit qu'il y a canalisation de violence. Voilà pourquoi, selon Attali, le bruit est simulacre de meurtre. C'est ainsi que la musique est promesse de réconciliation, surtout si elle a du succès. C'est alors que la répétition apparaît, depuis l'apparition de l'enregistrement surtout. Le niveau composition, plaisir et communication du musicien, jouissance autonome, serait le dernier réseau d'échange et le seul créateur, puisqu'en l'absence de tout code *a priori*, la musique y crée toujours un ordre pour l'observateur. Ici, l'Infonie, par exemple, a tenté d'échapper à cette musique répétitive. D'autres groupes, comme Harmonium ou les Séguin, ont pratiqué une musique *pop rock* apparaissant comme l'expression d'une vision personnelle. Leur recherche participait d'une interrogation plus vaste.

> «Au moment où la civilisation industrielle, par le jeu de la rationalisation systématique et de la codification, parvient à un stade avancé de machinisme et de technologie, le mouvement *pop* lance son interrogation non au créateur de la puissance technique, mais à un homme né sur terre pour vivre. L'énergie exprimée et contenue dans la musique correspond à ce cri: que reste-t-il de vie dans l'homme? La technique en elle-même

75. Jacques Attali. *Bruits*, Paris, P.U.F., 1976, p. 39.

n'est pas mise en cause; le problème fondamental est de savoir si l'homme peut vivre avec, ou malgré la technique[76].»

On peut certes difficilement rattacher la musique *pop* à une cause particulière. Mais dès 1957, en France par exemple, l'alibi idéologique d'unification du monde des *teenagers* (âge tendre) allait créer un marché qui, plus tard, accueillerait les Beatles. Pour Attali:

«L'univers culturel d'une musique produite par des adultes organise une uniformisation dans le groupe. La musique y est vécue en effet comme relation et non comme spectacle, comme facteur d'unanimité et d'exclusion par rapport au monde des adultes et non comme différenciation individuelle[77].»

Replacés dans le contexte de la contre-culture, les grands rassemblements, à leur façon, ont été une nouvelle manière de diffuser la musique uniformisée. Robert Charlebois, à cet égard, est resté lucide.

«La violence de la musique *pop*, qui avait une motivation bien précise à l'origine: faire autant de bruit que la guerre avec les instruments de la paix, n'a profité qu'aux fabricants d'amplis[78].»

Le disque, la radio, la télévision et l'enregistrement, Attali l'a bien démontré, propagent la chanson, et c'est par cette diffusion organisée que l'économie opère sa propagation. Voilà comment la société marchande répand des idées plus ou moins subversives par le commerce tout en tentant de séparer la forme musicale contestataire de son contenu. Pour certains, ici, Charlebois aurait subi ce décapage, étant de plus en plus assimilé au divertissement plutôt qu'à une démarche neuve de la chanson. Son discours est fondu dans la généralité du discours culturel.

---

76. Henry Skoff Torque. *La Pop-music*, Paris, P.U.F., 1975, coll. Que sais-je?, p. 62.

77. Jacques Attali. *Bruits*, p. 219.

78. Claude Gagnon. *Robert Charlebois déchiffré*, Montréal, Éditions Leméac, 1974, p. 144.

Au sens où l'entend Attali, Charlebois serait considéré productif de richesses monétaires puisque son exploitation commerciale a entraîné la vente de disques. Tout le problème sera alors d'éviter le réseau de la répétition, c'est-à-dire éviter que l'œuvre soit piégée dans son identité et aille se fondre dans le bruit, car la représentation (le spectacle) conduit à l'échange, et l'échange à la répétition, c'est-à-dire à la consommation.

Même si la recherche musicale s'appuie sur la technique, c'est celle-ci, la mécanisation, qui aliène l'individu et non sa seule utilisation capitaliste. Attali est plus précis:

> «La seule remise en cause possible du pouvoir répétitif passe alors par la rupture de la répétition sociale et du contrôle de l'émission des bruits. En termes plus quotidiennement politiques, par l'affirmation permanente du droit à la différence, le refus obstiné du stockage du temps de l'usage et de l'échange, la conquête du droit de faire du bruit, c'est-à-dire de créer pour soi son code et son œuvre, sans en afficher à l'avance la finalité, et du droit de se brancher sur celui d'un autre, choisi librement et révocablement, c'est-à-dire du droit de composer sa vie[79].»

Bien sûr, reconnaissent les Séguin, en élargissant le débat, «à partir du moment où tu fais un disque, tu fais une concession au système». Il s'agit, disent-ils, de trouver le moyen qui «t'abîme» le moins. S'opposent ici les fonctions distractives et les fonctions critiques de la chanson. Ce processus d'opposition propre à notre système moderne définit un rôle spécifiquement idéologique inséparable de l'objet musical propre. Le *twist* aux États-Unis fut l'antagonisme du *rock*, comme au Québec, le yéyé était l'antagonisme de la chanson poétique.

> «Mais en fait, la vedette est surtout née avec l'entrée de la musique populaire dans le champ de la marchandise. Son évolution allait développer réellement une économie de la représentation et exiger une garantie d'une rémunération, une valeur

79. Jacques Attali. *Bruits*, Paris, P.U.F., 1976, p. 263.

d'échange de la production populaire oubliée des créateurs du droit d'auteur[80].»

Toute vogue musicale se prête admirablement à la supercherie. Voilà comment la chanson engagée peut être déviée, et qu'en dépit de ce facteur, une multitude de précautions sont prises pour en limiter l'audition. Quand Raoul Duguay, avec ses chansons *L'Envol* ou *M*, intègre une chanson de treize ou quinze minutes dans un long-jeu, il impose des chansons qui s'écoutent hors des habitudes de consommation.

> «C'est vrai que selon la structure de la chanson actuelle, les tounes sont faites pour passer entre deux annonces à la radio... Moi, je veux ramener le monde à réapprendre à se concentrer plus longtemps, à faire leur part comme je fais la mienne, et à se rejoindre ainsi dans un véritable élan de participation. Comme tu vois, je ne prends pas juste les mots pour bouleverser les choses. Mais les structures et les conceptions sont revisées aussi... [...] Je crois que chanter est un geste politique. Agir sur l'inconscient collectif à coups de décibels, c'est de l'impérialisme[81]...»

Certains ont vu dans le succès respectif des chansons *pop* une manifestation de récupération idéologique: fusionner contestation et mode de vie, philosophie et culture populaire, conscience sociale et valeur commerçante.

Dans tout chanteur, il peut y avoir contradiction sans nécessairement qu'il y ait concession. La contradiction tient aux proportions, aux effets grossis, voire au scandale.

> «Je pense que c'est très puriste de refuser les instruments de la bourgeoisie; il y a des contradictions dans le capitalisme, il faut s'en servir. Le capitaliste se moque bien que mes chansons puissent aider à ce que le peuple, à un moment donné, fasse un peu de trouble. [...] Si les disques se vendent, c'est tout ce qu'il veut[82].»

80. Jacques Attali. *Bruits*, p. 144.

81. Raoul Duguay. *Dimanche-Matin*, 27 novembre 1977, p. B-1.

82. Paul Piché. *Pourquoi chanter?*, juin 1977, nº 4, p. 9.

Le chansonnier n'a pas de contrôle sur la diffusion de son disque. C'est là que le système se reprend. Et il y a le système du vedettariat. C'est en refusant le jeu de la vedette que Plume l'est devenu. Pour Paul Piché, conscient de cette contradiction, il s'agit, puisque c'est inévitable, d'utiliser ce mythe contre le système qui l'a produit. La solution, dans ce cas, serait-elle implacablement individuelle?

Une authentique chanson de contestation peut-elle être, à la limite, assimilée à une chanson de danse? Y a-t-il là asservissement? Le chansonnier a-t-il réellement le choix de sa voie? Celle du vedettariat ou celle du nationalisme, ou tout simplement celle de chanter ses convictions tout en évitant un discours de légitimation qui a toutes les apparences d'une rhétorique qui s'efforce, sans convaincre, de prouver la transparence du discours. Car, justement, c'est se soumettre à une «idéologie dominatrice impérialiste[83]» que de céder à une rhétorique qui s'efforce de prouver sa rationalité. Une chanson qui se justifie, en plus de faire le jeu de l'idéologie, passe de la communication à la domination. Son épuration sera toujours inquiétante. Jacques Attali a bien raison de le souligner, c'est le postulat de la chaîne (la répétition) qui remet en cause l'efficacité politique de la musique et de la chanson.

Pourtant, dans son aspect collectif, si une culture a été attaquée, c'est bien la culture bourgeoise: *L'Osstidcho, Les Belles-Sœurs, Les Girls, Un pays sans bon sens, Les fées ont soif*. De quelle culture bourgeoise s'agit-il? Ces créations n'ont-elles pas justement renversé un ordre culturel et social? Mais voilà le dilemme: elles n'ont pas renversé le système capitaliste et c'est ainsi que l'on dira des artistes qu'ils maintiennent le pouvoir en place.

> «Si bien que l'artiste professionnel engagé est momentanément placé entre deux mondes: celui qui s'en va et celui qui arrive et pour lequel il se doit de travailler. D'autre part, s'il veut survivre ou plus souvent vivoter, il doit se vendre totalement ou partiellement au système, le pouvoir culturel l'ostracisant peu à peu. D'autre part, il doit accorder une somme importante de

83. L'expression est de Fernand Ouellette.

> son temps et de ses énergies créatrices à la révolution culturelle et sociale de laquelle il ne peut rien exiger[84].»

Dans cette perspective, la chanson qui est comprise comme une forme d'évasion se moule sur la division artificielle des tâches culturelles. La détente qu'elle apporte au public est souvent identifiée à une sous-culture de classe.

C'est ainsi que la chanson demeure l'instrument des classes privilégiées, car autant que celle du peuple, elle reflète parfaitement les contradictions du pouvoir. «La liaison organique de la culture à l'institution, écrit Régis Debray, n'est pas un fait sociologique mais politique[85].»

Ici s'opposent une conception bourgeoise de la chanson et une conception révolutionnaire; s'opposent, en fait, divertissement et prise de conscience. On ne voit pas assez que, même dans sa conception bourgeoise, la chanson peut être l'occasion d'une prise de conscience. Il n'est pas de meilleurs exemples, en France comme ici, que Brassens, Brel, Ferré et Ferrat; Lévesque, Gauthier, Vigneault, Julien ou Piché. Le pouvoir culturel, celui de l'artiste en général comme celui du chansonnier, se trouve laminé par cette contradiction qui est au cœur même du système productif: la nécessité de produire beaucoup en même temps que celle de ne pas se répéter.

Les rassemblements musicaux, le *rock'n roll*, la chanson québécoise, tout cela est dans l'état d'un produit marchand régenté par les exigences de la mise en marché. De là, on peut vite conclure que la chanson contre-culturelle n'a pas triomphé, qu'elle a tout simplement été récupérée. Il est vrai qu'aussi longtemps que ces manifestations culturelles ne porteront pas dans leur structure même un projet de libération, elles ne serviront que le système marchand qui les suscite. Ainsi, les rassemblements musicaux, ici ou ailleurs, ont souvent été des tentatives de manipulation des foules par le biais acoustique des émotions.

Une fête qui n'impulse par un rythme à un projet de libération à long terme ne peut avoir de véritable sens pour

---

84. Jean-Pierre Compain. *L'Engrenage*, Montréal, L'Étincelle, 1972, p. 25.

85. Régis Debray. *Le Scribe*, Paris, Grasset, 1980, p. 45.

une collectivité. Ainsi, si l'on se réfère aux fêtes de la Saint-Jean, leur institutionnalisation a vite gâché la mémoire collective. Les gens vivent avec la conscience du quotidien, le passé et le futur n'existent plus. Seuls importent le pain et les jeux. Mais cette analyse n'est pas toujours valable. Ainsi, lors des festivités organisées sur la montagne, en 1975, ce rassemblement s'est transformé en véritable manifestation contre-culturelle. Ces festivités ont rejoint, à leur manière, l'esprit de la musique *pop*. La contre-culture c'est aussi une attitude. Aux spectacles présentés sur scène s'ajoutait et s'intégrait celui du public.

> «Fallait voir et surtout participer. Faire corps avec cette foule bigarrée pour sentir à quel point la musique *pop*, le folklore et les corps de trompettes pouvaient soulever d'un souffle égal un même public. Vivre et constater que certains des spectacles présentés auraient été, en d'autres temps et lieux, selon la vieille rationalité du spectacle-consommation, qualifiés de 'quétaines[86]'.»

Il est des rassemblements qui peuvent se transformer en véritable célébration. Il faut retourner, par exemple, à cette «nuit d'amour» que fut la Superfrancofête, comme a dit Gilles Vigneault, pour revivre les plus beaux instants de cette chanson de Raymond Lévesque et aussi, de la chanson québécoise.

> «Axées sur la justice et la fraternité, les chansons des trois grands[87] se sont fondues, à la fin, dans les mots humbles et justes d'un grand texte: *Quand les hommes vivront d'amour* clôt en effet le spectacle, entonné par les trois, repris par 50 000 personnes debout comme pour un hymne, pendant que chacun allumait sa bougie dans le noir. Raymond Lévesque était, paraît-il, dans l'auditoire et sans doute a-t-il senti, un moment, que se vérifiait sa prophétie sur ce champ de bataille hanté de musique: 'Les soldats deviendront troubadours[88]'...»

---

86. Guy Rochette. *Le Jour*, 26 juin 1975, p. 13.

87. Félix Leclerc, Gilles Vigneault et Robert Charlebois.

88. Gisèle Tremblay. *Le Jour*, 15 août 1974, p. 11.

Le déserteur (Boris Vian), *Quand les hommes vivront d'amour* (Raymond Lévesque), *Blowin'in the wind* (Bob Dylan): une manière commune et universelle de témoigner de la générosité de l'homme autant que de sa conscience.

Éléments de conclusion

Quelle pratique courante que celle de fustiger les artistes et les intellectuels! Les régimes autoritaires, qui ont souvent pour habitude de se réclamer du peuple en matière culturelle, sont plus enclins à pénaliser les thèmes politiques que l'allusion érotique.

En France, lorsque Napoléon 1er arrive au pouvoir, il supprime l'institution trop patriote du café chantant. Plus près de nous dans le temps, mais sous un régime moins autoritaire quoique de droite, la carrière de la chanteuse française Colette Magny est constamment en butte à la censure qui s'abat sur ses disques. L'O.R.T.F. ne recommandait-elle pas aux producteurs d'éviter la rencontre de la politique et de la chanson en prétextant qu'il existe des émissions d'actualité traitant de sujets politiques? Quand Claude Chabrol, dans son émission du 16 mars 1969, laisse Jean Ferrat parler de fraternité et que ce dernier se dit du côté des exploités, on ne trouve mieux, à la fin du programme, que de mettre Chabrol à la porte. En Bretagne, Glenmor n'est pas considéré comme un chanteur, mais comme un homme politique qui défend ses idées par ses chansons; on ne l'a jamais considéré comme faisant des variétés. En 1970, Glenmor, cet amuseur public, a été coffré.

Pourquoi a-t-on interdit, dans la Grèce des colonels, la musique de Mikis Théodorakis? Que signifie l'attentat perpétré en Italie (mars 1969) contre la chanteuse grecque Mélina Mercouri? Un peu avant les années 1960, aux États-Unis, le Pentagone obtient qu'on censure les chansons pacifistes. Les Weavers, par exemple, sont exclus de la radio.

Se sentant menacés par la puissance du mot, du verbe,

les régimes autoritaires, en attaquant les artistes, reconnaissent publiquement que les idées sont plus fortes que la répression idéologique. La liberté est un combat permanent.

L'histoire récente du Québec compte de nombreux cas de censure dans tous les domaines artistiques. Tout cela donne raison à Pierre Vallières:

> «Les élans de libération qui ont secoué pendant dix ans la léthargie collective, sont aujourd'hui récupérés et bloqués par les technocrates. La censure refait surface au théâtre. Les radicaux sont écartés de la politique active. La police secrète déstabilise les syndicats et les mouvements progressistes. Le cinéma est bâillonné. La littérature est sacrifiée au bricolage. Le commérage s'est substitué à l'information et les slogans tiennent lieu de pensée vivante[89].»

Gaston Miron. Gérald Godin. Michel Garneau. Lionel Villeneuve. Pauline Julien. Et combien d'autres. Quatre cents artistes et plus peut-être ont par leurs gestes et leurs paroles revêtu, on n'en doute plus, un caractère imminemment politique. En octobre 1970, on les a emprisonnés pour avoir exercé un droit fondamental: celui de la liberté d'expression.

> «Car les mots qui nous divisent sont souvent piégés par ceux-là mêmes que notre improbable solidarité arrange. Ces rêves qui nous rassemblent, ils sont au contraire efficaces comme l'air libre à des emmurés. Voilà pourquoi l'on n'a jamais lancé les forces de l'ordre contre le département de Sciences politiques de l'UQAM ni contre le siège social de la revue *Stratégie*, mais bien contre des gens qui dansaient des bastringues et turlutaient du Vigneault dans les rues du Vieux-Montréal[90]...»

Le Gouvernement reconnaîtra plus tard qu'il avait, en 1970, détenu Pauline Julien par erreur. On peut présumer qu'elle ne fut pas la seule. Raoul Duguay chantera l'emprisonnement des poètes, des chansonniers et de tous les autres comme un acte de terrorisme suprême. Cet emprisonnement est un silence que l'État impose au peuple.

---

89. Pierre Vallières. *Liberté en friche*, Montréal, Québec-Amérique, 1979, p. 9.

90. Hélène Pelletier-Baillargeon, supplément *Maintenant, Le Jour* , 21 juin 1975, p. 3.

> «Nous n'avons pas remis notre pouvoir entre les mains de l'État pour qu'il nous dépossède. Si un homme ne peut exprimer librement sa parole, son cri, son chant, PERSONNE ne peut ouvrir la bouche. Chaque KÉBÉKOIS est une cellule active et créatrice de la libération du KÉBEK[91].»

Le cardinal Mazarin n'avait-il pas dit: «Ils chantent, ils paieront»? Les intellectuels et les artistes ont payé, ils ont payé parce qu'ils ont parlé plus fort que d'autres le langage national. Du côté du pouvoir, on reconnaissait donc l'efficacité de la parole. Il y avait des chansons subversives, sinon dangereuses.

La censure se faisant de moins en moins radicale, elle devient plus subtile[92], développant des mécanismes chaque jour plus raffinés que tous les pouvoirs, de droite comme de gauche, savent adapter à leur profit. Ainsi le caractère anesthésiant des programmes radiophoniques déconnecte l'impact que peuvent avoir certaines chansons.

Ce que feint d'ignorer le pouvoir, c'est que la connivence du culturel et du politique est infiniment plus naturelle qu'il le dit. Les chansonniers, par exemple, ont créé un espace intérieur du pays qui n'a rien d'imaginaire.

Le trait majeur des groupes québécois, c'est d'avoir puisé dans le talent des autres la matière à leur propre évolution. Pour eux, la lutte réside dans l'espace des valeurs privées et intimes. Il y a là une double perspective: libération

---

91. Raoul Duguay. «Lettre d'amour à Toulmonde, Ô Kébek» dans *Le Devoir*, 14 novembre 1970, p. 92.

92. En fait, ils sont partout. Même de la part de ceux qui les critiquent, *Dans Chansons de lutte et de turlute* (CSN/SMQ), on trouve cette chanson italienne *La tarantella di Via Tibaldi* qui a été chantée dans plusieurs manifestations en appui à un important mouvement d'occupation de logements, dont celui de l'occupation de la Via Tibaldi à Milan en juin 1971. Or, en bas de la p. 45, on y lit ce qui suit: «Nous n'avons pas retenu le 7e couplet de la chanson, qui présentait un point de vue incorrect sur les syndicats, les mettant dans le même sac que la police et les patrons.» Et vlan pour la censure! En absence dudit couplet, comment vérifier ce «point de vue incorrect sur les syndicats»? Ne pas se laisser se confronter les perceptions, ne pas les vouloir, ça aussi, c'est de la censure. Dans la plus pure tradition. Voici donc un bel exemple de contrôle (politique?) des idées.

du moi et déplacement des valeurs. Demain, rappelle Marcel Rioux, «les conflits se porteront de manière privilégiée sur les facteurs culturels, où leur appropriation sera devenue le moteur de l'histoire». Comme le rappelle Rochon, Picasso et le cubisme, Tzara et le dadaïsme, Breton et le surréalisme sont autant de jalons dans la contestation de l'esprit bourgeois. Le *show-business,* et tout ce qui l'entoure, est le lieu d'une profonde colonisation culturelle.

C'est pour cela qu'Attali, viscéralement, considère que:

> «Le musicien, même officiel, est dangereux, subversif, inquiétant, et on ne pourra détacher son histoire de celle de la répression et de la surveillance[93].»

93. Jacques Attali. *Bruits,* Paris, P.U.F., 1976, p. 23.

CHAPITRE 8

Chanter en notre temps

Je dénonce l'organisation qui tue l'idée.

RAYMOND LÉVESQUE

En France, l'on considère que ce n'est pas avant 1830 que les chansons directement politiques commencèrent à véhiculer des thèmes socialistes. Bien avant *L'Internationale*, certaines chansons, dont *Ça ira* (1790) et *La Carmagnole* (1792), jetèrent les bases d'un certain répertoire social symbolisant les forces vives de la révolution. C'est en 1792 que *La Marseillaise* devint le chant patriotique par excellence. Instituée hymne national en 1879 et récupérée depuis par toutes les forces politiques, de droite comme de gauche, elle demeure un chant guerrier qui n'a rien perdu de sa vigueur révolutionnaire. *L'Internationale* (1871), devenue l'hymne du prolétariat international, résume à elle seule tous les espoirs du socialisme. Notons qu'elle fut écrite sur le timbre de *La Marseillaise*. En France, continuant la tradition des chansonniers tel Bruant, la chanson de contestation est le reflet des luttes sociales et politiques quotidiennes: de l'anti-militarisme à la lutte des classes, de Boris Vian à Jean Ferrat, son actualité reste entière.

Chaque pays sécrète son porte-parole de la chanson révolutionnaire. Mikis Théodorakis ne s'est-il pas opposé individuellement et dans sa musique au régime totalitaire des colonels grecs?

Aux États-Unis, Joe Hill reste le symbole légendaire de l'histoire sanglante du syndicalisme américain. Condamné injustement en 1915 pour meurtre, il composa des chansons ironiques dont l'actualité demeure. «Je meurs comme un rebelle, écrivit-il avant son exécution. Ne perdez pas de temps à pleurer. Organisez-vous[1].» Tout comme le chant syndical du début du siècle, aux États-Unis, prolonge la tradition de la contestation, les *protest songs* reprendront le flambeau des luttes sociales. Cependant, bien avant Pete Seeger et Woody Guthrie, bien avant Joe Hill, les chants de travail des esclaves, servant à rythmer l'effort et à accroître le rendement, étaient aussi des chants de révolte.

De ces chants jailliront le *spiritual* et le *blues*. Ce *blues*, d'après Marie-Hélène Fraïssé, est «le dérivé du *field holler* (cri des champs), est l'expression «laïque de la souffrance noire[2]». En effet, il faut se souvenir que les chants de travail (*work-songs*) et les chants religieux (*gospel songs* et *negro-spirituals*) accompagnaient la vie des esclaves noirs amenés d'Afrique pour cultiver les terres des colons américains.

Chaque pays possède une tradition de la chanson sociale qui relève d'un certain romantisme révolutionnaire, s'inscrivant dans le vaste combat social du XIXe siècle. Par leurs origines et leurs aspirations, les chants révolutionnaires français pénètrent les milieux ouvriers. Plus tard, aux États-Unis comme au Canada français, les chansons de métiers (dites aussi chansons de «rogne» ou de «grogne») décriront les difficultés des travailleurs manuels sous-payés, mais ce ne sont pas encore des chansons syndicales. Ainsi, la nourriture (quantité et qualité), les chômeurs (des années 1930), les exilés, sont autant de thèmes qui, chez nous, rappellent les

---

1. Marie-Hélène Fraïssé. *Protest Song*, Paris, Seghers, 1973, p. 18. (En France, on le compare à Charles d'Avray qui est resté fidèle toute sa vie à la parole anarchiste.)

2. *Ibid.*, p. 21.

chroniques sociales de la Bolduc, voire certaines chansons traditionnelles:

> Pourquoi payer vingt mille louis
> Pour les donner aux riches
> Nous travaillons tous jour et nuit
> Pour les garder en niches
> Ils peuvent bien se régaller [*sic*]
> Et dire avec audace
>
> Le peuple est fait pour travailler
> Pour tous les gens en place
>
> *Chanson à l'imitation*
> *de celle qui a été distribuée*
> *par le parti adverse* (1810)[3]

La chanson folklorique se rattache à la culture populaire, ne serait-ce que par son opposition traditionnelle et toujours constante à la culture dominante; la chanson de lutte se caractérise par ce principe de base: changer la société par la conscientisation des masses. Voilà pourquoi une véritable chanson de lutte, comme l'ont été, en leur temps, certaines chansons folkloriques, doit aussi s'inscrire dans un combat quotidien.

Cette chanson de combat use de l'allusion, de l'ironie, de la violence verbale, de la menace. Elle a le trait mordant.

Au Québec, sauf exception, la chanson de lutte ne participe pas d'un art réellement populaire créé par les travailleurs eux-mêmes. Il n'y a pas ici une chanson de combat dans la tradition de la chanson communarde ou dans celle de la chanson syndicale. En effet, il existe peu ou pas de chanteurs pacifistes ou antimilitaristes dans la tradition de Colette Magny en France dont le répertoire est presque entièrement politique.

Dans la chanson québécoise, par ailleurs, on ne retrouve pas un caractère de création spontanée et d'efficacité directe, propre aux chansons militantes noires du Sud, par exemple,

---

3. Carrier/Vachon. *Chansons politiques du Québec*, Montréal, Éditions Leméac, 1977, tome 1, p. 151.

et qui leur confère un caractère d'action. Il y a, au Québec, beaucoup de chansons qui sont reprises pour une circonstance, mais qui n'ont pas été écrites pour la circonstance.

Le regroupement manifestaire

Les manifestations et les grands rassemblements de soutien à la cause de la libération politique, économique et culturelle au Québec furent les lieux privilégiés pour les chansonniers d'exprimer leur solidarité avec le peuple québécois et, par-delà, avec toutes les luttes de libération. En cela, ils sont très proches de la position politique que les chanteurs bretons ont adoptée dans leur premier *Manifeste des chanteurs bretons*. En refusant l'entreprise d'abrutissement orchestré à laquelle les soumet le *show-business*, ils considèrent que leur expression a toujours été et sera toujours au service du peuple.

Ces gestes ou ces spectacles d'appui, l'on s'en doute, ne font jamais l'unanimité, parce qu'on y réduit l'argumentation. Les discours sont mystifiants.

Diviser le monde en deux donne un caractère juvénile agaçant à ces manifestations dont la nature publicitaire ressemble à de la propagande. Ces rassemblements contiennent leur propre limite. Ainsi, lors de la soirée du dixième anniversaire des événements d'Octobre 1970, la foule, sans aucun consensus possible, réagissait prudemment devant la possibilité apparente d'une inflation verbale. «À côté de moi, note Lysiane Gagnon, un cégépien lance à sa blonde: 'Hey, Ch... ils exagèrent, on dirait qu'ils parlent du Chili ou ben d'Haïti[4]'.»

Outre le piège toujours possible de l'inflation verbale, la parole reste au service d'une cause et est souvent, en ces occasions, revendicatrice, même si, comme le pensent les Séguin,

4. Lysiane Gagnon. *La Presse*, 21 octobre 1980, p. A-12.

il y a des causes qui font plaisir à l'ego de ceux qui les défendent. Chez eux, c'est la conception de la «manif» qui est remise en cause. Peu attirés par toute forme d'action collective, ils ne croient pas aux vertus des rassemblements. Ce qui leur importe, c'est de faire chanter les gens qui n'ont jamais chanté et non de leur lancer des slogans. Les manifestations doivent instituer de nouveaux rapports. En France, par exemple, note Louis-Jean Calvet:

> «Ces fêtes témoignent d'un grand changement dans les rapports entre la politique institutionnelle et la chanson. Ces rapports, au cours des années 1960, se concrétisaient essentiellement dans les galas de soutien: lorsqu'une cause avait besoin d'argent, on louait une salle dans laquelle un ou plusieurs artistes venaient se produire gratuitement, la recette allant ainsi à la cause en question. C'est dire que, quand la politique s'adressait à la chanson, elle lui demandait de militer pour elle, de militer pour elle au plan financier[5].»

Doit-on utiliser le spectacle à des fins politiques ou utiliser la politique à des fins de divertissement? Telles sont les questions que posent tous ces grands rassemblements.

Ainsi, la soirée politique de chansons et poèmes organisée pour commémorer le dixième anniversaire des événements d'Octobre s'est transformée en hommage à Paul Rose, à l'époque toujours incarcéré. Lors de cette soirée, les chantres de la conscience solidaire étaient tous présents: Vigneault, Julien, Lévesque, Gauthier. Ils étaient là, avec d'autres poètes, dont Michel Garneau, pour marquer, entre autres choses, la résistance du peuple québécois et la persévérance de ceux et celles qui avaient et ont encore des idées de transformation nationale et sociale. Plus largement, le problème était le suivant: faire admettre à Ottawa qu'il se trouvait encore des prisonniers politiques dans les prisons canadiennes.

Déjà, en 1971, Jacques Michel soulevait ce problème politique:

5. Louis-Jean Calvet. *Chanson et Société*, Paris, Payot, 1981, p. 77.

> «De toute façon, mon engagement, celui qui ressort dans mes chansons les plus récentes, est beaucoup plus social que politique. Je chante pour permettre de corriger ce que je considère une injustice sociale: des hommes (en parlant des prisonniers politiques) sont en prison, et ils ont droit d'être libérés sous caution et de se défendre. Nous tentons de leur en fournir les moyens[6].»

En juin 1977, le Comité d'information des prisonniers politiques (CIPP) organisait une manifestation axée sur la situation des prisonniers politiques, dits aussi prisonniers d'opinion, amorçant ainsi le lieu d'un débat sur les conditions d'une libération sociale et politique. La revue *Pourquoi chanter?* ne manquera pas de noter que:

> «L'implication d'un lieu autonome de spectacles comme le Conventum dans ce mouvement montre concrètement comment les boîtes à chansons peuvent articuler les aspects culturel et sociopolitique de leurs activités[7].»

Ainsi, *Poèmes et Chansons de la résistance II* regroupaient des chants de répression pour rappeler que les artistes ne restaient pas inactifs devant la répression. Ces *Poèmes et Chansons de la résistance II*[8] ont permis aux chansonniers québécois de s'impliquer dans les luttes sociales. Au-delà du nationalisme, c'est pour la justice humaine que l'on combat. Yvon Deschamps a là-dessus une position claire:

> «Malheureusement nous avons, et en tant que citoyens, même ceux qui ne sont pas d'accord avec les événements, nous n'avons pas le droit de les juger. Ce sont nos frères qui ont réagi à leur façon devant une menace... la disparition d'une nation: le peuple québécois. Plusieurs d'entre eux sont encore incarcérés, même si en fait, ils ont droit à une libération... Nous n'avons pas le droit de fermer les yeux, nous n'avons pas le

6. Jacques Michel. *La Presse*, 28 janvier 1971, p. F-6.

7. *Pourquoi chanter?*, juin 1977, nº 4, p. 25.

8. *Poèmes et Chansons de la résistance*, Montréal, Éditions Robert Myre, 1969, 68 p. (livre).

droit de les ignorer. Ils sont partie de nous-mêmes et ils l'ont prouvé[9].»

Pour le Comité pour la libération de Paul Rose[10], dont furent membres Gilles Vigneault et Raymond Lévesque, les prisonniers politiques québécois étaient devenus les symboles de l'oppression des Québécois.

Ces festivals, par leur ampleur, ont été l'occasion, au-delà de l'aspect politique, de créer de nouveaux rapports entre chanteurs et public et d'instituer, d'insuffler de nouvelles valeurs à la chanson. En France, Le Printemps de Bourges, lancé par Daniel Collinge et la Maison de la culture de Bourges, est sûrement le plus représentatif de ce nouveau rapport. «On ne demande plus à la chanson de militer, on milite pour elle.» Au Québec, la Superfrancofête et la Chant'août se rapprochent le plus, par leur côté spectaculaire, de ce nouveau rapport entre la chanson et la politique institutionnelle. Louise Forestier l'avait fort bien ressenti lors de sa participation au deuxième spectacle de *Poèmes et Chansons de la résistance*:

> «Dans le fond, c'est pas moi qui suis ici. C'est la chanson de Vigneault et de Charlebois (*Le Président*) que j'interprète. Ce n'est pas mon *show*, c'est le *show* de la chanson, d'un texte qu'on dit à des gens qui comprennent parce qu'ils croient aux mêmes choses que nous[11].»

Lors de ces rassemblements, la chanson est plus directement prise de conscience que politique. *Poèmes et Chansons de la résistance*, par exemple, où la chanson est parfois plus vraie que la colère, nomment et dénoncent sans détour. On y suggère une adhésion morale et une participation active.

---

9. Yvon Deschamps, *Dossier Paul Rose*, Montréal, Éditions du CIPP, 1981, p. 190.

10. À l'automne 1979, le Comité d'information des prisonniers politiques (CIPP) lance une campagne pour la libération de Paul Rose admissible à une libération conditionnelle de jour depuis 1977 et admissible à une libération totale en décembre 1980.

11. Louise Forestier. *La Presse*, 28 janvier 1971, p. F-7.

Cette résurgence de la chanson de lutte, liée aux luttes sociales, recoupe à la fois la question nationale et la question sociale. Ainsi, dans *Poèmes et Chansons de la résistance III*, on dénonce les injustices et les intolérances sans toutefois, à proprement parler, faire des chansons politiques. Par ailleurs, le choix des textes de Raymond Lévesque, de Pauline Julien ou de Yvon Deschamps favorise l'indépendance nationale. Notons que, de plus en plus, dans les soirées de retrouvailles politiques s'intègrent des artistes étrangers africains, latino-américains ou plus près de nous des Amérindiens, donnant une dimension plus internationale et dénotant une nouvelle maturité et une ouverture d'esprit plus grande.

Les manifestations donnent l'occasion aux chansons de descendre dans la rue. Ces retrouvailles politiques attirent le plus souvent un public sympathique à la cause défendue et sensibilisé à une même réalité sociale. Chanter ensemble unifie. L'enivrement peut être une arme de combat lorsqu'il passe par des chansons chantées ensemble. Le rassemblement politique veut instaurer un nouveau cours des choses. Il veut stimuler chez le participant un désir de vivre un événement, celui-là même du rassemblement, qui devient alors un avènement. Le rassemblement procure l'émotion mobilisatrice et militante du changement. Ce qu'il s'agit de mobiliser, ce n'est pas la chanson, mais bien l'auditeur.

Pouvoir chanter

Dans les années 1970, la jeunesse étudiante des boîtes à chansons s'élargissait au profit d'un public ouvrier. Cette jeunesse petite-bourgeoise constituait le public principal des chansonniers, écoutait aussi Brassens, Brel, Ferré et Ferrat qui puisait chez Baudelaire, Brecht, Aragon. Charlebois fut d'abord un chansonnier, c'est-à-dire comme tous les autres, un artiste petit-bourgeois appartenant, cependant, à un peuple qui était prolétarisé dans son ensemble. C'est ce rapport que le système de classe ébranle: il abolira la démarcation chanteurs populaires/chansonniers. La chanson de Charlebois serait une fusion des genres (des classes) dans une seule chanson québécoise. La révolution de la chanson québécoise, pourquoi pas, c'est d'avoir unifié deux publics: celui de la bourgeoisie et celui de la classe montante des travailleurs non manuels. Il est bien clair que la chanson québécoise, dans son acception «culturelle», ne comprend pas la chanson *western* ou la chanson de René Simard, ou encore celle de Chantal Pary ou de Pierre Lalonde. Non plus qu'elle ne comprend, publiquement, parce que souvent elle ignore leur existence, les chansons de Pierre Graveline[12] et de Ben Jauvin. Pas plus qu'elle n'a prolétarisé son public, la chanson québécoise n'a pas l'intention de devenir un tremplin pour une socialisation de la musique. Si ces intentions existent, non seulement elles sont marginales, mais elles s'identifient à des groupuscules révolutionnaires, ou qui s'affichent comme tels[13].

---

12. Pierre Graveline. *Chansons d'icitte*, Montréal, Parti pris, coll. «Paroles», n° 51, 120 p., 1977. (Son livre se veut un hommage et une contribution à la chanson traditionnelle des travailleurs québécois.)

Ben Jauvin, plus de cinquante-cinq ans dont vingt-cinq en prison. Sa libération ne fut pas facile.

> «C'était une libération assortie de certaines conditions: la première, ne pas chanter; la deuxième, ne pas publier; la troisième, ne pas faire d'apparition en public. Ils voulaient que je m'écrase, que je travaille comme tout le monde. Ils ne veulent pas d'histoire. [...] Il aurait fallu que je sois un autre moi-même. J'ai refusé. J'ai procédé au lancement de mon livre. Une semaine après, jour pour jour, ils m'ont rentré.»

(Perspectives, *La Presse*, 4 juin 1977, vol. 29, n° 23, p. 3.)

Finalement, on ne l'empêche pas d'œuvrer dans les domaines qui l'intéressent: l'édition et la chanson. Pauline Julien, qui croit en lui, lui prête son studio de travail. «Dès que j'ai commencé à chanter, j'ai vu que c'était pas pire. Et puis les autres me l'ont dit», accepte de dire Ben Jauvin. *Si fatigué* est son premier recueil de chansons, paru en décembre 1976 et préfacé par Pauline Julien.

13. Des marxistes écrivent des chansons qui prônent le communisme au Canada. (Librairie Normand Bethune, station Rosemont, «autobus 92-à porte»)

Ainsi l'ancien bulletin de liaison de la jeune chanson, *Pourquoi chanter?*, animé par l'équipe de Action-chanson, allait dans le sens d'une mobilisation de la conscience collective en vue de défendre les intérêts des travailleurs culturels. Cette équipe a travaillé en liaison avec les associations et regroupements du milieu artistique: Regroupement des boîtes à chansons, Front d'action musicale. Ce bulletin se voulait un outil de débat, d'information et de mobilisation.

> «Il veut promouvoir une conception matérialiste de la culture, dans une perspective anticapitaliste et anti-impérialiste, tout en se démarquant d'une démarche sectaire ou dogmatique. Le bulletin veut également favoriser la prise de conscience sociale et politique des artistes et des travailleurs culturels, développer la solidarité entre eux et avec les autres travailleurs, en particulier ceux des médias de diffusion, de l'industrie du disque et des spectacles[14].»

Action-chanson était aussi à l'origine des ateliers-débats sur les thèmes «Chanson de femme» et «Chanson et musique traditionnelles». Il a participé à la préparation et à la tenue d'une assemblée se donnant comme objectif la constitution d'un syndicat démocratique des musiciens.

L'expérience d'Action-chanson tente de faire naître une conscience populaire par la défense des intérêts des travailleurs culturels et par une manière de socialisation de la chanson. Une initiative comme celle de Jean-Pierre Compain et de Charlotte Boisjoli, *L'Engrenage*, veut fournir les instruments d'une éducation populaire et d'une politisation des Québécois. Cette expérience devait être vue comme un tremplin vers une socialisation des arts et de la culture, et fondait ses principes sur une démocratie culturelle et artistique:

> «La culture circule en vase clos et ignore le travailleur. Quand, par hasard, celui-ci y accède, il devient étranger à son milieu. Il faut donc redonner au peuple tous les instruments d'expression qui lui ont été volés et 'créer deux, trois, plusieurs révolutions culturelles', accordées à la libération totale du peuple québécois[15].»

14. *Pourquoi chanter?*, juin 1977, nº 4, p. 2.

15. Jean-Pierre Compain. *L'Engrenage*, Montréal, L'Étincelle, 1972, p. 13.

Si *L'Engrenage* s'est voulu un tremplin pour une socialisation des arts et de la culture, c'est que ses initiateurs croyaient qu'il est naturel et normal de s'exprimer, de dire et de chanter. Le travailleur est aussi habilité à l'art, au théâtre, à la chanson que l'artiste professionnel, dit aussi travailleur culturel[16]. L'intelligence créatrice est le propre de l'homme, non de son instruction ou de sa culture, ou encore de sa richesse matérielle. *L'Engrenage* était une forme de lutte au centre même de la culture bourgeoise, car celle-ci ignore souvent le travailleur.

La chanson, comme le théâtre, vient du peuple et doit y rester sinon y retourner. Il s'agit de remettre au peuple ses propres instruments de création, de lui redonner confiance...

Avec la vie, sa vie, la mienne, la tienne
Cent mille vies qui luttent d'espoir
Qui chiâlent qui miaulent
Qui crient qui se tordent de désespoir
Qui meurent en pleurs qui meurent en fleurs
De notre *bag* sorti de la noirceur
Nous vaincrons

Le Bag
(Gilles Therrien, travailleur militant)
(1972)[17]

Une autre expérience qui se rattache en esprit à l'expérience de *L'Engrenage*, est celle que Gilles Vigneault a intitulée *La chanson du monde* et dont il est l'instigateur. «C'est, disait-il, une façon de vérifier si ce que je chante est vrai quand je dis: 'Il n'est chanson de moi qui ne soit toute faite avec vos mots, vos pas, avec votre musique[18]'.»

---

16. Dans le livre *L'Engrenage* dont il est fait mention précédemment, les paroles d'une chanson de Claude Gauthier, *Le plus beau voyage*, sont attribuées, par erreur, à un travailleur de la petite Bourgogne, Maurice Couture.

17. Jean-Pierre Compain. *L'Engrenage*, p. 58.

18. Gilles Vigneault. *La Presse*, 31 août 1974, p. C-9.

Pour Vigneault, cette expérience s'est adressée à tous les hommes et à toutes les femmes qui font ce métier. Lorsqu'il présente son projet, son avertissement interpelle «les innombrables auteurs-compositeurs-interprètes qui composent l'auditoire, la salle, la chorale, la foule, le peuple, en somme le PUBLIC». Au TNM (septembre 1974), Gilles Vigneault passe aux actes et se fait fort de faire écrire les spectateurs et de chanter, après l'entracte, les couplets qu'on lui aura soumis. C'est à la chanson traditionnelle qu'il empruntera le procédé qui consiste à écrire les paroles sur un air connu[19]. Le modèle choisi est *Envoyons d'l'avant nos gens, envoyons d'l'avant*:

> Y'a rien qu'une chose qui peut sauver
> Qui peut sauver l'humanité
> C'est de s'aimer à en giguer
> C'est de s'aimer à en chanter
>
> Ô Québécois tout dépité
> Saint Jean-Baptiste était mort-né
> Les ti-moutons à ses côtés
> En *chicken soup* se sont mutés
>
> La Gaspésie manque d'argent
> Ça dépend du gouvernement
> Changez-nous la situation
> Sinon y'aura la révolution
>
> *La chanson du monde*
> (Le public) (1974)[20]

---

19. Lequel a inspiré l'autre? Yves Alix, dans *Chansons de lutte et de turlute,* propose lui aussi une démarche pratique pour composer une chanson collectivement. Lui aussi propose de se référer à un air connu. L'exemple qu'il donne est le même que celui de Gilles Vigneault, en raison de sa structure rythmique: *Envoyons d'l'avant nos gens, envoyons d'l'avant*. C'est sur le même air que, chaque été à Edmundston, s'ouvre avec entrain la Foire brayonne. Cette chanson doit sûrement avoir des mérites pédagogiques car, très souvent, elle fait l'unanimité chez ceux ou celles qui préparent une chanson pour une fête populaire ou pour une manifestation politique ou autre.

20. Gilles Vigneault. *Journal de Montréal,* 7 septembre 1974, p. 22.

À la fin des années 1970, certains chansonniers québécois commencent (sous l'impact des luttes ouvrières et populaires et d'une remise en question personnelle) à prendre une certaine distance par rapport à leur métier. Ils font une critique du vedettariat. Plus largement, la montée des luttes a fait apparaître une nouvelle pratique de la chanson, chanteurs et travailleurs se devant d'être solidaires. Ils inscrivent leurs efforts au même titre que ceux des travailleurs et travailleuses.

Militer en chantant

Si un peu avant la Deuxième Guerre mondiale, aux États-Unis, Guthrie et Leadbelly chantaient pour les ouvriers et les populations rurales, au Québec, certains chansonniers, dont Paul Piché, se sont inspirés de cette pratique. Leur but: faire sortir la chanson du Vieux-Montréal ou de la rue Saint-Denis pour la mener dans les groupes populaires. La chanson militante se doit d'aller au-devant de son public, à l'occasion de fêtes populaires ou de fêtes de quartier.

Mais bien avant lui, Raymond Lévesque n'avait pas attendu ce courant social pour chanter la vie de ceux qui luttent contre l'exploitation et l'oppression.

De Raymond Lévesque, l'on ne devra pas oublier qu'il a chanté, à la manière de Francis Lemarque, la communauté des hommes et la beauté du travail collectif. De Paul Piché, l'on retiendra qu'il désire réaliser la jonction des idées nationalistes et des idées socialistes. Ici et là, apparaissent les sources sociales de la conscience des chansonniers. Pour Plume, par exemple, «la création a jailli de la rue au milieu de ce désœuvrement, la création, en tant que lutte contre l'écrasement d'une société de plus en plus bourgeoise[21]». Ainsi, dans les années 1970, la chanson militante au Québec en était à ses

21. Plume. *Le Devoir*, 5 février 1977, p. 20.

premières stratégies sous l'effet des luttes ouvrières et prolétariennes, et cela dans le courant du renouveau folklorique.

Le chansonnier, par le biais de la chanson socialisante, soulève une question théorique non moins utile. Pour nos chansonniers, est-il nécessaire de connaître la dialectique matérialiste, l'économie et l'histoire[22]? Sur un plan scientifique, non. Pour Raymond Lévesque, la théorie marxiste de la culture a bien peu à lui apprendre. Malgré son statut dominant de marchandise, la chanson reste l'expression d'une conscience individuelle autant que collective. *Bozo-les-culottes, Le grand six pieds, L'alouette en colère, Réjean Pesant* sont autant de chansons qui décrivent une situation coloniale sans la rhétorique marxiste.

Le travail du créateur repose sur l'affirmation de valeurs plutôt que sur la recherche du pouvoir. Son métier relève de la transmission d'idéaux tantôt collectifs, tantôt individuels. La notion d'engagement ne suppose-t-elle pas la notion thématique de vision du monde? Paul Piché, voulant éviter la rationalité révolutionnaire, croit plutôt que la chanson se doit de provoquer une discussion pour aller plus loin.

> «Je pense qu'il y a des affaires que tu peux répéter à quelqu'un mille fois. Tu lui dis exactement l'explication qu'il faut: 'Le problème du logement est là, c'est ça, les capitalistes sont là, nous autres, on est en dessous, tant que ça va être comme ça...' et pis toute l'affaire... Quand ce que tu dis n'est pas senti, quand c'est juste rationnel, tu peux pas toucher les gens ni les convaincre. [...] La chanson et l'art en général, c'est une manière de le dire qui va chercher plus loin, qui fait sonner une cloche en dedans du monde.
>
> Même si ça n'explique pas tout, ça fait sonner une cloche qui fait qu'après ça, la personne est sensibilisée à la question et ouverte à tes explications[23].»

Bozo-les-culottes de Raymond Lévesque en est un bel exemple. Son investissement (sa colère) est un geste politique,

22. Bertolt Brecht se posait la même question à propos des chansonniers français de son époque.

23. Paul Piché. *Pourquoi chanter?*, juin 1977, nº 4, p. 7.

certes, mais c'est aussi une prise de conscience individuelle qui nous invite à dire: «C'est assez». Toute chanson militante qui ferait abstraction de la sensibilité du peuple autant que de son langage serait, au départ, inefficace.

La chanson militante, au Québec, ne se sert pas d'une codification répétitive (entendre ici un ensemble de mots ou de syntagmes se référant à un lexique idéologique établi, celui du marxisme, par exemple). Chez Raymond Lévesque, et même chez Paul Piché, il n'y a pas ce genre d'abus au niveau lexical et idéologique que l'on retrouve souvent dans les tracts. Même en l'absence de stratégie révolutionnaire, *Bozo-les-culottes* ou *Le tour de l'île,* ou encore *Léopold Simoneau,* ne sont pas moins efficaces que *Réjean Pesant.* Les intentions socialisantes peuvent prendre leur source ailleurs que dans la seule théorie.

> «Mais, moi, je ne comprends pas pourquoi les ouvriers, les prolétaires du Québec ne se révoltent pas contre l'ordre établi qui les brime continuellement. Les maudits syndicats ont fait grimper le coût de la vie [...] mais les deux tiers des prolétaires du Québec ne sont même pas syndiqués. Et ce sont eux qui paient les pots cassés[24].»

La réalité sociale peinte par Raymond Lévesque, autant que par Paul Piché, prime sur le point de vue syndical ou politique. Pourtant tous deux sont partisans de l'indépendance dans un contexte socialisant. Or, c'est la problématique latente, dans la chanson québécoise: la question nationale peut-elle devenir la question sociale? Dans les faits, la chanson québécoise est inséparable du projet de libération nationale, en même temps qu'elle lie la conscience collective à l'oppression nationale et son corollaire: la lutte des travailleurs pour leur libération. Pour Paul Piché, il importe de lier la libération nationale à la libération de la classe ouvrière de l'exploitation capitaliste et de l'oppression coloniale et impérialiste. Pour lui, le postulat est clair: seule la classe ouvrière peut imposer la libération nationale, parce que seule cette

24. Raymond Lévesque. *TV-Hebdo,* 29 juin au 5 juillet 1968, vol. VIII, nº 47, p. 5.

classe a un intérêt fondamental à rompre avec toutes les formes d'oppression, y compris l'oppression de l'État canadien sur la nation québécoise.

Voilà comment la chanson militante peut intégrer le nationalisme québécois dans la lutte anti-impérialiste et socialiste. L'évolution de Raymond Lévesque ne laisse pas de doute: après avoir chanté l'indépendance, il se tourne de plus en plus vers les problèmes de la survie de l'homme; il prend position contre la pollution, contre l'armement, etc. Ainsi que le disent ses chansons, la décolonisation est un préalable à tout changement social. En ce sens, sa pensée est très «partipriste». Pour *Parti pris*, l'indépendance était un préalable à la construction d'une société socialiste au Québec, ce qu'il avait appelé le socialisme décolonisateur. Ces deux mots traduisent les deux dimensions de la lutte de libération nationale et le lien qui unit l'indépendance et le socialisme.

À sa manière, Paul Piché demeure un exemple intéressant devant cette politisation et cette vigilance à sauvegarder. Ni membre de l'extrême gauche ni péquiste, sa vision du monde (il est indépendantiste et marxiste) est essentiellement politique, fondée sur la lutte des classes. Son engagement politique donne tout son poids à ses chansons. S'il a choisi sa révolte, c'est qu'il n'a pas choisi, comme il dit, son enfance, ni la pauvreté de ses parents ni la délinquance («J'ai volé...»). Serge Viau a bien résumé l'origine de son engagement social:

> «La prise de conscience sociopolitique a fini par canaliser graduellement sa révolte: le nationalisme, le problème indien, l'anthropologie, le féminisme, la lutte des classes, le marxisme furent autant de jalons parallèles ou simultanés de la maturation du jeune bum en un chansonnier politisé[25].»

La chanson doit faire corps avec l'action sociale et politique puisque en faisant tomber les préjugés, elle préside aux grandes transformations culturelles. Tel a été, malgré tout, le rôle d'un Robert Charlebois. Comme le disait Georges Moustaki, les artistes sont payés pour faire fructifier et triompher

25. Serge Viau. Perspectives, *La Presse*, vol. 21, n° 5, p. 13.

l'imagination, cette faculté d'inventer une vie nouvelle. Pour Moustaki, l'art est subversif en soi. Le «chanter pour plaire» ne remplace jamais entièrement le «chanter pour dire»; l'essentiel est de chanter là, comme l'explique Marie-Claire Séguin:

> «Je ne veux pas changer le monde. Les *businessmen* qui coupent les arbres pour eux autres, c'est correct. Y va toujours y en avoir des hommes comme ça, des hommes pour qui c'est correct de faire ça parce que leur niveau de conscience est là. Quand tu veux être intransigeant vis-à-vis de toi-même, quand tu veux être droit, quand tu veux dormir comme il faut, tu peux plus prendre cette affaire-là. C'est juste la conscience qui peut faire que t'ailles droit, avec le respect de toute, que t'élimines les violences que tu te fais à toi-même. C'est juste ça. Le monde à refaire, je n'y tiens pas. Si la Terre a à péter, j'aimerais même ça qu'elle pète[26].»

La chanson militante, de Raymond Lévesque à Paul Piché, sert d'instrument de médiation en suscitant une conscience de classe, et ce n'est pas à tort que l'on relie le renouveau folklorique au développement des luttes. À condition, bien sûr, que cette renaissance de la musique traditionnelle reste une forme vivante d'expression populaire, plutôt que la reconnaissance d'une culture officielle. Mais alors qui, du chansonnier ou de l'auditeur, doit assumer cette contradiction?

Pourquoi chanter?

Il faut bien parler d'une certaine forme politique dans la chanson populaire. Le genre, par exemple, n'a pas échappé à la chanson française: *Actualités* (Stéphane Golman), *Quand un soldat* (Francis Lemarque), *Barbara* (Jacques Prévert), etc. Au Québec, Raymond Lévesque, Jacques Blanchet, Claude Gauthier ont prolongé cette tradition. De plus, le style des

26. Marie-Claire Séguin. *Mainmise*, mai 1976, p. 13.

premiers chansonniers québécois n'a pu exister et survivre que grâce à l'appui populaire.

À partir du moment où on fait de la chanson à texte, c'est-à-dire de la chanson d'auteur, on fait une chanson engagée.

Le «j'en ai assez de vos mesures à l'anglaise» est-il plus engagé après qu'avant les événements d'Octobre 1970? Même à l'origine, *Le grand six pieds* n'était-elle qu'une chanson de dérision?

Sans doute faut-il se garder de confondre guitare et engagement, message et action politique. Mais, précisera Pierre Vallières, l'abstention est plus illusoire que l'engagement lui-même. Refuser l'engagement, c'est refuser la condition humaine. Et l'omission elle-même, ajoutera-t-il, est un acte qui engage tout l'être de celui qui choisit. «Celui qui ne fait pas de politique fait passivement celle du pouvoir établi[27].» Le véritable combat englobe l'activité de l'artiste et l'engagement politique. Une chanson engagée est, par ses racines, essentiellement sociale, donc culturelle. La chanson québécoise, en tant qu'expression culturelle, est un pont politique de premier plan pour nos créateurs.

Dans les faits, et plus particulièrement de 1960 à 1980, la chanson québécoise a canalisé un courant d'opinion et atteint un public qui a servi de réceptacle populaire au discours nationalitaire.

Le chansonnier québécois, peu importe son époque, n'engage d'abord que lui-même. Il n'enseigne pas le catéchisme ni n'impose son message. «Je chante la liberté qu'on porte en soi, avait dit Georges Dor, et qui n'est pas nécessairement la liberté politique[28].» Le cri de justice et de liberté, s'il provient d'une exigence d'ordre, débouche sur la nécessité de la générosité pour se réaliser en tant qu'homme. «Un artiste engagé commande-t-il un art engagé?» demanda Marc Gagné à Gilles Vigneault.

---

27. Pierre Vallières. *Liberté en friche*, Montréal, Québec-Amérique, 1979, p. 53.

28. Georges Dor. *Le Devoir*, 17 avril 1969, p. 14.

> «Tous les poètes sont engagés: ils doivent être des révolutionnaires. Non pas en maniant des bombes, mais par leur désir de changer le monde, de l'améliorer. Je chante le Québec avec ses données sociologiques, démographiques et géographiques. Je considère cependant que mes chansons d'amour m'engagent davantage que tout le reste[29].»

Jamais au Québec, de 1960 à 1980, n'a-t-on chanté son pays avec tant de conviction. La chanson québécoise affirme le droit au changement, et les préoccupations qu'elle exprime ne sont pas sans rapports politiques, économiques et sociaux. La chanson, comme manifestation artistique, n'est pas principalement l'œuvre d'un seul individu, mais bien celle d'un groupe. Et Georges Dor d'ajouter:

> «Si je chante, c'est pour m'exprimer. M'exprimer en entier, ça comprend aussi ce que je pense sur la politique et la société[30].»

La chanson qui dénonce un système d'exploitation, quel qu'il soit, exprime une soif de justice que peut ressentir n'importe quel individu. Toute forme de liberté sociale procède de la liberté personnelle. Voici encore Georges Dor:

> «Je suis d'abord pour la liberté du Québec avant d'être pour le Québec libre. Pas besoin de faire des sermons. J'essaie d'éveiller l'homme à sa liberté. Après, il saura quoi faire. Je demeure très social si vous voulez, je me sens engagé dans tout ce qui se passe et se fait ici[31].»

C'est là un engagement plus social que politique.

Pourquoi chanter quand il y a tant à faire?
Pourquoi chanter alors que le temps presse?
Pourquoi rêver et chanter des caresses

29. Marc Gagné. *Propos de Gilles Vigneault*, Montréal, Nouvelles Éditions de l'Arc, 1974, p. 95.

30. Georges Dor. *La Presse*, 19 juin 1969, p. 11.

31. *Ibid.*, p. 11.

Quand certains soirs on voit la fin du monde
Au fond des yeux

Pourquoi chanter?
(Luc Granger/Louise Forestier) (1973)

Le débat sur l'engagement du chanteur, sur l'efficacité de la chanson engagée, ne cesse d'être ponctuel et varié[32]. Certes, se définir, définir ses positions, est toujours trompeur et relatif. Et la popularité d'un artiste ne rend pas plus efficace la dénonciation, car celle-ci doit se poursuivre sur tous les plans. Des vers, des lignes, des refrains, une prose, une musique ne doivent pas cacher l'engagement personnel de l'individu-artiste. Il n'y a pas de véritable engagement sans ordre moral. Il n'y a rien à espérer d'un James Brown qui se rend au Viêt-nam pour cautionner la politique étrangère des États-Unis pas plus qu'il n'y a à espérer d'un Robert Charlebois qui accepte de chanter devant le président Ronald Reagan sachant que ce dernier accentue l'aide économique et militaire américaine à la junte chilienne. Charlebois allait ainsi à l'encontre du mouvement de solidarité internationale. Comme l'avait dit Jean Cocteau sous l'occupation: «Vive la paix honteuse[33]!» Aucun chanteur engagé et responsable ne peut continuer à ignorer la situation au Salvador sans porter le poids d'une inconséquence, voire d'une irresponsabilité totale.

On peut toujours comprendre qu'un Claude Léveillée, sous la Loi des mesures de guerre, refuse de chanter *Les patriotes*: «Je ne la chante plus. Pas avec une mitraillette dans le dos[34].» En dehors de leurs chansons, donc de leur fiction, le silence des chansonniers a rejoint celui des intellectuels québécois après la Loi sur les mesures de guerre. Même un Raymond Lévesque n'a pas échappé à ce silence:

32. Sans nier la crise sociale ou politique, la chanson moderne accuse les valeurs fondamentales de la civilisation occidentale. Depuis les années 1980, la lutte réside davantage dans l'espace des valeurs privées et intimes.

33. Cité par André Halimi, dans *Chantons sous l'occupation*, Paris, Marabout, 1976, p. 28.

34. Claude Léveillée. *La Presse*, 22 octobre 1970, p. F-2.

«Il y a trois mois, je chantais chez Clairette. Tout à coup, quelqu'un m'a demandé dans la salle *Bozo-les-culottes*. C'était peu de temps après la mort de Pierre Laporte. J'ai dit: 'Je ne veux pas la chanter, après ce qui vient de se produire, je pense que c'est mieux, n'est-ce pas?' Et tout à coup, je me suis rendu compte que ce n'était pas ça, la vraie raison pour laquelle je ne voulais pas chanter cette chanson. C'était la peur[35].»

«En matière de chanson, écrit Georges Coulonges dans *La Chanson en son temps*, l'engagement n'existe pas ou, plus exactement pour ce qu'il est l'expression la plus spontanée d'une conscience ou d'une sensibilité, il a toujours existé[36].» Au Québec, la chanson reste un important moyen de servir ses convictions personnelles et sociales, ainsi que le déclare Paul Piché:

«Il est donc évident que pour moi, la chanson n'a aucune raison d'être si elle n'est pas engagée. Chanter pour chanter, ça ne me dit rien; faire de la musique pour le simple plaisir de faire de la musique, ça ne m'intéresse pas non plus. Pas plus, bien sûr, que de devenir une vedette[37].»

L'engagement de l'artiste est souvent dévalorisé par des silences prolongés ou des paroles soudaines. Ainsi, Robert Charlebois, dans une même entrevue affirme que parler français en Amérique est un luxe, que faute d'indépendance, nous allons «devenir de plus en plus comme la Louisiane, que le bilinguisme fera de nous des êtres supérieurs aux Canadiens anglais»; ne reste que l'éloge à Pierre Elliott Trudeau, alors premier ministre du Canada, et ce avec la complicité de son ami Fidel: «Au Canada, on a le premier ministre le plus révolutionnaire et le plus courageux de la planète, selon Fidel Castro, qui n'a jamais rencontré une personnalité comme ça de sa vie. Et tant que Trudeau sera au pouvoir, je continuerai à croire au Canada.» [...] «Oui... c'est peut-être Trudeau qui

35. Raymond Lévesque. *La Presse*, 28 janvier 1971, p. F-7.

36. Georges Coulonges. *La Chanson en son temps*, Paris, Les Éditeurs français réunis, 1969, p. 186.

37. Paul Piché. *La Presse*, 3 juin 1978, p. D-7.

a envoyé les soldats à Montréal[38]...» Absurdité ou naïveté politique? Que se passe-t-il pour que l'artiste engagé devienne si gratuit?

Il arrive souvent que des chansonniers manifestent des préoccupations, voire prennent des positions de principe, sans pour autant qu'on puisse les rattacher à des combats politiques précis. La vigilance devrait être le trait majeur du chanteur engagé. Comme le dit Félix Leclerc, le poète qui dérange remplit bien son rôle. Dès qu'apparaît le souci de dire quelque chose, l'on peut, en matière de chanson, retenir deux façons d'être engagé:

1) Le chanteur est politiquement engagé dans la mesure où il exprime des opinions ou des idées qui semblent sous-tendues par des prises de positions politiques. C'est le cas, par exemple, de Paul Piché;

2) Le chanteur est aussi engagé philosophiquement lorsqu'il chante un idéal humain, une mystique ou une morale; en fait, son engagement est moral. C'est particulièrement le cas de Georges Dor avec *Un homme en liberté* par exemple.

La notion d'engagement varie: elle se promène entre l'humain et le social, entre la conscience individuelle et la cause collective. Dès l'instant où un chanteur ne considère pas la chanson comme un divertissement, mais comme une responsabilité mise au service d'une éthique humaine, la notion d'engagement se détache du répertoire trop exclusivement politisé pour embrasser cette notion plus large de l'engagement social. L'engagement dérangera ou ne sera pas. Dans ce contexte, tout message vient d'une confrontation, toute signification, d'une opposition.

Il y a là une dimension philosophique de la notion d'engagement[39] qui suppose que l'homme soit toujours responsable de ses actes. L'acte d'écrire, puis de chanter, en tant qu'acte parmi d'autres, suppose donc l'engagement.

38. Robert Charlebois. *Le Jour*, 22 juin 1976, p. 15.

39. Cette notion d'engagement est issue des théories existentialistes de Jean-Paul Sartre.

La chanson ne s'asservit à aucun dogme, mais en même temps, elle n'esquive d'aucune manière l'acte qu'elle constitue. Dans une perspective sartrienne, la chanson, comme le poème, comme le texte, est un faire, donc un acte. En ce sens, nous pouvons dire que la chanson est un acte d'homme ou de femme qui «se situe en situant». Ici, la puissance du poète ou du chansonnier vient de sa parole seule.

> «Cela prouve que les gens ne se rendent pas bien compte encore de ce qui se passe. Une chanson comme *Les gens de mon pays* est beaucoup plus engagée non pas à cause du mot 'liberté' de la fin, mais à cause de tout ce qui s'y dit et de tout ce qui s'y raconte. Le seul fait d'évoquer la réalité, c'est de l'engagement. Le mot 'pays' tout seul est un engagement, ici, puisqu'on ne le possède pas encore ce pays, on se le fait voler tous les jours! Il faut voir les tonnes de fer qui partent d'Havre-Saint-Pierre à Cleveland pour s'en rendre compte[40]...»

La chanson engagée doit inviter à une réflexion collective à des moments précis de notre histoire. Ce moment peut impliquer souvent un choix social, c'est ce que nous expliquent les Séguin:

> «Prends la pollution, par exemple, tout le monde est contre, mais personne ne fait le lien entre les déchets qu'on met devant la porte les lundis et jeudis, et la même pollution qu'on dénonce à grands cris. [...] Quand on est pas capables de faire la relation entre des choses aussi simples, c'est que le système a détruit notre capacité de réflexion[41].»

Pour l'artiste ou le chanteur, la nécessité de dire doit être une nécessité intérieure.

L'engagement passe aussi par la fonction non moins importante de la représentativité: le chansonnier sert de porte-voix, non plus pour dénoncer, mais pour prêter sa voix à ceux qui ne l'élèvent jamais parce qu'ils n'en ont ni l'habitude ni le langage. Pour le chansonnier, comme pour l'intellectuel, il s'agit de parler à la place du public silencieux:

---

40. Gilles Vigneault. *Passer l'hiver*, Paris, Le Centurion, 1978, p. 127.

41. Les Séguin. *Nous*, février 1974, p. 46.

> «Admirable densité. La vérité de l'Occident s'énonce aux antipodes. Ce n'est pas le niveau d'instruction qui fait l'intellectuel, mais le projet 'd'influencer les gens'. Ce projet moral est d'essence politique: il vise à la direction des autres, c'est-à-dire à corriger les directions déjà prises par ailleurs[42].»

Aussi le chansonnier au Québec est-il un homme qui renvoie à la conscience collective sa part personnelle de préoccupations. Nous pouvons même dire que toute chanson est engagée dans la mesure où elle dépend de son auteur. Une chanson commerciale est rarement engagée et ne le sera probablement jamais. La chanson, devenue expression d'une conscience individuelle, d'une pensée personnelle, s'incarne par le biais de l'auteur-compositeur qui lui-même évolue dans un cadre social déterminé. La chanson ne peut naître par automatisme.

> «À ceux qui prétendent que l'artiste n'a pas le droit d'utiliser l'attention que son public lui prête pour répandre des idées et soulever des problèmes, Jacques Michel répond que le succès d'une chanson engagée n'existe qu'en fonction du public qui y adhère, et qui trouve dans cette chanson l'expression de sentiments qu'il éprouvait déjà[43].»

Voilà pourquoi la chanson engagée présuppose une conscience établie, sinon en voie de l'être. C'est donc par rapport à une culture donnée que nous réagissons et que nos réactions ne peuvent être politiquement inattaquables.

Dans une chanson, habituellement, le message politique va à l'encontre du succès commercial. L'intuition du chansonnier sur son influence auprès d'un public repose sur cette conviction que les changements de mentalité appellent des changements de structure. Georges Moustaki croit même qu'on peut, en chantant, mettre en péril bien des démocraties branlantes: «Une société est minée à partir du moment

42. Régis Debray. *Le Scribe*, Paris, Grasset, 1980, p. 147.

43. Jacques Michel. *La Presse* (Spec), 28 mai 1970, p. 4.

où le doute s'installe dans les esprits, et les fausses notes dans la partition[44].»

Éléments de conclusion

La première valeur politique des chansons québécoises, c'est leur puissance de communication sociale. Rudel Tessier, commentant *Poèmes et chansons de la résistance II*, avait déjà noté ce point:

> «Au Gésu, la plupart des chansons disent les choses plus clairement que *Le temps des cerises*, non seulement quand elles ont été écrites pour la circonstance, mais aussi quand elles ont été écrites bien avant les événements d'Octobre. Le fait est qu'on pourrait composer un programme de chansons et de poèmes révolutionnaires (pour ne pas dire québécois) en puisant simplement dans des œuvres écrites il y a des années. Car il y a longtemps que nos poètes et auteurs de chansons ont assumé, en très grand nombre, une forme de québécitude qui est un engagement politique[45].»

Mais voilà! depuis qu'au Québec, le bruit a couru que le cardinal Léger avait déclaré, en parlant de Robert Charlebois: «Ce n'est pas un poète, c'est un prophète[46]», nul ne peut saisir que c'est cette liberté de dire et de chanter qui a tout changé, y compris la notion même de chanson engagée.

Lorsque le chanteur ou l'artiste s'interroge sur l'opportunité de parler ou de se taire, est-il véritablement engagé?

Être engagé, est-ce donner un sens collectif à sa révolte personnelle? Paul Chamberland a bien compris qu'être attentif conduit, socialement, à l'engagement:

---

44. Georges Moustaki. *Questions à la chanson*, Montréal, La Presse/Stock, 1973, p. 104.

45. Rudel Tessier. *La Presse*, 28 janvier 1971.

46. Cité par Lucien Rioux, dans *Robert Charlebois*, Paris, Seghers, 1973, p. 64.

> «Ouvrir infiniment l'espoir aux vivants, en engageant ce qu'il y a de meilleur en soi, est l'acte politique qui porte le plus à conséquence[47].»

Il n'est pas d'engagement qu'à gauche. Philippe Clay, dans *La quarantaine* ou dans *Mes universités*, est loin de défendre des positions de gauche. Mais ne pourrait-on pas dire qu'en défendant les hommes, l'homme en sort grandi, et l'humanité est plus riche?

Quand Jean Lapointe, sur le mode lyrique, prend la défense des petites gens ou des alcooliques anonymes, il est certes tout aussi engagé qu'un Gilles Vigneault chantant *Lettre de Ti-cul Lachance à son sous-ministre*.

Dire que la chanson est inutile ou inefficace, c'est croire qu'à elle seule, elle peut tout résoudre. L'artiste et l'intellectuel ont un pouvoir en commun, celui de la pénétration des sensibilités et des intelligences. On ne débouche pas sur des révolutions culturelles sans raison. Nombre de sociologues, dont Marcel Rioux, pensent que les entreprises de la conscience, en cette fin de siècle, sont les plus importantes. Culture et information, chanson et écriture, sont des armes de démystification, d'analyse et de prise de conscience.

Pour sauvegarder la possibilité d'un refus à quelque système politique que ce soit, la chanson engagée doit rester libre d'esprit et d'appartenance. Cela ne fait pas de doute. L'artiste doit être d'abord le critique du pouvoir et non son complice, car une répression culturelle n'est pas l'effet du hasard.

L'activité créatrice engendre le conflit parce qu'elle engendre le doute. L'acte créateur entraîne avec lui la notion de responsabilité. C'est pourquoi, perçu comme une infraction, il est la justification principale de tout changement. Illich, dans *Le Chômage créateur*, l'a bien démontré: «Ce seraient, au contraire, les valeurs d'usage créées et personnellement appréciées par les gens qui constitueraient le pivot de la société[48].» Les valeurs d'usage non marchandes fondent une culture viable à long terme. Or, la chanson s'inscrit dans

---

47. Paul Chamberland. *Possibles*, hiver 1980, vol. 4, nº 2, p. 28.

48. Ivan Illich. *Le Chômage créateur*, Paris, Éditions du Seuil, 1977, p. 29.

un système marchand. Sa tendance est double: elle constitue une valeur d'échange autant qu'une valeur d'usage. C'est cette trajectoire qu'a suivie la chanson québécoise, particulièrement à ses débuts puisqu'elle était, à sa façon, un engagement directement lié à la conscience, devenant, par le fait même, génératrice d'une autre visée. Du disque au spectacle, l'objet culturel que la chanson constitue fait route avec notre conscience qui nous fait naître à un autre monde. La chanson québécoise s'inscrit dans le mouvement réflexif de la culture qui, à son tour, réorganise l'existence des valeurs. Elle devient donc une façon spéciale et consciente de vivre ici[49]. Comme participante de la culture, plus précisément comme pivot de la conscience collective, de l'identité nationale et de l'engagement social, la chanson représente toujours un choix de valeurs. Certes, elle n'apporte jamais rien de définitif. La chanson est toujours une réponse pour le temps présent. Cela a toujours été. La chanson engagée oppose le mode lyrique à l'injustice. Séculaire parce que la conquête de la dignité humaine l'exige[50], le même combat se poursuit de siècle en siècle. Cette conquête est celle de l'humanité, urgence nationale ou pas. La critique de la contestation ou de la révolution est nécessaire afin que celles-ci évitent les pièges du pouvoir et la stagnation.

En formulant l'injustice, en articulant des revendications, la chanson s'est fait l'écho de la révolte et de l'indignation

49. Ces quelques idées reprennent le principal argument du dernier chapitre de mon second ouvrage *Et cette Amérique chante en québécois*, p. 244-258.

50. Ici, comment échapper à l'emprise de la rhétorique bourgeoise? Comment donner un contenu au concept de dignité humaine sans verser dans l'idéologie? En donnant au concept de «dignité humaine» un contenu universel et ahistorique comme l'ont fait les grands philosophes du Siècle des lumières? Évidemment toute définition qui s'écarte de la définition bourgeoise de la dignité humaine devient alors une définition idéologique; la définition bourgeoise de la dignité humaine étant la seule qui ne relève pas de l'idéologie puisqu'elle est la seule à relever de l'évidence universelle et ahistorique. C'est le propre d'une idéologie dominante que de relever de l'évidence. J'entends par dignité humaine, ce qui valorise, mais aussi ce qui me réalise, non pas seulement ce qui me fait survivre.

collectives. Fustiger ne suffit pas, toutefois. Ce que dit Fernand Ouellette de l'écrivain vaut pour le chansonnier:

> «Aucun écrivain ne peut consentir à piétiner, dans l'espoir, par exemple, d'un éveil de la conscience populaire. Il doit résister à l'immense torpeur qui s'appesantit sur les âmes. Il n'a d'autre issue que le mouvement. Il n'a d'autre aspiration que la plénitude de sa parole. Ainsi, parfois, a-t-il précédé la conscience populaire sans se demander si celle-ci se donnerait ou non un projet collectif. Dans le cas précis du Québec, il pouvait arriver que la conscience populaire s'enfouisse dans le sable de crainte d'envisager sa responsabilité historique et son destin (desquels certains s'évertuent à lui faire prendre conscience) et qu'elle refuse l'existence à cette catégorie d'hommes dits écrivains, en se refusant l'existence à elle-même[51].»

Bref, tel le poète, le chansonnier doit absolument éviter de témoigner de la mort, de la mort de sa propre parole.

---

51. Fernand Ouellette. *Écrire en notre temps*, Montréal, HMH, Coll. Constantes, nº 39, 1979, p. 24.

CONCLUSION

Entre le mal et le malaise

Ce qui est au pouvoir aujourd'hui, ce ne sont pas nos idées, mais nos débats.

JEAN DANIEL

La chanson québécoise a un passé suffisant pour avoir une histoire. Devenue une culture politique qui a servi de lieu public d'échange, son influence dépasse son propre domaine. La chanson nous a promus au rang d'être collectif. L'intérêt pour la chanson québécoise, c'est l'intérêt légitime qu'on porte à soi-même. De plus en plus réel, cet intérêt coordonne la finalité de notre chanson qui se détermine historiquement, culturellement, politiquement et géographiquement.

Depuis *Bozo-les-culottes* ou *Le grand six pieds*, s'opposent, dans la chanson québécoise, deux entités nationales: les Canadiens français et les Anglais, et ces deux entités recouvrent deux territoires. Tout l'effort de la chanson québécoise aura été de faire, puis de maintenir, la distinction. Le thème récurrent, le premier pourrait-on dire de notre chanson, c'est le rejet du colonialisme historique dont le corollaire, par opposition, est la reconnaissance du pays. Les chansonniers ont entendu le message de Menaud: ce que l'étranger a pris ne pourra être repris que par une action militante à l'intérieur.

L'enseignement des chansonniers nous convie à ne plus penser en termes de communauté ethnique, mais en termes d'État-nation, car le nationalisme ethnique est insuffisant puisqu'il force à développer une identité de minorité. La chanson québécoise, en s'affirmant telle, tient le discours de la majorité. C'est une attitude et aussi une dynamique culturelles. Comme le croit Gary Caldwell, chercheur à l'Institut québécois de recherche sur la culture, «La grande force de la frontière linguistique québécoise, c'est précisément le fait que l'Amérique ne parle pas le français[1].» La chanson québécoise maintient l'enracinement culturel.

Le sentiment national qui apparaît dans la chanson québécoise porte cette conscience d'une histoire de laquelle ne peut se détacher cette «solidaritude» et que nous pourrions appeler conscience nationale. Car, note Jean Proulx:

> «La nation est aussi une union de volonté, une solidarité voulue, une représentation collective de l'avenir et, pour tout dire, un vouloir vivre ensemble. La nation est plus que le 'donné' commun d'origine, de langue, de patrie et de tradition culturelle; c'est aussi une 'tâche', c'est-à-dire la prise de conscience d'un idéal commun à réaliser dans la continuité d'un destin historique collectivement assumé. Milieu organique de la communication familière et affective, la communauté nationale est inséparablement un idéal à poursuivre, un projet de société à réaliser[2].»

C'est en cela, précisément, que la culture ne peut se dépayser. Le concept de nation contenu dans la chanson québécoise relève autant de l'imaginaire que de la mémoire. Certes, la chanson québécoise parle de société, mais elle parle aussi de communauté, et pour reprendre l'expression de Jean Proulx, une «communauté de destin» qu'on nomme précisément «nationalité».

La nation, chez les chansonniers, c'est ce qui sourd en postulat. Quand Jean-Pierre Ferland crie à qui veut l'enten-

---

1. Gary Caldwell. *Le Devoir*, 12 mars 1982, p. 22.

2. Jean Proulx. *Critère*, printemps 1980, nº 28, p. 73.

dre qu'il ne veut plus être folklorique, c'est qu'il ne veut plus appartenir à une culture passéiste. Le concept de nation recoupe l'accession à la modernité.

Par ailleurs, on ne veut plus douter, maintenant, que la question nationale est devenue, au Québec, une question politique[3]. C'est exactement en ce sens que sa signification culturelle a d'abord échappé aux chansonniers. Leurs chansons ont fait exister publiquement une identité et une culture particulières. Ce sont eux également qui ont fait vivre une nation, nommément la nation québécoise. Notre chanson, renouant avec la chanson traditionnelle de contestation, a donné une dimension collective à la nationalité de chacun. En ce sens, il est juste de dire que la question de l'indépendance d'une nation est d'abord celle de l'indépendance et de l'originalité de la culture. Le nationalisme, indubitablement, c'est de la politique. Ainsi que le notent Susan Crean et Marcel Rioux:

> «Il n'est pas exagéré de dire qu'un pays qui devient une filiale économique d'un autre et son satellite, devient tôt ou tard son satellite culturel[4].»

Voilà comment — et le parallèle est naturel — les chansons québécoise, bretonne, occitane, sans oublier la chanson acadienne et combien d'autres, répondent à une nécessité qui, s'affranchissant de l'étendard patriotique, constitue une dynamique d'opposition au processus de nivellement des cultures. Encore une fois, le nationalisme québécois que nos chansons portent comme une espérance est subversif parce qu'il implique, par exemple, une critique de la domination américaine. Comme le résument Michèle Lalonde et Denis Monière:

---

3. La question nationale au Québec, devrais-je écrire, a toujours été une question politique. L'anti-étatisme des élites traditionnelles était l'expression politique d'une idéologie qui avait ses racines dans un rapport de forces politiques.

4. Susan Crean et Marcel Rioux. *Deux pays, un plaidoyer*, Éditions coopératives Albert-Saint-Martin, coll. Recherches et documents, 1980, p. 40.

«Ces peuples mènent un combat pour la reconnaissance de leurs droits collectifs, leur survie en tant que foyer d'une culture caractérisée, à nulle autre identique dans le monde. À ce titre, leur lutte dépasse le plan des disputes administratives internes et appelle d'emblée l'attention sur la scène internationale. Québécois, Acadiens, Inuits, Amérindiens, Écossais, Gallois, Irlandais du Royaume-Uni, Catalans, Galiciens, Basques, Wallons, Siciliens, Sardes, Bretons, Corses, Occitans, contestent ainsi fondamentalement les structures de pouvoir des États capitalistes[5].»

Les chansons composées à l'époque conduisent au même constat: le Québec est une colonie, les Québécois des colonisés. La lutte qu'a entreprise la chanson québécoise fut, pour elle-même autant que pour le peuple, une lutte de décolonisation et de libération collective. Boyd C. Shafer, dans *Le Nationalisme,* a le mérite de bien circonscrire la nécessité intrinsèque de l'acquisition d'une conscience nationale:

«Les hommes ne deviennent pas nationalistes pour des raisons biologiques; ils ne naissent pas nationalistes. Ils acquièrent la conscience nationale et deviennent des patriotes nationaux parce que les conditions politiques, économiques et sociales et la pensée de leur temps les rendent tels[6].»

Le changement idéologique, croit Denis Monière, est le changement de l'idéologie dominante. C'est ce que les chansonniers et les artistes en général ont réalisé. En révolutionnant l'imaginaire, la réalité ne tiendra pas longtemps (Hegel). Or, les chansonniers n'ont rien fait d'autre que de révolutionner l'imaginaire des Québécois. Ils ont changé la perception que nous avions de nous-mêmes.

Ainsi, *The Gazette,* le 26 mai 1980, parce qu'il y voit une nécessité, propose l'adoption d'un hymne national comme facteur de renforcement du sentiment national. Le débat autour du drapeau puis de l'hymne national n'est qu'un débat autour de la symbolique canadienne. Cette dernière n'arrive

---

5. Michèle Lalonde et Denis Monière. *Cause commune,* Montréal, L'Hexagone, 1981, p. 30-31.

6. Boyd C. Shafer. *Le Nationalisme,* Paris, Payot, 1964, p. 92.

pas à avoir la même assise que la symbolique québécoise qui constitue une force sérieuse de désintégration des symboles pancanadiens, à tout le moins au Québec. Certes, la culture n'est pas le contrat social. Mais ce qui fait que la chanson québécoise est efficace, c'est la réponse des gens. «Ce ne sont pas nos voix, déclare encore Gilles Vigneault, mais leurs mains qui ont tout changé.» Voilà comment, aussi, un contrat social peut être remis en cause, car, dans les revendications nationales, s'inscrivent aussi les revendications sociales. Tel est le combat politique d'une société plus juste qu'ont mené, à leur façon, Raymond Lévesque ou Paul Piché. «À ce titre, commente le chansonnier breton Glenmor, entre Pauline Julien et moi, il n'y a aucune différence[7].» Au Québec, cependant, les luttes de classes ne sont pas médiatisées par une culture millénaire. La précarité de l'État et des institutions sociales détermine les enjeux du pouvoir. Pour les chansonniers, et pour Paul Piché plus particulièrement, la question n'est pas de lutter en vue d'une prise du pouvoir ni de déterminer quel doit être le détenteur du pouvoir.

> «Dès lors, écrit Robert Boily, que les individus sont rejoints dans leur vie quotidienne et individuellement par les difficultés liées à des traits collectifs, le sentiment d'inégalité pousse à la colère. De la vague conscience nationale, on passe à une conscience historique et à la lutte. La conscience devient mouvement de lutte et projet d'un nouvel ordre politique[8].»

La revendication nationale est chronologiquement la première à se manifester. Que le monde aille vers l'unification ne change rien à cette donnée que rien ne permet de négliger comme facteur d'avancement collectif.

Depuis 1960, cette partie de l'Amérique chante en québécois. L'on peut donc prétendre que la technique et la modernité, dont la langue d'écoute, l'anglais, serait le soutien, aient

---

7. Glenmor, chef de file des bardes bretons, *La Presse* (Perspectives), 6 décembre 1975, p. 22.

8. Robert Boily. *Québec: un pays incertain* (collectif), Montréal, Québec-Amérique, 1980), p. 44.

tué le nationalisme auquel s'étaient identifiés les premiers chansonniers. Et si l'on veut parler précisément des groupes québécois, ce qui est clair, dans leurs chansons, c'est que la question politique n'est pas étouffée. Leurs thèmes qui abordent la parole des femmes, l'écologie et la conscience cosmique illustrent davantage l'existence d'un nouvel ordre politique. Était absente, non pas la politique, mais une vision étroite de celle-ci: le nationalisme minoritaire de supplication.

Le fait nationalitaire n'échappe donc pas au procès des valeurs traditionnelles en reconsidérant la version des peuples fondateurs liée à une même ambition impérialiste: le colonialisme français et le colonialisme britannique en Amérique. La question de Patrick Straram est justifiée:

> «L'avenir historicopolitique du Québec est-il concevable, s'il procède de la même hypocrisie blanche, celle-là même qui est à l'origine de la colonisation et de l'exploitation du Québec[9]?»

Ainsi la déclaration de principe du MEOUI concernant les droits des Amérindiens modifie l'orientation du débat nationaliste traditionnel. «Maîtres chez nous» ne peut se comprendre si l'on ne se pose pas aussi les questions: maîtres de quoi? maîtres de qui? Le mythe canadien des deux peuples fondateurs évacue le droit à l'histoire des autochtones: amérindiens et inuits. Dès lors, la jeunesse doit reconsidérer le fait nationalitaire en élargissant la notion de québécois.

C'est là que se situe la pensée politique des jeunes: tous les hommes ont droit à la reconnaissance et à la sécurité de leur culture. Ainsi, pour la nation indienne, la survie c'est: la «tentative désespérée de garder un peu de terre, un peu de soi-même». Les Blancs tentent d'anéantir toute identité culturelle. Qui divise règne. Qui déracine domine. Le problème des minorités est l'aiguillon du mouvement nationalitaire.

Quant à la chanson québécoise, elle a instauré une identité et a participé à son renforcement. Certes, ce besoin d'identité peut paraître un besoin archaïque. Mais, à la question:

9. Patrick Straram, *Musiques Kébek*, Montréal, Éditions du Jour, 1971, p. 247.

«Qui suis-je?» n'ai-je pas l'obligation d'ajouter cette autre question: «Où suis-je et comment suis-je?» C'est l'époque d'un nationalisme innocent. En effet, les années 1960 correspondent à l'émergence et au développement du sentiment national. De 1970 à 1976, les événements d'Octobre et leurs retombées se serviront du nationalisme comme résistance. La chanson sera une chanson d'opposition. De 1976 à 1980, la présence du Parti québécois au pouvoir fera passer de l'opposition au gouvernement ce qu'on a déjà appelé le parti culturel. C'est l'époque du nationalisme triomphant. Les chansons le disent: le Québec ne peut être traité autrement que comme un pays. L'après-Référendum marquera l'époque de l'échec, de la désillusion et de l'amertume. Ce n'est pas tant de perdre qui fait mal, c'est de perdre encore et toujours. Le danger est grand de tout évacuer. Après tout, nous ne venons pas de naître. Il est vrai que la question nationale a perdu son caractère d'urgence et que le silence de la chanson peut très bien représenter une fatigue culturelle.

> «On peut suivre l'histoire de la chanson et constater que, en général, la chanson précède légèrement les grands mouvements politiques du pays. Elle est une sorte de sismographe de la réalité québécoise. On peut observer que, juste avant le Référendum de 1980, il y a eu comme un silence de la chanson québécoise, suivi du résultat que l'on sait. [...] À partir de 1978, il n'y a plus d'artistes ou même de groupes marquants qui dominent la réalité de la chanson d'ici. Il y a une sorte d'éclipse de notre chanson, depuis 1979, qui correspond tout à fait à la parenthèse politique que l'on connaît[10].»

Après mai 1980, la fierté québécoise ne peut plus soutenir la chanson. Celle-ci ne peut plus se conjuguer sur un mode collectif. Le nationalisme recyclé des anciens espoirs témoigne d'un vide culturel qui, dans l'industrie du disque, correspond à une impuissance qu'on associe à la crise de la chanson québécoise.

Une analyse des infrastructures de l'industrie du disque nous révèle sa faiblesse structurelle. Il y a de moins en moins

10. Sylvain Lelièvre. *Québec français*, mai 1982, n ° 46, p. 43.

de producteurs de disques à Montréal et on fait de plus en plus appel à l'État. Guy Latraverse, qui a déjà goûté aux largesses gouvernementales, pense qu'il faut être compétitif avec les Américains. Pour lui, le seul moyen d'y parvenir, c'est avec l'aide financière du Gouvernement.

Pour Francœur, le débat est là:

> «Si pour accoter Michael Jackson, qui est de l'entreprise privée, il faut fermer deux hôpitaux pour faire le Stade olympique[11], on fausse le rapport réel de l'artiste à sa popularité réelle... On est alors dans la fiction. Et la chanson québécoise ne peut pas être entretenue dans une fiction qui annulerait les infrastructures possibles[12].»

Vouloir l'aide du Gouvernement c'est, pour Francœur, piéger et fausser le débat. Cela nous conduit à ce constat: les artisans québécois de la chanson n'ont pas vraiment le contrôle sur leur mode de production qu'est l'industrie de la chanson. Les multinationales ont la mainmise sur cet art populaire dont les médias (radio, télévision) et les messages publicitaires assurent le morcellement, masquant par le fait même sa cohérence et sa dynamique créatrice. Victor-Lévy Beaulieu, à cet effet, décrit le dernier gala de l'Adisq (novembre 1984): «Un pays dans le chromo de sa chanson si satisfait de lui[13]...» Entre une idéologie monoculturelle (celle du gouvernement péquiste) et le nivellement culturel (l'industrie privée), la chanson québécoise est jugée sévèrement:

> «Si la musique est prophétique, elle augure mal pour le Québec. Car la musique au Québec, ces jours-ci, est au point mort, complice servile d'un coma culturel qu'elle entretient et contre

11. Le spectacle de Diane Dufresne au Stade olympique, dont les coûts de production furent estimés à 1 000 000 $. À lui seul, le Commissariat général aux célébrations du 450e anniversaire de l'arrivée de Jacques Cartier a versé 400 000 $ pour que son spectacle soit accessible au plus grand nombre.

12. Propos tenus à l'émission de Chantal Joli, «*L'oreille musclée*», le 21 novembre 1984, Radio-Canada, AM.

13. V.-L. Beaulieu. *Le Devoir*, 3 novembre 1984, p. 26.

lequel elle n'a même plus la force ni le courage de se révolter. Complètement assimilée par le moule américain et son idéologie industrielle, elle se veut aujourd'hui propre, professionnelle, impersonnelle, *slick* et chromée à la Diane Tell, *Musak* pour une société de centre d'achats qui sommeille[14].»

On le constate à regret, la chanson ne se comporte pas autrement que la société dans laquelle elle évolue. Si la chanson a renouvelé la conscience québécoise après avoir été longtemps une valeur-refuge, ne revient-elle pas aujourd'hui à ses vieilles habitudes? Lysiane Gagnon, dès 1966, avait déjà noté cette ambiguïté: «La chanson québécoise est sans doute l'un des plus parfaits exemples des limites que pose à l'expression artistique le système colonial[15].»

Tout en notant avec Stéphane Venne que «la chanson québécoise, ça a été notre moyen de pénétration des cultures étrangères», notre chanson est traversée, depuis, par une sorte de transculturalité musicale. Robert Charlebois fut le premier à se situer dans une position transculturelle et cela ne pouvait pas être sans effet sur une idéologie monoculturelle colportée par un nationalisme étroit et mal compris. Au Québec, la contre-culture est d'abord passée par une conscience nord-américaine: tout y part, tout y revient. Devenue nationale, la chanson québécoise peut se permettre une plus grande polyvalence. Trop inutilement, la culture dominante (parfois folklorisante) a longtemps résisté à cette fermentation transculturelle. Notre chanson ne peut plus constituer un bloc culturel homogène. Il y a une habitude de la chanson d'ici qui ne peut plus être niée, celle de faire circuler des idées: «Tout devrait partir d'un désir de dire quelque chose», affirme Michel Rivard[16].

Ce que regrettera Lucien Francœur, c'est l'existence d'un préjugé défavorable envers la musique québécoise. S'il appartient à la chanson américaine d'avoir conquis le monde, il

14. Nathalie Petrowski. *Le Devoir*, 20 avril 1982, p. 17.

15. Lysiane Gagnon. «Pour la chanson», *Liberté*, n o 46, vol. 8, 1966, p. 37.

16. Michel Rivard. *La Presse*, 14 avril 1984, p. D-1.

reste à la chanson québécoise de s'y mesurer. Ainsi, les Québécois sont de bons consommateurs de *rock*, mais le cheminement d'une idée, celle d'un *rock* québécois, n'a pas été reçu. «Jamais personne n'a pensé, vécu, nourri un *rock* québécois» explique Francœur. Au Québec, Cabrel, Renaud, Higelin, Couture sont plus populaires que Marjo, Gerry ou Francœur.

Chez nous, à travers les chansons, on peut retracer les marques d'une conscience nationale inquiète des facilités d'assimilation qu'un environnement linguistique et géographique accentue. Ces inquiétudes faussent le rapport de l'artiste à la création. L'influence extérieure ne fera pas disparaître ce que nous sommes.

> «Les seuls moments où j'ai parlé de nationalisme, de pays ou du Québec dans mes chansons c'était pour dire qu'on se regardait le nombril à bout portant. Il n'y a donc pas de danger d'avoir des influences extérieures, surtout si on est fort soi-même, et il faut travailler avec ces influences, y réagir et s'en nourrir, c'est comme ça que culturellement on va s'enrichir, qu'on va grandir et que nous pourrons offrir de la compétition aux autres tout en offrant un choix qui a de l'allure aux gens d'ici[17].»

Telle qu'elle existe, cependant, la chanson des années 1980 ne suscite guère de volonté de lutte populaire. La chanson devrait davantage souscrire au développement des solidarités internationales. Que notre chanson ait été un définiteur de la nation, nul ne le contestera. Ce qu'il ne faut pas oublier, c'est que le triomphe du nationalisme est entouré, à gauche, des mesures de guerre d'Octobre 1970 et, à droite, de l'échec référendaire de mai 1980. La revendication culturelle et politique de la chanson s'est-elle pour autant vidée de son sens?

> «Je suis préoccupé par la planète et je me demande comment tu peux chanter l'amour de l'humanité quand tu ne peux pas aimer une seule personne. Au niveau de l'engagement politique, je me sens impuissant et je ne vois aucun changement possible par les voies actuelles. [...] Quand l'indépendance se

17. Paul Piché. *La Presse*, Plus, 6 octobre 1984, p. 14.

discutera à un autre niveau que celui de l'affectivité, je serai peut-être actif[18]...»

Classer les chansonniers ailleurs qu'à gauche ou à droite, c'est peut-être s'abstenir de dire que dans les deux cas, le chansonnier peut chanter ce qu'il pense du pouvoir comme du reste. Quand ils signent une chanson, Lévesque, Piché, Julien ou Marjo ne se substituent pas au politique. Le penser, c'est une vue de l'esprit. Les chansonniers dénoncent, avertissent. La chanson doit dépasser la résistance culturelle pour échapper à cette logique de l'ambivalence qui nourrit, depuis l'échec de la rébellion, ce que Denis Monière appelle notre «équivoque nationale[19]».

Militants essoufflés
Militaires essoufflants
Pitoyables partenaires

Slogans monocordes
D'un peuple sans profil
Sans résonance ni concert

Encore les mêmes histoires
(Jim Corcoran) (1986)

La chanson s'est-elle trop adressée à la puissance imaginative? Si elle a permis une réelle prise de conscience collective, on peut difficilement comprendre pourquoi elle n'a pas permis le changement dont elle a tant parlé. L'échec référendaire de mai 1980 met fin au rêve politique manifesté par la chanson québécoise. Ce fut l'une des conséquences de notre

18. Michel Rivard. *La Presse*, 14 avril 1984, p. D-8.

19. Cette équivoque est toujours maintenue: la chance au coureur qu'a accordée René Lévesque au nouveau premier ministre Brian Mulroney est tout ce qu'il y a de plus illusoire. La mise au rancart de l'option souverainiste a créé un schisme au sein du Parti québécois. Pour Vigneault, cependant, «ce mouvement qui secoue le PQ, c'est nettement mieux que la stagnation qui prévalait depuis longtemps». (*Le Devoir*, 24 novembre 1984, p. 32.)

mémoire amnésique. À montrer Pauline Julien moins politique qu'elle ne le fut réellement, cela participe du discours défaitiste qui a suivi cet échec collectif. Cette thèse[20] n'échappe pas au champ idéologique des années 1980. Pauline Julien elle-même n'appelle plus la résistance: «Je ne sais pas si ça vaut la peine de faire une entrevue avec le vide[21].» La chanson québécoise existe mais, comme le pays, elle est surtout absente.

> Je suis juste un chanteur à deux pattes
> Qui jappe ses belles chansons
> Pour une race en voie d'extinction
>
> *If I Was a Cat*
> (Ève Déziel/Jacques Michel)
> (1982)

La chanson québécoise a imaginé une modernité en français et elle paie douloureusement le prix de son audace. Pour l'instant, la chanson québécoise moderne n'est pas, *a priori*, un élément convergent d'une culture nationale constitutive de notre identité. Sa survie est liée à la problématique de la modernité. Celle-ci n'est pas devenue un phare pour l'expression de notre identité collective. Les bases de renouvellement de la chanson québécoise sont la langue et l'Amérique. Cela n'a rien à voir avec la surprenante déclaration d'Yves Montand: «La survie du Québec passe par la langue anglaise[22].» Rester résolument moderne tout en préservant notre mémoire, ce n'est pas une absurdité, encore moins un aveu d'impuissance; c'est seulement assumer notre version du monde.

> Je veux entendre le Québec chanter
> Au nom de notre différence
> Une langue en état d'urgence

20. Thèse élaborée au Département d'études françaises de l'Université de Montréal. L'auteur a toutefois abandonné.

21. *Châtelaine*, novembre 1985, p. 53.

22. Yves Montand. *Le Devoir*, 4 octobre 1986, p. A-10.

Un Québec sans chansons
C'est un Québec sans nom

Je veux entendre le Québec chanter
Je voudrais qu'il chante à la mesure
De nos joies et de nos blessures

Je veux entendre
le Québec chanter
(Manuel Brault) (1987)

Depuis les années 1960 plus particulièrement, le comportement de notre chanson, s'il a confirmé la nature de notre être collectif basé sur la reconquête de soi, n'en perçoit pas moins les diverses façons de ressentir cette réalité. De Félix Leclerc à Joe Bocan, de Pauline Julien à Gaston Mandeville, traiter de l'expérience de notre chanson en territoire québécois, c'est, ultimement, traiter de la spécificité identitaire du Québec. De la question du joual aux groupes qui chantent en anglais, le questionnement idéologique, s'il passe par des voies autres, reste le même.

C'est une langue de France
Aux accents d'Amérique
(...)
Il faut la faire aimer
À ces gens de chez nous
Qui se croient menacés
De nous savoir debout
(...)
Il faut la faire aimer
À des gens de partout
Venus trouver chez nous
Un goût de liberté

Le cœur de ma vie
(Michel Rivard) (1989)

Que la culture soit notre unique force d'expression nationale ou pas, ainsi que le chantaient les Séguin: «Nous n'en finirons jamais de naître.»

Bibliographie sélective

MUSIQUE ET CHANSON

Alessandrini, Marjorie. *Le Rock au féminin,* Paris, Albin Michel/ *Rock-Folk,* 1980.

Amtmann, Willy. *La Musique au Québec, 1600-1875,* Montréal, Éditions de l'Homme, 1976.

Arsenault, Georges. *Complaintes acadiennes de l'Île-du-Prince-Édouard,* Montréal, Éditions Leméac, 1980, coll. Connaissance.

Attali, Jacques. *Bruits,* Paris, P.U.F., 1976.

Barbry, François-Régis. *Gilles Vigneault: Passer l'hiver,* Paris, Centurion, 1978.

Bernard, Monique. *Ceux de chez nous: auteurs-compositeurs,* Montréal, Éditions Agence de presse artistique enrg., 1969.

Bertin, Jacques. *Félix Leclerc: le roi heureux,* Paris, Arléa, 1987.

Calvet, Louis-Jean. *Chanson et Société,* Paris, Payot, 1981.

Calvet, Louis-Jean. *Pauline Julien,* Paris, Seghers, 1974.

Carrier, Maurice et Vachon, Monique. *Chansons politiques du Québec,* Montréal, Éditions Leméac, 1979. Deux tomes (1765-1833 et 1834-1858).

Collectif. *L'Illustration de la chanson folklorique,* Montréal, Musée des Beaux-Arts, 1980.

Collectif. *Les Aires de la chanson au Québec,* Montréal, Éditions Triptyque, 1984.

Coulonges, Georges. *La Chanson en son temps.* Paris, Éditeurs français réunis, 1969.

Daufouy, Philippe et Sarton, Jean-Pierre. *Pop music/Rock,* Paris, Éditions Champ libre, 1972.

Dillaz, Serge. *La Chanson française de contestation*, Paris, Seghers, 1973.

Dudan, Pierre. *Vive le show-biz! bordel!*, Paris, Éditions Alain Lefebvre, 1980, coll. Pamphlets.

Duguay, Raoul. *Musique du Kébek*, Montréal, Éditions du Jour, 1971.

Duguay, Raoul. *Le Poête à la voix d'ô*, Montréal, L'Aurore, 1979.

Luoar, raoul duguay, yaugud. *Manifeste de l'Infonie*, Montréal, Éditions du Jour, 1970.

Fraïssé, Marie-Hélène. *Protest Song*, Paris, Seghers, 1973.

Gagné, Marc. *Propos de Gilles Vigneault*, Montréal, Nouvelles Éditions de l'Arc, 1974.

Gagnon, Claude. *Robert Charlebois déchiffré*, Montréal, Leméac, 1974.

Gheude, Michel et Kalisz, Richard. *Il y a folklore et folklore*, Bruxelles, Éditions Vie ouvrière, 1977.

Guimond, Pierre. *La Chanson comme phénomène socioculturel*, Université de Montréal, thèse de maîtrise, 1968.

Halimi, André. *Chantons sous l'occupation*, Paris, Marabout, 1976.

Halimi, André. *Le Show-biz et la Politique*, Paris, Ramsay, 1987.

Hoffmann, Raoul et Leduc, Jean-Marie. *Rock Babies*, Paris, Nouvelles Éditions Actuelles, coll. Points, nº A18.

Laforte, Conrad. *La Chanson folklorique et les Écrivains du XIXe siècle*, Montréal, HMH Hurtubise, 1979, Cahiers du Québec.

Lapierre, Eugène. *Calixa Lavallée*, Montréal, Granger, 1936.

Leclerc, Monique. *Les Chansons de la Bolduc: manifestation de la culture à Montréal*, Montréal, thèse de maîtrise, Université McGill, 1974.

Lemay, Hugolin. *Vieux papiers, vieilles chansons*, Montréal, Imprimerie des franciscains, 1936.

Lévesque, Raymond. *D'ailleurs et d'ici*, Montréal, Éditions Leméac, 1986.

L'Herbier, Benoît. *La Chanson québécoise*, Montréal, Éditions de l'Homme, 1974.

Liberté. «Pour la chanson». Vol. 8, nº 4, 1966.

Millière, Guy. *Québec: chant des possibles*, Paris, Albin Michel, 1978, coll. *Rock/Folk*.

Morin, Victor. *La Chanson canadienne*, Toronto, The University of Toronto Press, 1928.

Moustaki, Georges. *Questions à la chanson*, Montréal, La Presse/Stock, 1973.

Normand, Jacques. *Les Nuits de Montréal*, Montréal, Éditions La Presse, 1974.

Normand, Pascal. *La Chanson québécoise: miroir d'un peuple*, Montréal, France/Amérique, 1981.

Pourquoi chanter? Bulletin de liaison de la nouvelle chanson. Deux premiers volumes 1977-1978.
Raisnier, Albert. *L'Aventure pop,* Paris, Robert Laffont/Éditions du Jour, 1973.
Rioux, Lucien. *Robert Charlebois,* Paris, Seghers, 1973.
Rioux, Lucien. *Gilles Vigneault,* Paris, Seghers, 1969.
Robidoux, Fernand. *Si ma chanson...,* Montréal, Éditions populaires, 1974.
Roy, Bruno. *Panorama de la chanson au Québec,* Montréal, Éditions Leméac, 1977.
Roy, Bruno. *Et cette Amérique chante en québécois,* Montréal, Éditions Leméac, 1979.
Séguin, Fernand. *Fernand Séguin rencontre Gilles Vigneault,* Montréal, Éditions Radio-Canada/Éditions de l'Homme, 1968.
Skoff Torque, Henri. *La Pop-music,* Paris, P.U.F., 1975, coll. Que sais-je?
Vassal, Jacques. *La Chanson bretonne,* Paris, Albin Michel, 1980, coll. *Rock/Folk.*
Vassal, Jacques. *Folksong,* Paris, Albin Michel, 1971.
Voyer, Pierre. *Le Rock et le Rôle,* Montréal, Éditions Leméac, 1981, coll. Documents.

RÉPERTOIRE

Ce répertoire présente le catalogue des chansons publiées sous forme de recueil. Il ne peut donc inclure toutes les chansons publiées sous quelque forme que ce soit.

Alix, Yves. *Chansons de lutte et de turlute,* Montréal, CSN-SMQ, 1982.
Beaubardet, Geneviève. *Diane Dufresne,* Paris, Seghers, 1984.
Blanchet, Jacques, *Tête heureuse,* Montréal, Éditions Leméac, 1971.
Beaupré, Viateur. *Ryan de A à Z en chantant,* Québec, Éditions Riouiféroce enr., 1980.
Bonne Chanson (La). Dix albums de 50 chansons, Laprairie, Les Entreprises culturelles.
Botrel, Théodore. *Chansons de Botrel,* Montréal, Beauchemin, 1931, coll. Maisonneuve.
Brasserie Dow, *Chansons d'autrefois,* Montréal, Brasserie Dow, 1928.
Daigneault, Pierre. *Vive la compagnie,* Montréal, Éditions de l'Homme, 1979.

Daunais, Lionel. *12 chansons canadiennes,* Montréal, Éditions Archambault, 1957.
Dor, Georges. *Si tu savais...,* Montréal, Éditions de l'Homme, 1977.
Doyon, Marie-Blanche. *Madame Bolduc et ses chansons,* Québec, Université Laval, 1969 (mémoire).
Duguay, Raoul. *Chansons d'Ô.* Montréal, L'Hexagone, 1981.
Francœur, Lucien. *Rock-désir,* Montréal, VLB Éditeur, 1984.
Gauthier, Claude. *Le Plus Beau Voyage,* Montréal, Éditions Leméac, 1975.
Gauthier, Conrad. *Dans tous les cantons,* Montréal, Éditions Archambault, 1963.
Graveline Pierre. *Chansons d'icitte,* Montréal, Parti Pris, 1977, coll. Paroles, nº 51.
Ferland, Jean-Pierre. *Chansons,* Montréal, Éditions Leméac, 1969.
Laramée, Jean. *Chansons du vieux Québec,* Montréal, Librairie Beauchemin, 1939.
Latraverse, Plume. *Cris et Écrits,* Montréal, Éditions Rebelles, 1983.
Leclerc, Félix. *Cent chansons,* Ottawa, Fides, 1970.
Légaré, Ovila. *Les Chansons d'Ovila Légaré,* Montréal, Éditions du Jour, 1972.
Lelièvre, Sylvain. *Entre écrire,* Montréal, Nouvelles Éditions de l'Arc, 1982.
Léveillée, Claude. *L'Étoile d'Amérique,* Montréal, Leméac, 1971.
Lévesque, Raymond. *Électro chocs,* Montréal, Guérin, 1981.
Poèmes et Chansons de la résistance, Montréal, Éditions Robert Myre, 1969.
Sabourin, Marcel. *Chansons,* Montréal, VLB Éditeur, 1979.
Vigneault, Gilles. *Tenir paroles,* Montréal, Nouvelles Éditions de l'Arc, 1983, 2 tomes.
Yon, J.G. *Chants des patriotes,* Montréal, J. G. Yon Éditeur, 1903, 2e édition.

HISTOIRE, CULTURE, POLITIQUE, SOCIOLOGIE

Boudreau, Ernest, *Le Rêve inachevé,* Montréal, Nouvelle Optique, coll. Matériaux, 1983.
Charron, François. *La Passion d'autonomie,* Montréal, Les Herbes rouges, nos 99/100, 1982.
Centre de formation populaire (CFP). *Au-delà du Parti québécois,* Montréal, Nouvelle Optique, coll. Matériaux, 1982.

Compain, Jean-Pierre. *L'Engrenage*, Montréal, L'Étincelle, 1972.
CIPP. *Dossier Paul Rose*, Montréal, Éditions du CIPP, 1981.
Cliff, Dominique. *Le Déclin du nationalisme*, Montréal, Libre Expression, 1981.
Comité des cent (Le). *Pour un Québec socialiste*, Montréal, manifeste, octobre 1981.
Crean, Susan et Rioux, Marcel. *Deux pays, un plaidoyer*, Montréal, Éditions coopératives Albert Saint-Martin, 1980, coll. Recherches et documents.
Debray, Régis. *Le Scribe*, Paris, Grasset, 1980.
En collaboration. *Québec: un pays incertain*, Montréal, Québec-Amérique, 1980.
En collaboration. *Québec underground, 1962-1972*, Montréal, Les éditions Médiart, 1973. 2 tomes.
Hébert, Bruno. *Monuments et Patrie*, Joliette, Éditions Pleins Bords, 1980.
Lalonde, Michèle et Monière, Denis. *Cause commune*, Montréal, L'Hexagone, 1981.
Laurin-Frenette, Nicole et Léonard, Jean-François. *L'Impasse*, Montréal, Nouvelle Optique, 1980, coll. Matériaux.
Legris, Renée. *Propagande de guerre et Nationalismes dans le radio-feuilleton (1939-1955)*, Montréal, Éditions Fides, 1981, coll. Radiophonie et société québécoise.
Leclerc, Félix. *Le Livre bleu*, Montréal, Nouvelles Éditions de l'Arc, 1978.
Lortie, Jeanne-D'Arc. *La Poésie nationaliste au Canada français, 1606-1867*, Québec, P.U.L., 1975, coll. Vie des lettres québécoises, n° 13.
Major, Robert. *Parti pris: idéologies et littérature*, Montréal, HMH, 1979, coll. Littérature.
Memmi, Albert. *Le Portrait du colonisé*, Montréal, L'Étincelle, 1972.
Monière, Denis. *Le Développement des idéologies au Québec*, Montréal, Québec-Amérique, 1982.
Morin, Michel et Bertrand, Claude. *Le Territoire imaginaire de la culture*, Montréal, HMH, 1979, coll. Brèches.
Ouellette, Fernand. *Écrire en notre temps*, Montréal, HMH, 1979, coll. Constantes, n° 39.
Revue *Critère*. *La Recherche du pays*, printemps 1980, n°s 27-28.
Revue *Critère*. *L'Après-Crise culturelle et politique*, printemps 1983, n° 35.
Revue *Liberté*. *Le Rapport du tribunal de la culture*, 1975, n° 101.
Revue *Possibles*. *Projets d'un pays qui vient*, hiver 1980, vol. 4, n° 2.

Rochon, Gaétan. *Politique et Contre-culture*, Montréal, 1979, Cahiers du Québec HMH, coll. Science politique.

Royer, Jean. *Pays intimes*, Montréal, Éditions Leméac, 1976, coll. Documents.

Tremblay, Marc-Adélard. *L'Identité québécoise en péril*, Québec, Sainte-Foy, Les Éditions Saint-Yves Inc., 1983.

Shafer, Boyd C. *Le Nationalisme*, Paris, Payot, 1964.

Vincenthier, Georges. *Une idéologie québécoise*, Montréal, 1979, Cahiers du Québec HMH, coll. Histoire.

CET OUVRAGE
COMPOSÉ EN PALATINO CORPS 11 SUR 13
A ÉTÉ ACHEVÉ D'IMPRIMER
LE VINGT-HUIT FÉVRIER
MIL NEUF CENT QUATRE-VINGT-ONZE
PAR LES TRAVAILLEURS ET TRAVAILLEUSES
DES PRESSES DE L'IMPRIMERIE GAGNÉ
À LOUISEVILLE
POUR LE COMPTE DE
VLB ÉDITEUR.

Ce livre est imprimé sur
du papier contenant plus
de 50% de papier recyclé
dont 5% de fibres recyclées.

IMPRIMÉ AU QUÉBEC (CANADA)